COLLECTION FOLIO

Didier Daeninckx

Itinéraire d'un salaud ordinaire

Gallimard

Didier Daeninckx est né en 1949 à Saint-Denis. De 1966 à 1975, il travaille comme imprimeur dans diverses entreprises, puis comme animateur culturel avant de devenir journaliste dans plusieurs publications municipales et départementales. En 1983, il publie *Meurtres pour mémoire*, première enquête de l'inspecteur Cadin. De nombreux romans noirs suivent, parmi lesquels *La mort n'oublie personne*, *Lumière noire*, *Mort au premier tour*. Écrivain engagé, Didier Daeninckx est l'auteur de plus d'une quarantaine de romans et recueils de nouvelles.

À Cosette et Georges Huet

PREMIÈRE PARTIE

Au service de l'État

CHAPITRE 1

Les paulownias en fleur et le Restaurant des Intellectuels, c'est ce qui lui était venu en tête quand il s'était laissé aller aux nostalgies alors qu'on débouchait le champagne. Clément Duprest avait fermé les yeux sur les floraisons mauves, inquiet à la seule idée d'offrir aux collègues qui l'entouraient le moindre accès à la confidence. Près de quarante années s'étaient écoulées depuis l'éclosion, et bizarrement, bien qu'il n'y ait jamais songé, c'était cela, la végétation, qui lui revenait en mémoire au moment de quitter pour toujours son bureau de la galerie nord. Quarante ans, et pourtant les images étaient intactes. Il se revoyait, jeune homme élancé vêtu de flanelle, chapeau légèrement incliné sur l'oreille droite, traversant l'allée centrale du Marché aux Fleurs, il se souvenait des odeurs. On était en mai. Quinze jours plus tôt, il avait été reçu dans les tout premiers au concours d'inspecteur de police, mettant à profit des études de droit écourtées, et l'excellence de ses résultats lui avait permis de faire des vœux, pour son affectation. Il pensait grimper les échelons dans un commissariat de quartier, mais les nouvelles missions confiées aux Renseignements généraux, rebaptisés Brigades spéciales pour l'occasion, nécessitaient des énergies, des compétences. La convocation lui demandait de se présenter sur l'île de la Cité, à onze heures, et c'est en longeant les pavillons métalliques emplis d'arbustes, de bouquets, qu'il avait remarqué les grappes lilas qui enveloppaient les branches des deux rangées d'arbres. Une femme occupée à remplir un seau à la fontaine lui avait souri. Elle portait des sabots et un tablier bleu. Il avait porté la main à son couvre-chef, puis ralenti pour écouter ce qu'elle avait à lui dire.

— C'est arrivé ce matin ! Il faut en profiter, ça ne dure pas longtemps... En plus, ils ne fleurissent qu'une fois tous les cinq ans. Vous ne voulez pas des roses, elles sont toutes fraîches... Mignon comme vous êtes, vous devez savoir à qui les offrir.

Il avait baissé les yeux, ne sachant que répondre, et avait failli se cogner au socle vide sur lequel, quelques mois plus tôt, se dressait la statue de Théophraste Renaudot avant que l'alliage cuivreux de l'hommage ne serve plus utilement dans le circuit de la production industrielle ou agricole. Un convoi militaire allemand s'était immobilisé sur le boulevard tandis qu'il présentait ses papiers au gardien de faction, des soldats en armes avaient surgi de sous les bâches kaki pour prendre position devant les grilles du Palais de Justice à cent mètres de là.

— Qu'est-ce qui se passe ?

Le policier, impassible, lui avait rendu ses documents.

— Rien, c'est la relève pour le procès des terroristes... Très bien. Tout est en ordre, vous prenez l'escalier E, les bureaux de l'administration sont au deuxième étage.

Le commissaire principal Rondier dirigeait la dizaine d'hommes rattachés à la « brigade des propos alarmistes » depuis la permanence centrale, une salle en longueur dont les fenêtres hautes donnaient sur la cour intérieure de la préfecture. À l'époque, il n'avait pas encore été victime de son attaque cérébrale, et ses lèvres se tenaient droites. Il avait compulsé les papiers, à son tour, tout en tirant sur une cigarette dont les cendres maculaient son veston et les dossiers éparpillés sur le bureau.

— Vous faisiez quoi avant d'être touché par la vocation, inspecteur ?

— Des études pour être avocat, mais c'était une idée de mes parents, mon père surtout... Depuis un an, je travaillais au service juridique de la Compagnie du Métropolitain.

Le commissaire Rondier avait levé la tête.

— Un problème sérieux, la sécurité du métro... Les papillons, les tracts, les inscriptions. Jusqu'aux faux aveugles, qui glissent des notes de la

Marche Lorraine, de *La Marseillaise* ou de *L'Internationale* au milieu d'une ritournelle, à l'accordéon. On va en venir à bout ! Ils ont créé un groupe d'employés en civil qui font le même boulot que nous, à ce que je me suis laissé dire... Ils circulent dans les rames, musette à l'épaule, et ne se privent pas d'écouter tout ce qui se dit, de voir tout ce qui se fait ou qui se trame...

Il avait ensuite confié la nouvelle recrue au brigadier Bricourt qui s'apprêtait à partir en mission.

— Tu l'emmènes avec toi pour la tournée des grands-ducs ! Les photos, l'équipement... Fais un crochet par le vestiaire, il doit y avoir du matériel à sa taille.

Roland Bricourt était un petit bonhomme rondouillard d'une trentaine d'années. Les cheveux qui avaient déjà déserté son crâne semblaient s'être réfugiés sur ses sourcils qu'il avait noirs et broussailleux. Il le guida dans les méandres de l'administration, pour l'établissement de la carte professionnelle, la délivrance d'une arme. Quand tout fut réglé, Duprest le suivit dans l'ascenseur qui s'éleva jusqu'au cinquième étage où une série de placards, dans le couloir principal, renfermaient des effets classés par saison puis par taille. Il troqua son feutre contre une casquette, son costume de flanelle contre du velours côtelé et des galoches remplacèrent ses souliers vernissés. Le brigadier vérifia son accoutrement qui lui donnait un air bohème, puis il l'entraîna vers la place Saint-Michel en passant par une porte qui ouvrait sur le quai du Marché-Neuf.

— Ce que je te propose, c'est d'aller casser une graine avenue de l'Observatoire. Si on remonte le boulevard à pied, on arrivera juste pour l'ouverture, l'appétit aiguisé... C'est pas cher, d'autant que le patron m'a à la bonne. Ensuite, si ça te dit, on ira tranquillement digérer dans une salle de cinoche... Qu'est-ce que tu penses du programme ?

Duprest s'était arrêté près de la fontaine pour serrer d'un cran la ceinture de son pantalon et tirer sur les chaussettes qui glissaient en bourrelets sous ses talons. Il avait regardé le brigadier avec insistance pour essayer de comprendre à quel jeu il jouait.

— Je ne comprends pas trop où tu cherches à en venir... Je me suis présenté au concours pour travailler, pas pour prendre des vacances... Si c'est une mise à l'épreuve...

— Où est-ce que tu es allé chercher ça, Duprest ? Notre boulot, c'est la chasse aux bobards. Tu es vraiment tordu, tu crois qu'on n'a pas assez de problèmes avec les juifs, les communistes ! Qu'on s'amuse à se piéger entre flics ?

— Je n'en sais rien... Il y a moins d'une heure, je suis arrivé à la préfecture habillé presque comme un marié, ne manquait que les fleurs, et je me retrouve dans la rue déguisé pour Mardi-Gras ! C'est un peu brutal... Tu peux l'admettre, non ?

Bricourt l'avait pris par l'épaule pour lui faire traverser la rue Saint-André-des-Arts.

— Tu verras, on s'habitue. Tu es flic maintenant. Les questions, tu évites de te les poser, c'est aux autres d'y répondre.

Ils contournèrent la terrasse de chez Dupont, longèrent bientôt les grilles du jardin du Luxembourg que des équipes brossaient puis repeignaient tandis que des artisans juchés sur des échelles doubles plaquaient des feuilles d'or sur les piques et les volutes. Le restaurant se trouvait en angle, au 49 de l'avenue de l'Observatoire, une devanture marron en faux bois, avec des effets de nervures, surmontée par l'enseigne violette qui imitait une écriture scolaire avec ses pleins, ses déliés : « Restaurant des Intellectuels ». Le brigadier poussa la porte à tambour pour accéder à une vaste pièce à colonnades qui résonnait des éclats de voix et des coups de fourchette d'une centaine de convives. Il se dirigea droit sur le maître des lieux, une sorte de comptable à lunettes coincé derrière un guichet courbe, sortit son portefeuille, fit semblant de lui remettre un billet de dix francs, mais Duprest se tenait assez près pour constater que la coupure n'avait fait que prendre l'air.

— Qui est-ce qu'il y a au menu aujourd'hui ?

L'homme prit appui sur la tablette pour se hisser à hauteur de l'oreille du policier.

— Le tout-venant autour des tables de la grande salle : des professeurs à la Sorbonne, pas mal de musiciens de la Société Mozart. On a aussi les nécessiteux habituels, je les ai regroupés au centre. Le gratin occupe la salle du fond...

— Il reste de la place ?

— Vous pouvez vous mettre sur la banquette en coin, près de la desserte. C'est sur le chemin des toilettes, mais vous restez en retrait et vous profitez de la conversation des gens du monde.

Ils longèrent l'enfilade des colonnes, contournèrent le salon bibliothèque dont les étagères regorgeaient des dernières publications littéraires, livres, revues, ainsi que d'exemplaires des quotidiens parisiens. Bricourt s'installa sur le côté le plus étroit de la moleskine afin d'avoir les invités de marque dans son champ de vision, avec un portrait studieux du Maréchal pour clore la perspective. Une serveuse aux formes généreuses, la coiffure rehaussée par un chignon que retenait un peigne nacré, vint leur réciter le menu : potage aux carottes, bœuf bourguignon pommes Lutèce, reinette, café d'orge grillée pour finir. On leur apportait les bols de soupe quand un homme d'allure faussement chétive, à la coiffure soigneusement négligée, se leva et demanda le silence en frappant la bouteille d'eau posée devant lui à l'aide d'une cuillère. Duprest se rapprocha de Bricourt.

— Qui est-ce ? J'ai l'impression d'avoir déjà vu sa tête...

— Il s'appelle Jean Cocteau, spécialiste des cocktails, sa photo traîne dans toutes les salles d'attente des dentistes. Gros dossier mais intouchable, il a le génie de se faire des amis en forme de boucliers. Autour de lui, il y a tout ce qui compte dans la sculpture française, Despiau, Belmondo, Bouchard, Landowski, ainsi que dans la peinture, Derain, le gros Vlaminck, Van Dongen avec la barbe et Segonzac... Attention, il va parler... Je crois qu'il serait temps que tu sortes ton calepin de ta poche, que tu le poses sur ta cuisse, sous la table, et que tu apprennes à prendre des notes sans que personne s'en aperçoive...

Le lent phrasé de l'écrivain se posa sur la rumeur qui continuait à venir, par vagues, de la première salle.

— Comme vous le savez tous, puisque c'est la raison de notre présence dans cet établissement dont j'ignorais l'existence et que je trouve accueillant de simplicité, le ministre de l'Éducation nationale, Abel Bonnard et l'ambassadeur Otto Abetz ont choisi d'honorer l'un de nos maîtres, le sculpteur Arno Breker, en exposant son œuvre d'ensemble au musée de l'Orangerie. Je m'y suis faufilé avant même l'inauguration à laquelle vous êtes tous conviés. Je dois vous dire que la beauté prodigieuse de cette horde de géants nous montre que Breker est de cette haute patrie des poètes, patrie où les patries n'existent pas, sauf dans la mesure où chacun y apporte le trésor du travail national. Je ne trahirai d'ailleurs aucun secret en vous disant que les cartes d'identité d'Européen sont déjà prêtes à la Préfecture. On y lira : « monsieur Cocteau, européen, district France ». Plus de douane, plus de frontières, l'esprit circulera librement...

Duprest feuilleta son carnet après qu'on eut servi les cafés. Les lignes tracées à l'aveugle sous la nappe, au crayon noir, se chevauchaient, caractères minuscules ou démesurés mêlés, s'interrompaient, partaient en tous sens. Il s'aperçut pourtant que le discours s'était inscrit autre part que sur le papier, et qu'il lui suffisait de déchiffrer un mot pour que la phrase entière lui revienne en mémoire. Ils poussèrent à pied jusqu'à Notre-Dame-des-Champs pour attraper un métro qui les déposa place de la Concorde. Le temps se prêtait à la promenade sous les frondaisons, à la discussion avec les vendeurs de la bourse aux timbres dont les trésors minuscules reposaient sous des feuilles de papier cristal, tout au long de la rotonde du théâtre Marigny. La vie aurait pu, sans dommage, se résumer à cela. Il était presque deux heures de l'après-midi quand ils arrivèrent sur les Champs-Élysées et, à leur approche, la file d'attente devant la façade du Normandie se réduisit à vue d'œil.

— *Les Inconnus dans la maison...* Je crois que c'est tourné d'après un livre de Simenon...

Bricourt le prit par le bras pour lui faire accélérer la cadence.

— On s'en fout de Simenon, il ne raconte que des conneries. Son Maigret, il passe son temps à faire semblant de réfléchir en fumant des bouffardes, alors que le secret du métier, c'est l'action ! Magne-toi, on va manquer le plus intéressant...

— Ça ne risque pas, ils annoncent un documentaire en première partie, *Les Corrupteurs*... Le titre fait envie...

— Je me fous également du court-métrage, on est là pour les actualités.

Le brigadier tendit les billets à l'ouvreuse qui les conduisit vers la salle. Bricourt lui glissa une pièce pour qu'elle les laisse choisir leur place tranquillement. Il baissa la voix pour donner ses instructions.

— Tu t'installes ici, au bout de la rangée, sur le strapontin puis tu attends que les actualités de la semaine démarrent. S'il y a des perturbateurs, tu les laisses se défouler un petit moment, pour qu'ils prennent de l'assurance. Dès qu'ils en ont assez dit, tu te lèves, tu prends ton sifflet et tu te vides les poumons dedans. Je m'occupe du reste.

Duprest n'eut pas le loisir de demander des précisions à son collègue qui descendait les larges marches pour aller s'asseoir au premier rang. Les lumières s'éteignirent tandis que le rideau publicitaire bariolé remontait vers les cintres, effaçant les raisons d'ingurgiter les petites pilules Carter pour le foie, d'équiper son stylo d'une plume Palium ou d'apprendre l'allemand en trois mois grâce à la méthode Linguaphone. Le coq de chez Pathé lança son chant à la face du monde avant d'être remplacé par des images d'ouvrières au travail.

— Tandis que les troupes de la Wehrmacht accentuent leurs efforts pour prendre le contrôle du pétrole caucasien devenu vital pour le ravitaillement des troupes, le peuple allemand n'a de cesse de soutenir ses soldats. On s'active, dans les usines et dans les champs, jusque dans les camps de travail où sont pourtant regroupés les opposants de tout poil, la lie que toute société, fût-elle parfaite, génère...

Un premier cri fusa à deux sièges de Duprest qui repéra le perturbateur.

— Menteur ! Vive Ernst Thaelmann !

Quelques applaudissements dispersés saluèrent le nom du chef communiste allemand incarcéré, alors que les visages des membres du nouveau gouvernement se succédaient sur l'écran.

— Après la démission de l'amiral Darlan devenu chef des forces de terre, de mer et de l'air, M. Pierre Laval a été nommé chef du gouvernement par le maréchal Pétain. Écoutons-le...

Le grondement qu'on sentait monter des sièges, les quolibets, les ricanements se transformèrent en tumulte quand l'ancien député-maire d'Aubervilliers déclara en guise de conclusion : « Moi, je souhaite la victoire de l'Allemagne. » Duprest se leva pour se placer devant la porte, plongea la main dans sa poche de pantalon, porta le sifflet à ses lèvres tout en gonflant ses joues. Dans la lumière changeante du projecteur, il reconnut la silhouette de celui qui avait interrompu le sujet sur l'armée allemande et le repoussa quand il tenta de s'approcher de la sortie. Il n'eut comme solution que de se précipiter vers l'issue de secours où Bricourt l'attendait pour stopper sa course d'un coup de poing au plexus. L'homme s'effondra et ce fut Duprest qui lui passa les menottes. Il se souvenait aussi, quarante années plus tard, de son contentement, de cette impression de chaleur dans le ventre quand il avait refermé les bracelets d'acier sur les poignets de son premier prisonnier.

CHAPITRE 2

Pour rentrer à la Cité, ils avaient pris un taxi à gazogène puant la sueur rance, le charbon de bois mouillé. Clément Duprest s'était contenté d'accompagner le perturbateur jusqu'au seuil de la pièce 38, au cinquième étage, pour l'interrogatoire. Bricourt avait fait une halte aux toilettes, derrière l'ascenseur, et il en était revenu agitant un nerf de bœuf tressé.

— Qu'est-ce que vous allez lui faire ?

Sa main s'était refermée sur la poignée.

— La conversation... Ces gars-là, on les connaît. Il faut les travailler aux forceps pour qu'ils accouchent. Si on laisse passer un peu trop de temps, ils se referment comme des huîtres. Tu veux voir comment ça se passe ?

— Pas vraiment... Je crois que pour une prise de contact, c'est déjà pas mal. J'ai besoin de faire le point...

— Comme tu veux, c'est toi qui décides... Ce qui serait bien, c'est que tu avances sur le rapport, que tu racontes de façon neutre ce que tu as entendu au Restaurant des Intellectuels en étant le plus précis possible sur les identités des personnes présentes. Surtout, tu n'apparais pas, tu ne signes pas... On appelle ça un blanc. Le préfet a toute confiance en nous. Si tu as un problème, demande à Simone, la secrétaire de Rondier, elle connaît toutes les ficelles...

Il redescendit au deuxième après avoir repris ses affaires civiles dans le placard. Ses études lui ayant appris l'esprit de synthèse, et s'étant familiarisé avec les claviers des machines à écrire, au service juridique de la Compagnie du Métro, il ne lui fallut qu'un quart d'heure pour venir à bout du compte rendu. Ce qui l'avait le plus gêné, en fait, c'était les hurlements d'un type, peut-être celui du Normandie, de l'autre côté de la cloison. À sa demande, Simone, une brune sans âge au menton orné d'une verrue poilue, lui avait apporté le dossier regroupant les diverses instructions qui régissaient l'activité de la Direction générale des Renseignements généraux et des Jeux. Le premier document, adressé à tous les commissariats de Paris et des circonscriptions de banlieue, en date du 30 septembre 1940, précisait que « pour chaque affaire ayant un caractère politique », il fallait « aviser dès le début la 1re Section des Renseignements généraux (Automatique 315 et 316) pour demander qu'un inspecteur spécialisé soit envoyé afin de coopérer à l'affaire ». Il écarquilla les yeux en découvrant le nom de Roland Bricourt sur la toute dernière pièce, vieille d'à peine un mois, et qui portait la signature du directeur : « Je signale à la bienveillante attention de M. le préfet de police, la magnifique tenue des gradés et inspecteurs des brigades de répression communo-terroriste de ma direction. Cent cinquante-cinq hommes spécialisés mènent, de jour comme de nuit, un combat des plus rudes, sans souci des fatigues et des dangers. Animés du plus bel esprit de devoir, ils "servent" suivant les plus pures traditions de notre maison. Si tous méritent des éloges, je me permets de vous communiquer les noms de ceux qui se sont le plus particulièrement distingués au cours des affaires récentes dont les résultats importants vous ont été communiqués : Boutreau, Farlaque, Bricourt, Sadowsky. »

Il quitta le bureau en se promettant de demander à son collègue ce qui avait motivé pareille distinction. Avant de s'engouffrer dans le métro, il ressentit le besoin de traverser la nef de Notre-Dame pour aller s'agenouiller devant la statue de la Vierge, dans le transept. En sortant, il fut surpris par la douceur de la fin de journée. Il se laissa prendre au jeu d'un clochard qui émiettait un morceau de pain gris sur les larges bords de son chapeau qu'on aurait dit volé à Aristide Bruant et qui se couvrait immédiatement de dizaines de moineaux tapis dans les haies des environs.

Liliane l'attendait accoudée à la fenêtre de

leur appartement de la rue Joanès, dans le quartier de Plaisance, qu'enveloppaient les effluves de la brûlerie de café Le Planteur de Caïffa. Le trois-pièces situé au-dessus des entrepôts d'un vendeur de glace à rafraîchir appartenait aux parents de sa femme qui leur faisaient cadeau du loyer depuis leur mariage, un an plus tôt. Il ne l'avait jamais trompée et ne se demandait pas encore pourquoi. Aucune dispute non plus. Il s'était simplement senti gêné quand, pendant leur voyage de noces en Bretagne, elle lui avait confié en rougissant ce qui avait fait pencher la balance, les mots qui avaient anéanti ses pauvres défenses.

— Tu te souviens du repas d'anniversaire de ma mère au Pavillon du lac des Buttes-Chaumont ? Tu voulais faire de l'aviron, tu m'as pris la main, on a couru sur le chemin des Aiguilles. Je te regardais ramer et tu m'as dit de fermer les yeux, que l'éclat de mon regard était plus brûlant que le soleil d'été...

Il l'avait serrée contre lui pour ne pas qu'elle lise le dépit sur ses traits. Ça n'avait donc tenu qu'à ça, à une phrase soulignée dans un roman à quatre sous, nom d'auteur englouti, qu'il s'était ingénié à répéter devant un miroir en imitant les bellâtres du cinéma, et qu'il avait servie plus souvent qu'à son tour dans des bals de boniches, des guinguettes poisseuses, de lugubres fêtes foraines. « Baisse les paupières, j'ai la peau sensible... » On part pour l'aventure d'une vie sur de pareilles balivernes ! Une qui ne s'était pas laissé prendre, c'était Clotilde, une championne de natation qui avait eu son heure de gloire quelques semaines avant la déclaration de guerre, quand elle avait rallié la tour Eiffel à la piscine Deligny, par la Seine, lors d'une compétition organisée par le *Miroir du Sport*. Elle se fichait des mots, allait droit à l'essentiel, et l'avait totalement décontenancé en se plaçant sur lui pendant leur première rencontre horizontale. Il lui en avait fait la remarque qu'elle avait balayée d'une phrase :

— Je n'ai pas l'habitude de nager sur le dos.

Il y repensait souvent en soulevant la chemise de nuit de sa femme, dans la pénombre. À plusieurs reprises il s'était débrouillé pour transformer le lit conjugal en terrain de jeu, enveloppant Liliane avec les draps, la faisant rouler sur le matelas afin qu'elle se retrouve en situation supérieure. Elle s'amusait, riait aux éclats sous les chatouilles, mais dès qu'elle prenait conscience de ce qu'il désirait, elle glissait sur le côté pour aller écarter les jambes dans la position de l'épouse soumise. Elle vint lui ouvrir en glissant sur le parquet ciré, le débarrassa de sa veste qu'elle accrocha à la patère. Il la suivit jusqu'à la cuisine, abandonnant les patins à la limite du carrelage. Une soupe mijotait sur le coin de la gazinière.

— Alors, comment ça s'est passé ? Tu veux du vin de cerise en apéritif ?

— Pas trop mal pour un début... Juste un fond de verre pour faire honneur aux productions de ta mère. J'ai fait la connaissance de quelques collègues et surtout de Simone, la secrétaire du service...

— Elle est jolie ?

Il ne ressentit pas l'envie d'aiguiser sa jalousie.

— Elle le serait davantage si elle se rasait !

— Je ne te savais pas si méchant... Ton travail te plaît ? Tu fais quoi exactement, tu traques les criminels comme Edward G. Robinson dans le film qu'on a vu le mois dernier à l'Atlantic ? Il s'appelait comment déjà ?

Il trempa ses lèvres dans le liquide liquoreux.

— *Le Dernier Gangster*...

Les choses étaient claires dans son esprit : même lorsqu'il était dans son précédent emploi, au métro, et que les dossiers qu'il avait à traiter ne concernaient que des litiges purement commerciaux avec des fournisseurs, il s'était fixé comme règle de ne jamais aborder le sujet en dehors du bureau, que ce soit avec des amis ou dans l'entourage familial. Raison de plus de respecter cet usage maintenant qu'il exerçait un métier dont une des caractéristiques consistait dans sa discrétion. D'abord, qu'aurait-il fallu lui dire pour rivaliser avec les détectives de celluloïd ? Qu'il s'était déguisé en marlou pour aller espionner un poète et jouer du sifflet dans une salle des Champs-Élysées ? Il regarda sa montre, prit son verre, vint s'asseoir sur le tabouret posé près du poste de TSF qu'il alluma. Dès que les lampes furent chaudes, il tourna la molette pour capter la fréquence de Radio-Paris alors que résonnait l'indicatif du journal. Les troupes anglaises se préparaient à attaquer Madagascar depuis Diégo-Suarez, une mauvaise nouvelle compensée par l'annonce de la victoire totale des armées japonaises sur le front birman et la reddition du général américain Wainwright aux Philippines. Après le repas, Clément ne trouva pas suffisamment de courage pour sacrifier à la promenade habituelle dans les voies étroites de Plaisance, son impasse des Gaules, ses rues d'Alésia, de Gergovie ou de Vercingétorix dont Liliane ne parvenait pas à épuiser les secrets. Il lui fit l'amour en silence, repoussant les images d'interrogatoire qui l'assaillaient, les échos des cris du prisonnier derrière le mur du bureau.

Le lendemain matin, le printemps n'était plus qu'un souvenir. Des nuages bas remués par un vent tourbillonnant menaçaient de crever sur la ville. Il parvint à gagner l'abri du métropolitain avant l'averse. Quand il réapparut à l'air libre, près de Notre-Dame, le ciel se vidait de ses dernières gouttes. Il pensait retrouver Bricourt pour sillonner Paris en sa compagnie, mais Rondier lui annonça qu'il avait passé une partie de la nuit à vérifier les confidences arrachées au perturbateur de la veille et qu'il ne reprendrait

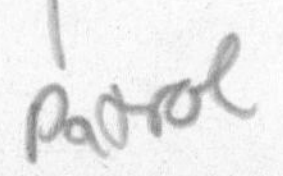

le service qu'en milieu d'après-midi. Il lui tendit une lettre.

— Le ministère de l'Intérieur a reçu ce courrier la semaine dernière, et ils aimeraient bien que l'on procède à une vérification de routine, pour savoir si ça n'émane pas d'un plaisantin... J'attends de vos nouvelles en fin de matinée...

Il s'assit dans la salle de permanence après s'être servi un verre de café, déplia le papier qui portait la date de rédaction du 3 mai 1942 sous l'en-tête de la Société Photomaton et lut la requête de la direction de l'entreprise.

« Monsieur le Ministre,

Nous pensons que le rassemblement de certaines catégories d'individus de race juive dans les camps de concentration aura pour conséquence administrative la constitution d'un dossier, d'une fiche ou carte, etc. Spécialistes des questions ayant trait à "l'Identité", nous nous permettons d'attirer tout particulièrement votre attention sur l'intérêt que présentent nos machines automatiques Photomaton susceptibles de photographier un millier de personnes en six poses, et ce en une journée ordinaire de travail... » C'était signé Claude Marjan, responsable du développement extérieur. Il s'installa dans le baquet, à l'arrière d'un vélocimane à moteur deux temps, tournant le dos au pilote qui prit les quais pour rallier la Bastille. Il présenta sa carte d'inspecteur à l'accueil, demanda à être reçu par le signataire de la lettre, sans préciser l'objet de sa visite. Coup de téléphone. On le fit patienter dans le coin d'un hall empli de cartons de produits chimiques, puis un huissier dont la jambe droite de pantalon flottait autour d'une prothèse mécanique le conduisit vers l'aile réservée à la direction en empruntant un itinéraire fait de couloirs disparates, d'escaliers courts, qui reliaient des immeubles autrefois séparés. Il marqua un temps d'arrêt en entrant dans la pièce que l'homme ouvrit après avoir légèrement frappé. Il ne s'attendait pas à ce que ce prénom, Claude, appartienne à une jeune femme. Elle contourna son bureau pour le saluer, et la surprise du policier redoubla en constatant qu'elle était habillée d'un pantalon noir sur lequel tombait une veste droite. Elle avait les cheveux longs, lâchés sur ses épaules, et de larges anneaux d'argent en guise de boucles d'oreilles.

— Bonjour, inspecteur... On m'a dit que vous étiez envoyé par la préfecture. Il y a un problème ?

Il plongea la main dans sa poche pour se saisir de la correspondance.

— J'espère que non... L'un de nos services a reçu ce courrier. La proposition qu'il contient a été jugée assez surprenante pour que mon supérieur me demande d'en vérifier la réalité... Vous pouvez me confirmer que cela vient de chez vous ?

Claude Marjan se saisit de la feuille qu'elle

rendit aussitôt à Duprest sans même lire le texte.

— Oui, bien sûr. Vous auriez pu éviter de vous déplacer, il suffisait de téléphoner.

— Nous avons un faible pour le contact direct... J'aime bien me faire photographier dans vos machines. Il y en a une dans le hall de l'Atlantic, il faut faire la queue pour se faire tirer le portrait...

Elle prit appui sur le coin du bureau, tendit la main vers un étui à cigarettes.

— Vous fumez ?

— Non, je fais du sport...

Il ne voulait surtout rien accepter de quelqu'un qu'il était chargé de questionner. Elle planta une cigarette dans un embout nacré.

— Il m'arrive aussi d'aller voir des films à l'Atlantic, vous parlez bien du cinéma de la rue Boulard ?

— Oui, celui qu'on surnomme « la salle atmosphérique », avec ses hublots sur les côtés, le plafond qui imite un ciel d'été, les vagues peintes sur les murs... Même quand l'écran est vide, on a l'impression d'être ailleurs. À propos d'ailleurs, il va falloir justement que j'y aille... Pour le rapport, je note donc que c'est très sérieux...

Ses lèvres s'arrondirent pour laisser passer un jet de fumée.

— Écoutez, inspecteur, nous avons d'excellentes références. Depuis des années, nous déplaçons nos installations complètes, avec des opérateurs, pour réaliser les photos d'identité du personnel des usines dont la production nécessite une surveillance spéciale. Renault, Gnôme et Rhône, Ugine, Hotchkiss, les Houillères. Le ministère des Finances, celui de l'Éducation nationale. Nous avons également effectué des missions dans des camps de prisonniers, des camps de travail, pour les carnets anthropométriques des Bohémiens. Je peux vous faire préparer la liste de nos réalisations, avec un échantillon des messages de satisfaction envoyés par nos clients. Nous avons appris que des regroupements importants étaient en préparation. Nous sommes très bien placés pour y apporter notre contribution.

Il griffonna son nom et l'adresse de la brigade sur son carnet, détacha la feuille.

— Envoyez-moi les documents ici. Je vous remercie de votre aide.

Les bourrasques avaient nettoyé le ciel. Il décida de remonter à pied jusqu'à la colonne de Juillet, traînant devant les vitrines des marchands de meubles du faubourg à la recherche d'un meuble d'angle à tiroirs que Liliane rêvait d'installer, dans l'entrée, pour y poser le téléphone dont on leur promettait l'installation avant la fin de l'été. Près du passage de la Main-d'Or, il prit son tour dans une queue d'une vingtaine de personnes formée le long d'une boulangerie. Jusque-là, il écoutait en souriant les récriminations des ménagères, rebondissait sur les bons mots, ajoutait son grain de sel, mais son appartenance récente à la « brigade des bobards » modifiait radicalement sa perception des bruits du quotidien. Il soupçonnait celle qui se plaignait que la soudure n'arrive pas, doutait de la sincérité de celui qui ne faisait que s'impatienter, se demandait quel sens second cachait une réflexion anodine du genre « ils ont tout pris ». Tout était à considérer avec le plus grand sérieux. Un article de l'édition française de la *Pariser Zeitung* affiché dans la permanence rappelait aux sceptiques que deux collègues, Vaudrey et Morbois, avaient été tués par des terroristes communistes alors qu'ils intervenaient contre des propagateurs de fausses nouvelles dans une file d'attente, rue de Buci.

CHAPITRE 3

Duprest fit un crochet par les fichiers de la préfecture pour parfaire son enquête du matin. Il se félicita d'avoir mangé un casse-croûte au zinc des Deux Palais avant de reprendre le service car il fut happé par Bricourt dès qu'il mit les pieds sur le palier du deuxième étage. Le brigadier écarquilla les yeux, ce qui fit bondir ses épais sourcils.

— Tu tombes bien, on cherchait des volontaires... Tu n'as rien de prévu ?

— Non, à part la rédaction d'un compte rendu de mission... J'en ai pour un quart d'heure. Tu as besoin de moi ?

— Oui, tu nous rejoins dans la cour d'honneur dès que tu as fini. Et ne laisse pas ton pistolet dans le tiroir, on risque d'en avoir besoin.

Toutes les machines de la salle de secrétariat étaient occupées par des dactylos ou des inspecteurs. Il s'installa sur un guichet de réception pour rédiger son brouillon.

« Renseignements généraux

1re Section

Brigade spéciale II

Le 11 mai 1942,

L'inspecteur Clément Duprest à Monsieur le Commissaire principal, chef du service.

Le courrier joint émanant de la société Photomaton est authentique et son expéditrice, Claude Marjan, occupe les fonctions de directrice du développement industriel de cette entreprise. La proposition est donc à prendre en considération. À toutes fins utiles, il est à noter que Mlle Claude Marjan, célibataire, née le 17 septembre 1921 à Chartres (Eure-et-Loir), domiciliée 8 avenue de Camoëns à Paris, n'est pas connue aux archives de notre direction, pas plus qu'aux archives de la police judiciaire et que son nom n'est pas noté aux sommiers judiciaires. »

Il le remit à Simone, la secrétaire de Rondier, qui lui fit signer un formulaire en blanc.

— Je taperai le texte dans l'intervalle... Le patron attend après, ça nous fera gagner du temps.

Quelques minutes plus tard, il rejoignait Bricourt qui était accompagné d'un grand type efflanqué aux yeux globuleux et que la nature, dans sa générosité, avait doté d'un menton proéminent.

— Je te présente Émile Traverse. On a eu le nez creux hier sur les Champs... Pour un début, tu as fait fort ! Le gars qu'on a serré nous a mis sur une piste. Au début, il voulait tout garder pour lui, mais dès qu'on a commencé à faire des folies avec son corps, il est devenu partageux ! Tu sais y faire, Émile...

Son rire le faisait vaguement ressembler à un Fernandel pervers.

— Je suis passé par la fac de médecine, j'ai pas mal potassé les terminaisons nerveuses. L'anatomie en fait c'est comme le vélo, ça ne s'oublie pas. Visez un peu : j'ai déniché les photos de trois de ceux dont il nous a parlé au service des cartes d'identité et aux permis de conduire. Malheureusement, je ne dispose que d'un tirage pour chaque, il va falloir que vous les regardiez bien pour vous souvenir de leurs traits, si jamais on les croise...

Ils traversèrent la Seine pour aller prendre le métro à Châtelet et grimpèrent dans le wagon de tête d'une rame qui se dirigeait vers le terminus de la Villette. Ils prirent place sur une banquette de bois. Traverse se pencha vers Duprest qui lui faisait face, presque à le toucher.

— C'est une lutte à mort qui est engagée entre nous et le parti du désordre. La seule différence entre eux et nous, c'est qu'ils nous tirent dans le dos alors que nous les combattons à visage découvert. On peut user de la ruse, la ruse est une arme de guerre, pas de l'attentat qui est l'arme des lâches. Hier, je te rassure, il a juste fallu le bousculer un peu pour qu'il passe aux aveux. Il s'appelle Albert Faugère, dix-neuf ans, apprenti chauffagiste, et loge chez ses parents, à Pantin. La boîte qui l'emploie a un gros chantier de rénovation au Grand Palais, ce qui explique qu'il traînait en semaine dans les beaux quartiers.

— Il fait partie d'un groupe d'activistes ?

Bricourt prit le relais.

— Ma main à couper ! Il ne nous a pas dit qu'il était affilié au rayon communiste du nord-est, mais c'est clair comme de l'eau de roche. Vers dix heures, hier soir, j'ai pris une musette et je me suis coltiné le trajet depuis la Préfecture jusqu'à Pantin, en vélo... On se croyait à Notre-Dame-de-la-Mouise ! J'ai réveillé tous les chiens de la rue où il habite pour prévenir ses parents qu'il passait la nuit à Paname, qu'il ne rentrerait que ce soir... Normalement, personne ne devrait s'inquiéter de son absence...

Ils émergèrent sur l'esplanade sinistre qu'avait dégagée le démantèlement des fortifications, devant la façade en brique rouge de l'annexe de la préfecture de police gardée par des Mobiles. Ils prirent à droite par la rue du Chemin-de-Fer qui longeait les voies de Paris-Est avant qu'elles aillent se perdre dans les méandres d'acier de la gare de triage. Un paysage d'entrepôts, de fumées, traversé par des silhouettes courbées, sur lequel, curieusement, flottait une odeur de Javel et de linge mouillé qui s'échappait des blanchisseries industrielles. Ils dépassèrent un square, traversèrent une avenue, pénétrèrent dans une enclave pavillonnaire dont les toits se serraient autour des ateliers de l'usine des tabacs. Bricourt les attira sous un porche.

— Il est temps de nous séparer. D'après ce que Faugère nous a balancé, ils fréquentent le café des Trois-Marches, le restaurant Chez Bibi. Il y en a un aussi qui donne un coup de main chez l'Auvergnat, pour remplir les sacs de charbon... Je m'installe au troquet, toi Émile tu te charges du resto. Clément, lui, va passer une commande de carbi pour l'hiver prochain qui s'annonce des plus rudes... On part d'ici toutes les deux minutes. Au moindre problème, n'hésitez pas à dégainer, ils sont devenus enragés.

Duprest s'engagea le dernier dans la rue bordée d'acacias. Quand les cloches sonnèrent au lointain, il regarda machinalement sa montre qui indiquait trois heures. Ses collègues avaient déjà disparu dans les voies adjacentes et il tourna la tête pour apercevoir les enseignes des deux commerces où ils étaient entrés comme des clients ordinaires. Il se demandait comment il allait s'y prendre pour s'incruster chez le bougnat sous prétexte d'une commande d'anthracite, et surtout combien de temps il pourrait alimenter une conversation sur le sujet sans que son comportement devienne suspect. La boutique, plantée à une intersection, était précédée d'un terrain couvert en forme de triangle parsemé de tas de combustible, aggloméré, flambant, coke, depuis le calibre 6/10 jusqu'au boulet de 30/50. Il s'aperçut qu'une partie de la réserve faisait office d'épicerie, qu'on pouvait même y boire un verre. Il s'approcha du comptoir de fortune confectionné au moyen de caisses de vin empilées les unes sur les autres sans voir le commerçant qui se tenait assis en retrait, dans la pénombre. Il sursauta quand l'homme s'adressa à lui.

— Qu'est-ce qu'il y a pour votre service ? Excusez-moi, je crois que je vous ai fait peur...

— Non, pas vraiment... Juste surpris, je ne vous avais pas vu. Je croyais qu'il n'y avait personne... C'est vous le patron ?

— Non, il s'est absenté pour un petit moment. Je le remplace. Si je peux vous renseigner... Vous cherchez quelque chose de précis ?

Duprest plissa les yeux pour tenter de distinguer les traits de son interlocuteur malgré le contre-jour.

— Je regardais le charbon. Je m'occupe du syndic de plusieurs immeubles, sur la route de Flandre. On approche de l'époque fatale, celle de la reconstitution des réserves. Le problème, c'est les prix... Normalement ils repartaient à la baisse, une fois l'hiver enterré...

L'homme prit appui sur les accoudoirs du fauteuil pour se redresser.

— Plus rien n'est normal...

La lumière inonda son visage qui correspondait trait pour trait à l'une des photographies qu'exhibait Émile dans la cour de la Préfecture.

— On est obligés de surveiller le stock de jour comme de nuit, sinon, on se le fait voler... S'il en partait moins de l'autre côté... Les gens qui en ont encore les moyens se rabattent sur le coke... Ou alors, il reste le bois, en adaptant les chaudières...

Il ne devait pas avoir plus d'une trentaine d'années, le visage carré posé sur un cou massif et surmonté d'une chevelure blonde épaisse dans laquelle on distinguait le passage des dents du peigne. C'est comme ça qu'on faisait tenir une coupe, dans les banlieues, en se mouillant les cheveux à l'eau savonneuse. Il se trouvait maintenant à moins de deux mètres. Duprest s'obligea à respirer lentement par le nez, pour tenter de ralentir les battements de son sang, tout en prenant la mesure de son adversaire. La veste de bleu, carrée aux épaules, s'ouvrait sur un maillot de corps côtelé tendu par la musculature, les mains courtes et noueuses, aux ongles rognés, dégageaient une impression de puissance. Il savait qu'il n'avait aucune chance, qu'il serait broyé s'il se laissait prendre à un combat singulier. Il pouvait faire traîner les préliminaires, en espérant que Traverse et Bricourt pointent leur nez après avoir bu un verre aux Trois-Marches ou Chez Bibi, mais c'était reculer pour mieux sauter. Il choisit de précipiter les événements.

— Je boirais bien quelque chose...

Il savait que l'homme devrait lui tourner le

dos, l’espace d’un instant, pour accéder à l’étagère où reposaient les bouteilles de vin. Il en profita pour saisir son arme et la pointer entre les omoplates de l’ouvrier.

— Ne bouge pas. Si tu tentes quoi que ce soit, je tire... Lève les bras... Doucement...

— Si c’est pour l’argent...

— Tais-toi !

Il fit comme s’il n’avait pas entendu.

— Il n’y a rien dans la caisse... Le patron prend tout avant de partir. Vous pouvez vérifier, elle est là, à droite...

Tout en parlant, le bas du corps masqué par les empilements, il s’était mis en équilibre sur une jambe. Son pied en suspension se détendit soudain vers l’arrière, frappant les caisses vides qui dégringolèrent, emportant la table remplie de verres sales et de bouteilles vides qui éclatèrent sur le sol. Duprest recula instinctivement pour éviter le déluge. Celui qu’il tenait en joue, la seconde précédente, s’était jeté contre une cloison en planches qui céda sous sa pression et disparut dans un jardinet. Le policier enjamba les casiers, le verre brisé pour se lancer à sa poursuite. Il déchira sa manche de veste à un clou, piétina des rangs de salade, se griffa la joue à un rosier, avant d’apercevoir sa cible qui grimpait sur un lilas pour franchir un mur mitoyen. Le canon de son arme fut dévié par une branche de prunier quand il voulut braquer son pistolet sur la silhouette. Son index écrasa par deux fois la détente faisant voler des éclats de brique, à distance. Il escalada l'arbuste à son tour, se hissa au sommet du muret derrière lequel s'étendait le domaine d'un chiffonnier. Il demeura plusieurs minutes à l'affût, observant les amoncellements de cartons, de vieux chiffons, de métaux, de résidus de démolitions, de boîtes de conserve, mais rien ne bougeait comme si le fuyard avait été absorbé par les rebuts. Bricourt fut le premier à le rejoindre.

— C'est toi qui as tiré ? Oh, mais tu saignes...

Duprest essuya le sang à l'aide de son mouchoir.

— Ce n'est rien... Je ne pense pas l'avoir touché... Il connaît le secteur, on ne le rattrapera plus. Et toi, ça s'est passé comment ?

Émile Traverse apparut alors qu'il achevait sa phrase, poussant devant lui un homme aux poignets entravés et au visage tuméfié, tandis que Bricourt décrochait le téléphone pour appeler du renfort. Le quadrillage du quartier ne permit pas de mettre la main sur les deux autres personnes désignées la veille par Faugère. Le patron du dépôt de charbon s'était lui aussi volatilisé. Une fouille minutieuse de son appartement eut pour résultat la découverte d'une cache sous le parquet de la chambre qui contenait une dizaine de feuillets où étaient décrits les objectifs militaires du groupe. Ils les feuilletèrent tous les trois, dans le fourgon qui ramenait leur prise vers l'île de la Cité. Après s'être délecté, Traverse se montrait soucieux.

— J'espère qu'on n'a pas fait de connerie...

Bricourt releva la tête.

— Qu'est-ce qui te fait penser à une chose pareille ?

Il agita une liasse entre ses doigts maigres.

— Ce rapport d'observation... On est peut-être allés un peu trop vite. Il concerne un poste d'essence de l'armée allemande installé dans une ancienne boutique de photographe, rue des Quatre-Chemins à Aubervilliers. Le repérage est minutieux, ils ont sûrement réussi à introduire quelqu'un à l'intérieur. Écoutez : « Trois soldats allemands gardent le local en permanence. Ils habitent dans une pièce, au premier étage, près du réservoir, et dans la pièce située au-dessus. Deux sont armés de pistolets, le troisième d'un poignard et d'une grenade. Une voiture passe chaque soir entre six heures et six heures et demie avec un sous-officier à bord. Temps moyen de la visite, un quart d'heure. Pour faire le coup, il faudrait prévoir de former un groupe de dix hommes. Un chef, cinq exécutants et quatre camarades en protection. » Ensuite, il explique leur mode d'opération, c'est aussi instructif que passionnant : « L'heure la plus propice est le matin, à sept heures, quand les soldats ouvrent le poste. Il fait encore sombre. Arrivée par le carrefour. Lancement de l'action au moment choisi par le chef de section.

Trois francs-tireurs désarment les Allemands et les exécutent en cas de nécessité. Les deux autres entrent dans la pièce du réservoir et placent deux cartouches de dynamite reliées à deux mètres de cordon Bickford. Ils doublent par le jet d'une bouteille explosive avant de sortir. Tout ceci doit durer trois minutes au grand maximum. Le repli se fait par la rue des Postes, puis la ruelle Bordier, sous la protection du deuxième détachement. »

Bricourt serra les poings.

— Quelle merde ! On ne pouvait pas se douter que Faugère était en relation avec des francs-tireurs ! Si l'idée m'en avait traversé la tête, j'aurais pris la décision d'installer une souricière. On aurait été aux premières loges pour l'attaque du dépôt d'essence. Avec un peu de doigté, on en bouclait une bonne dizaine ! On en tient quand même deux... Il faudra bien qu'ils parlent pour les autres.

En rentrant au bureau, Duprest fit constater les dégâts occasionnés à son costume. Simone lui remit un bon valable chez Mouret, un tailleur de la place de l'Opéra qui habillait une bonne partie des patrons des services. Elle lui lança, alors qu'il s'éloignait :

— Le commissaire Rondier était très content de votre rapport sur l'affaire Photomaton. Il m'a dit de vous en faire part.

Et c'est avec le sourire qu'il pénétra dans la salle des interrogatoires.

CHAPITRE 4

Début juin, ils étaient allés prendre les parents de Clément à leur appartement, près du parc des Buttes-Chaumont. Son père, Maurice, fêtait ses quarante-cinq ans, et il avait tenu à marquer l'événement en les invitant dans un restaurant oriental du quartier Pigalle, en souvenir du bon vieux temps. Le métro s'était brusquement arrêté sur le viaduc, entre La Chapelle et Barbès-Rochechouart, puis il était reparti, trois quarts d'heure plus tard, sans que personne sache si l'incident était dû à une alerte ou à une coupure de l'alimentation de la motrice. C'est à peine si quelques voyageurs avaient soupiré, montré de l'agacement. Depuis le raid de l'aviation anglaise sur les usines Renault, les centaines de civières alignées sur les quais près de la Seine, on savait que la règle du jeu avait changé, que c'était le prix à payer. On faisait avec. Maurice faisait partie de la Ligue maritime et coloniale depuis son retour du Centre Annam où il avait passé près de quatre années avant d'être rapatrié par un bateau hôpital. Il dissimulait la légère claudication qui résultait de sa blessure en équipant ses souliers de semelles compensées. Un moindre mal : le projectile était passé à quelques millimètres de l'artère fémorale. Sa famille vivait du travail des champs, de l'élevage des bêtes pas loin de Scaër, dans le Finistère. Il s'était longtemps cherché des ancêtres dans la course en mer, des corsaires, des découvreurs, puis il avait bien fallu se rendre à l'évidence que la terre leur collait aux sabots depuis des siècles. L'appel du large, au temps de sa jeunesse, résonnait en provenance de la Cochinchine, du Tonkin, mots magiques qui dansaient devant ses yeux, dans les livres d'histoire. Il avait été le premier de la famille à quitter les sillons de terre pour ceux de l'océan en signant un engagement dans l'infanterie de marine. Au cours de son enfance, Clément l'avait entendu cent fois raconter ses deux années de bonheur à Haiphong, dans la baie d'Along, avant que les soviets jaunes ne fassent vaciller l'Empire. Il avait quitté le monde de fumeries, de hamacs, de cuisinières attentionnées, pour mater la révolte. Il pensait se battre contre des soldats et s'était retrouvé face à un ennemi invisible qui se cachait sous le masque fatigué de l'allumettier de Ben Thuy, du paysan de Hanh Lam ou du commerçant de Nghi Loc. Les hordes soulevées détruisaient tout sur leur passage : les ponts en béton qui avaient remplacé les passerelles en bambou pourri, les lignes téléphoniques, les écoles, les églises, les cafés, les commissariats indigènes... Il avait fallu rétablir l'ordre républicain, au prix fort, mettre les leaders communistes hors d'état de nuire. L'aviation avait largué des bombes sur une manifestation, à Hung Nguyen, la Légion s'était emparée d'une cimenterie en grève au prix de cent vingt morts chez les insurgés. Les yeux de Maurice brillaient quand il se souvenait de son ultime combat : un renseignement leur était parvenu selon lequel une réunion aurait lieu en pleine nuit, dans une clairière, à Tung Hia. Il avait pris position à quelques dizaines de mètres de là, deux fusils-mitrailleurs dissimulés dans des bosquets de bambous, avec son détachement de *huyen*, les soldats vietnamiens fidèles à la France. L'orateur s'était hissé sur la branche d'un arbre, tandis que ses auditeurs se rassemblaient dans la pénombre. Il avait attendu le début du discours pour donner l'ordre de tirer : deux chargeurs entiers étaient partis dès les premières minutes, couchant les rebelles par dizaines. C'est quand il s'était relevé pour conduire l'assaut qu'il avait senti sa jambe se dérober sous lui.

Le métro plongea dans les entrailles de Paris. Ils refirent surface sur la place Pigalle face au cabaret de la Nouvelle-Athènes. Maurice posa son bras sur les épaules de sa femme.

— Le restaurant est un peu plus bas. S'il y a

des jeunes filles parmi nous, qu'elles baissent les yeux, le quartier est dangereux !

Liliane n'appréciait que modérément son beau-père, mais elle aimait assez Clément pour parvenir à n'en laisser rien paraître. Elle se serra contre lui, chercha à prendre sa main, sans succès, lorsqu'ils longèrent la façade de La Roulotte au-dessus de laquelle se découpait une impressionnante fresque en plâtre couleur vert pâle représentant une cavalière nue aux cheveux défaits dont le cheval traînait une roulotte de Gitans. Deux employés en livrée encadraient la porte arrière de la caravane qui donnait accès à l'établissement. Plus loin, il y avait La Vie en rose et L'Heure Bleue avec ses deux cœurs joufflus transpercés par les aiguilles d'une montre... Maurice les entraîna vers la droite, rue de Douai, où s'était établi l'un de ses anciens capitaines, présent à Tung Hia, qui s'était reconverti dans le riz cantonais et le canard laqué. Dès qu'il avait su que le repas d'anniversaire aurait Le Thao-Thao pour cadre, Clément était allé fureter dans les archives du service pour savoir où il mettait les pieds. Le patron ne manquait pas de rédiger son rapport hebdomadaire. En échange, l'administration fermait les yeux sur le trafic d'éther et de solutions opiacées, « l'avarie d'Extrême-Orient », qui expliquait les descentes fréquentes de certains clients dans les toilettes du sous-sol. Il n'en avait rien dit à son père. Ce dernier vouait une véritable admiration à l'ex-officier qui avait arrêté l'un des chefs du soulèvement, Nguyen Nghiem, et obtint du tribunal mandarinal qu'il fût décapité. Traverse avait été mis au courant de ses recherches. Il était venu le prévenir de se méfier du secteur qui s'étendait entre Anvers et la Place Clichy : les cabarets, les music-halls, les troquets, les trafics d'humains, de substances diverses, étaient tous sans exception sous la coupe de la Carlingue, de Bonny, de Lafont, de Violette Morris, la championne aux seins coupés.

— Ils ne sont pas comme nous, ce ne sont pas des sous-traitants ; ils bossent en direct avec la Gestapo. Quoi qu'ils fassent, ils sont toujours à l'ombre du parapluie...

Tout en entrant dans le restaurant décoré de panneaux laqués rouges, de sculptures, de soieries, Clément se fit la réflexion qu'il entretenait avec Liliane les mêmes rapports que ses parents entre eux. Aussi loin que remontaient ses souvenirs, il ne se rappelait pas une seule intervention de sa mère dans les domaines réservés aux hommes. Elle se bornait à écouter, à sourire, à détourner le regard quand le moindre écart se faisait jour dans les positions des époux. Seuls les intimes pouvaient s'en apercevoir car, autre aspect de leurs vies parallèles, ils n'invitaient jamais d'amis que ce soit à la maison ou au restaurant, limitant leur univers au cercle familial.

On leur avait réservé un salon, à l'étage. Avant de s'asseoir, Clément fit semblant d'examiner ses mains et descendit aux toilettes. Une jeune Indochinoise en habit traditionnel se tenait derrière une table, au fond du corridor, près des deux cabines téléphoniques. Quand il sortit, elle lui tendit une serviette chaude posée sur un plateau d'argent. Il se pencha.

— Vous n'avez rien de plus fort ?

Elle ouvrit le tiroir du meuble, découvrant un alignement de petites fioles emplies de liquides de différentes couleurs. Son visage resta impassible.

— Si, ça dépend... C'est pour la bouche ou pour le nez ?

— Je mange en famille là-haut. Je repasserai un peu plus tard...

Le champagne en apéritif, offert par la maison, les vins, l'alcool de riz... Il fut contraint de se concentrer sur la compression de sa vessie, jusque tard dans l'après-midi pour ne pas avoir à tenir sa promesse. Les deux couples se séparèrent sur le seuil du Thao-Thao. Les parents prirent place dans un taxi qui devait les ramener aux Buttes-Chaumont, Liliane ayant décidé son mari à finir la journée dans un cinéma du quartier. Ils marchèrent jusqu'aux mosaïques orientales du Louxor, et Clément n'osa pas protester quand il s'aperçut qu'on y projetait *Les Inconnus dans la maison*. Elle se blottit contre son épaule quand les actualités du monde animèrent l'écran. La voix grave et assurée du speaker vibra dans la salle.

— Tandis que les troupes de la Wehrmacht accentuent leurs efforts pour prendre le contrôle du pétrole caucasien devenu vital pour le ravitaillement des troupes, le peuple allemand n'a de cesse de soutenir ses soldats. On s'active, dans les usines et dans les champs, jusque dans les camps de travail où sont pourtant regroupés les opposants de tout poil, la lie que toute société, fût-elle parfaite, génère...

Des rires s'élevèrent, puis des sifflements fusèrent, des invectives. Le chahut gagna progressivement toutes les rangées, s'amplifia quand ce fut au tour de Pierre Laval d'occuper le rectangle lumineux. Le directeur se déplaça pour tenter de rétablir le calme avant de comprendre que le seul moyen efficace résidait dans l'interruption du journal. Les vapeurs alcoolisées vinrent à bout de l'intérêt de Clément qui s'endormit dès la première bobine. Liliane le ramenait à la conscience chaque fois qu'apparaissait le visage de Marcel Mouloudji, un jeune acteur dont elle s'était entichée le jour où elle l'avait vu jouer, bien avant la guerre, l'un des membres de la confrérie des Chiches-Capons dans *Les Disparus de Saint-Agil*.

Et c'est ce soir-là, dans le wagon de queue d'une rame qui roulait vers Plaisance, qu'ils remarquèrent la première étoile cousue à même le corsage printanier d'une jeune fille aux boucles noires. Liliane se hissa sur la pointe de ses chaussures pour chuchoter à l'oreille de Clément.

— J'avais lu dans le journal que c'était seulement à partir de demain...

Il éleva la voix pour se faire entendre, malgré les brinquebalements de la ferraille, les stridences des roues sur les rails.

— On ne va quand même pas lui en vouloir parce qu'elle fait du zèle ! Ou peut-être qu'elle travaille de nuit, on n'est pas loin de la place Blanche...

Sa plaisanterie ne semblait pas amuser un trio composé d'une fille et de deux garçons aux allures d'étudiants. Il porta la main à sa poche en les voyant faire mouvement vers lui et regretta aussitôt de n'avoir emporté ni son sifflet ni son pistolet. Ils coincèrent le couple vers la porte derrière laquelle défilait la voûte éclairée par les feux de signalisation de la voiture. Il n'eut pas le temps de prononcer le moindre mot que le plus costaud des deux inconnus lui envoyait un direct en plein ventre, doublant l'attaque en relevant le genou dans son entrejambe. Clément s'écroula, le souffle coupé, en hurlant intérieurement alors que se mêlaient les cris de Liliane, le crissement du freinage de la rame, l'ouverture pneumatique des portes, la cavalcade de ses agresseurs sur les passerelles de correspondance de Gare de l'Est. Liliane s'était accroupie près de lui, les joues striées de larmes. Il écarquilla les yeux, tenta de la repousser, porta la main à sa bouche pour endiguer le flot... Les délices du Thao-Thao jaillirent par spasmes irrépressibles, à la manière d'une éruption tiède et écœurante tandis que la rame reprenait de la vitesse. Ils descendirent à la station suivante pour aller se nettoyer dans les toilettes d'un café au coin de la rue du Château-d'Eau. L'humiliation que ressentit le policier en traversant la foule des clients rigolards n'était rien à côté de celle qui s'était inscrite, à jamais, dans son esprit quand il avait cru déceler de la pitié dans le regard de la petite juive étoilée au moment où il se répandait.

Les suées, les hoquets le reprirent en arrivant rue Joanès, et il attribua ses malaises aux effluves de café de la brûlerie du Planteur de Caïffa tout en sachant en son for intérieur que ce qu'il ne supportait pas, c'était de devoir son toit à la générosité de ses beaux-parents. Liliane prépara une décoction d'angélique qu'il accepta de boire pour accompagner un sédatif.

Le lendemain matin, toute trace de son indisposition avait disparu, à part une certaine lenteur dans les réactions. Seul un énorme bleu, à hauteur du plexus, en rappelait la cause. Il fut contraint de montrer ses papiers à trois reprises entre la bouche du métro et le Marché aux Fleurs : on jugeait les membres d'une organisation communiste qui se faisait appeler les Bataillons de la jeunesse, et les Allemands redoutaient des manifestations sporadiques aux alentours du Palais de Justice. Bricourt se précipita vers lui dès qu'il le vit entrer, mais ce n'était pas pour lui reprocher son quart d'heure de retard.

— Tu sais coudre ?

— Pourquoi tu me demandes ça ? Tu as eu de la promotion, il faut t'ajouter des épaulettes ?

Le brigadier prit une poignée d'étoiles jaunes sur la table de la permanence.

— Il faut que je les couse sur les vestes qui sont là. Tu parles d'un merdier, c'est déjà un problème de faire passer le fil dans le chas de l'aiguille !

Duprest se frotta les yeux. Il avait du mal à réaliser.

— Je ne comprends pas, Roland... Ne me dis pas que tu es juif...

La stupeur, presque la colère, se lut sur les traits du policier.

— Tu es con ou quoi ! Un juif à la Brigade spéciale ! Tu t'écoutes de temps en temps ? Je suis flic, et j'ai rempli mon certificat d'aryanité, comme toi. Il n'y en a pas un seul dans la famille, on a vérifié. Sur cinq générations. Tout est en règle.

— Excuse-moi... Mais qu'est-ce que tu fabriques alors avec ces bouts de tissu ?

Il s'était approché du réchaud où une flamme basse maintenait le café à température, s'en était versé un verre tout en écoutant les explications de Bricourt.

— Je bosse... Rondier m'a convoqué dans son bureau, un petit peu avant que tu n'arrives. Des informations lui sont remontées comme quoi des juifs tenteraient de se soustraire au port de l'étoile. Des groupes organisés. D'après lui, ça devrait concerner de manière limitée le quartier du Marais, la porte de Clignancourt. Le gros de l'opération se concentrerait à Belleville... On dispose de quelques indics dans leur communauté. Notre boulot, aujourd'hui, c'est de se coller cette étoile sur la poitrine puis d'aller nous baguenauder dans leur ghetto pour ramasser ce qui s'y dit... On doit se fondre dans le local... Ils sont tailleurs de père en fils depuis des siècles, et si cet insigne est cousu de travers, on risque de se faire repérer dès qu'on y mettra les pieds. C'est pour cette raison que je te demandais si tu savais jouer de l'aiguille !

— On pourrait demander à Simone...

— C'est la première chose qui me soit venue à l'esprit... Elle m'a envoyé sur les roses. J'ai du mal avec elle... Toi, j'ai remarqué qu'elle t'avait à la bonne. Les femmes poilues aiment bien les jeunots, fais confiance à ma vieille expérience...

Duprest fit semblant d'être offusqué.

— Ce n'est pas ce que tu crois, seulement de la reconnaissance. Je tape tous mes rapports moi-même à la machine.

Ils marchèrent jusqu'à l'Hôtel de Ville pour prendre un métro direct, les vestes marquées par la secrétaire, ainsi que des chapeaux cabossés, enfouis dans un sac que portait Duprest. Les juifs, qui hier encore n'étaient qu'une entité mystérieuse et invisible, apparaissaient soudain au grand jour, par la seule application du décret les obligeant à arborer leur signe distinctif. Il suffisait qu'une famille apparaisse sur le quai pour qu'un murmure parcoure la foule des voyageurs, que les têtes se tournent furtivement, qu'un sentiment de gêne épaississe l'atmosphère. Le danger quittait la sphère de la seule propagande, il avait un visage, grâce à la marque jaune.

Ils s'arrêtèrent dans un recoin du labyrinthe souterrain pour changer de vêtements, et ils émergèrent la tête couverte sur la contre-allée envahie par des marchands de vieilleries. Bricourt traversa le boulevard devant l'attelage d'un postillon, entraînant son collègue vers la façade austère de l'école.

— Tu vois le petit bonhomme en noir qui fait semblant de lire son journal ?

— Oui, on n'a pas besoin de lui demander ses papiers pour savoir d'où il vient... Tu veux qu'on le serre ?

— Surtout pas, c'est l'un de nos informateurs. Il est tenu depuis avant-guerre pour une affaire de mœurs, il s'intéressait d'un peu trop près à sa petite nièce... La famille n'a pas porté plainte, ils ont seulement demandé au commissaire du quartier Rambuteau qu'il l'éloigne de la gamine. Il est officieusement assigné à résidence dans un périmètre qui débute ici et monte jusqu'aux fortifs.

Bricourt vint se planter devant son contact en

évitant de serrer la main qui se tendait. L'homme ne manifesta aucune surprise en voyant l'étoile sur les vêtements des policiers.

— Salut Éphraïm... Je te présente Clément, on fait équipe depuis quelques jours. On aurait besoin que tu nous pilotes dans le quartier, pour prendre la température... Tu as des informations ?

Il replia son journal de manière à pouvoir le glisser dans sa poche.

— On pourrait parler de tout ça devant un verre, non ?

Ils franchirent le carrefour en sens inverse. Duprest s'arrêta un instant pour observer le travail des afficheurs de Publicitas qui, juchés sur le toit de leur camion, changeaient les toiles peintes à la façade du Ciné-Bellevue. Le vent faisait onduler le sourire d'Aline Carola et les traits de René Dary dont le regard voyou collait parfaitement au titre du film, *Forte tête*. Éphraïm refusa d'aller s'asseoir à la Veilleuse, préférant la brasserie du Point du Jour qui lui faisait face. Il commanda un café, comme les deux policiers, sortit un paquet cabossé de High Life de sa veste, tira la dernière cigarette tordue qu'il contenait, la redressa, l'alluma en surjouant la volupté. Il lissa soigneusement le paquet qu'il remit dans sa poche pour le regarnir et faire croire qu'il fumait des américaines.

— Alors, qu'est-ce que tu as entendu de spécial, ces derniers temps ?

Il releva la tête pour rejeter la fumée vers le plafond.

— Pas grand-chose...

Bricourt approcha sa tête de celle de l'indic.

— Comment ça « pas grand-chose » ! Tu veux que je fasse remonter ton nom sur la liste ?

Il secoua sa cigarette au-dessus d'un cendrier publicitaire.

— Qu'est-ce que vous voulez que je vous dise, brigadier... Qu'on annonce des rafles tous les jours ? Les gens sont devenus fatalistes. On leur a demandé de se faire recenser, ils sont allés se faire recenser, on leur a mis un tampon « Juif » en rouge sur leurs papiers d'identité, puis on leur a demandé d'aller porter leur téléphone au commissariat. Ceux qui en avaient sont allés porter leur téléphone... Plus tard, on leur a demandé de rendre leur poste de radio, on leur a dit qu'il fallait faire leurs courses l'après-midi entre trois et quatre heures quand les magasins étaient vides. Ils sont allés faire leurs courses dans les magasins vides. Après, il a fallu se séparer des bicyclettes, ils ont marché à pied. Maintenant, on leur demande de faire de la couture, de mettre du jaune sur leur poitrine... En attendant la suite. Vous savez ce qu'ils disent ?

Bricourt jeta un regard excédé en direction de Duprest.

— C'est justement ce que je te demande !

Éphraïm racla la saccharine avec l'extrémité de sa cuillère.

— Je l'ai entendue cinq ou six fois depuis hier... Elle traîne partout dans les files d'attente... Ils disent : « Regardez un peu, il y a six mois ils organisaient une exposition sur le péril juif, avec des photos pour que tout le monde puisse les reconnaître... Le nez crochu, les oreilles décollées, les cheveux crépus, l'odeur de rance... Ils ont failli arrêter Laval. Ça a tellement bien marché, qu'aujourd'hui, ils sont obligés de nous mettre une étoile pour ne pas se tromper. »

CHAPITRE 5

Ils avaient passé une bonne partie de la journée dans le quadrilatère formé par la rue et le boulevard de Belleville, la rue Piat et la rue de Ménilmontant, passant d'une arrière-cour transformée en poulailler à un garage abritant un atelier de confection de gilets. Ils croisèrent des cordonniers, des finisseuses, des casquetiers et une équipe de carcassiers en parapluies. Près du Repos de la Montagne, rue Vilin, ils découvrirent l'existence d'une communauté de juifs turcs venus de Salonique avec lesquels Éphraïm fut incapable d'entrer en contact.

— Je parle français, polonais et je suis yiddishophone sur les bords, mais eux, c'est des étrangers... Ils baragouinent en ladino, un dialecte espagnol...

Duprest ne pouvait réprimer un frisson de dégoût en franchissant le seuil d'un immeuble, d'un atelier. Il avait beau chercher dans ses souvenirs d'enfance, il ne trouvait aucun juif parmi ses connaissances. La répulsion lui venait en droite ligne de son grand-père dont le seul voyage en dehors des frontières de la pointe Bretagne avait eu pour destination les contreforts du plateau de Craonne dans le secteur d'Hurtebise. Il avait fait équipe avec des soldats indigènes, des Sénégalais, des Maliens, des Marocains et aussi quelques éléments du Bataillon du Pacifique, des Canaques qu'on disait cannibales et qui, si c'était le cas, n'auraient jamais plus l'occasion d'être à pareil festin. Il appréciait leur courage, leur mépris du danger. Clément ne se lassait pas de l'entendre raconter ses exploits qu'il retrouvait, en photos, dans les exemplaires de *L'Illustration* qui traînaient au grenier. Il allait se poser sur les genoux de l'ancien combattant et les mots le berçaient : « Leur seul ennemi, c'était le froid et la pluie, tout le reste, les obus, le gaz moutarde, les bombardements, ils faisaient face. La neige, voilà ce qu'ils ne supportaient pas. » Ceux qu'ils n'aimaient pas, encore pire que les Prussiens installés depuis l'automne de 1914 sur les hauteurs de la forteresse naturelle, dans les grottes, les abris souterrains, c'était les juifs. Il savait de quoi il parlait, il en avait connu des paquets, et par expérience il pouvait affirmer « qu'il n'y avait pas mieux, question tire-au-cul ». Un en particulier dont le nom, Albert, revenait sans cesse dès qu'il était lancé.

— J'ai fait près de deux ans au front, dans les tranchées, et je m'en suis sorti sans la moindre égratignure, sans manquer un seul jour à l'appel... Sauf une fois, à cause d'Albert. Un planqué de première. Il s'occupait d'une cuisine roulante, en retrait des zones de combat, il avait été cuistot dans un grand restaurant parisien, chez Chartier, à ce qu'il disait. Un jour, je suis arrivé sans prévenir près de ses fourneaux installés dans un chemin creux. Il ne m'a pas entendu approcher, et je l'ai vu qui débitait un morceau de cadavre pour en faire du bourguignon. J'en ai parlé au capitaine, sauf que personne n'a voulu me croire. Même pas d'enquête. Voilà ce qu'on bouffait ! J'en ai eu des coliques géantes, je n'ai rien pu avaler pendant trois jours, et c'est la seule fois où je me suis fait porter pâle ! Je suis certain qu'avec les siens, il se mettait dans la poche l'argent de la vraie viande ! N'importe comment, ça ne lui a pas porté chance, toutes ses magouilles : il est mort trois jours avant l'armistice. Un obus qui est tombé sur sa roulante de planqué !

Depuis ce temps-là, si on prononçait le mot juif devant lui, c'était Albert le dépeceur qu'il avait devant les yeux. Ils se débarrassèrent de leurs frusques sous un porche, rue de la Mare, avant de reprendre le chemin de la Préfecture. La seule chose intéressante qu'ils avaient apprise grâce à Éphraïm, c'était que de nombreuses familles, en accord avec certaines écoles primaires ou secondaires, avaient décidé de ne pas faire porter l'étoile à leurs enfants, comme à

Voltaire, à Rollin, à Condorcet, à Charlemagne. Quand ils arrivèrent, on transférait le type arrêté à Pantin suite aux confidences de Faugère, le perturbateur du Normandie. Il était resté deux jours entre les mains de Traverse et de ses adjoints, et dans l'état où il se trouvait on pouvait se demander s'il en avait encore autant à vivre. Bricourt vint se placer près de l'escogriffe aux yeux proéminents.

— Alors, vous avez avancé ? Il a fini par se coucher ?

Traverse ouvrit le placard pour se saisir de la bouteille de kirsch.

— Pas un mot. Un dur à cuire ! C'est tout juste s'il a accepté de nous donner son nom alors qu'on a tous ses papiers sous la main, depuis son extrait d'acte de naissance ! Les gaullistes, j'en ai vu trois ou quatre de sa trempe, et qui ont fini par me filer entre les pattes avec leurs ampoules de cyanure quand ils réalisaient que tout était fichu... Les cocos, je ne sais pas comment ils font, ils la ferment alors qu'ils n'ont même pas de sortie de secours... Nos gars ont eu plus de chance chez le charbonnier... Tu n'étais pas loin de toucher le gros lot, Duprest, il suffisait de te baisser...

Le jeune inspecteur s'approcha à son tour bien que la seule chose qui occupât alors son esprit était de prendre une douche pour se laver de la promiscuité. Il refusa le verre que Traverse s'apprêtait à lui servir. L'intérieur aussi avait besoin d'un bon nettoyage, son estomac ne s'était pas remis des excès de la veille. L'odeur de l'alcool lui donnait des nausées.

— Ils ont trouvé des armes ?

— Oui, une mitraillette, trois automatiques, du cordon, un peu d'explosif, mais ce n'est pas le plus important. Tout était planqué sous le tas d'anthracite dans une vieille cantine militaire, avec en prime une petite ronéo. La pépite, c'est ça. Tiens, vise le travail...

Il ouvrit un classeur sur la paillasse du lavabo, préleva une feuille de cahier d'écolier recouverte d'une écriture serrée qui laissait place, à certains endroits, à des croquis.

— Un manuel de terroriste ! Une véritable mine. C'est le premier qui nous tombe tout cuit dans le bec...

Duprest se pencha pour déchiffrer le texte : « Bouteille incendiaire : Prendre une bouteille d'un litre, de l'essence, de l'acide sulfurique, un sac en papier, du chlorate, de l'herbicide ou de l'alun. Verser ½ litre d'essence et ¼ de litre d'acide sulfurique dans la bouteille. Enduire de colle l'intérieur du sac en papier et saupoudrer de chlorate, d'herbicide ou d'alun. Emploi : lorsqu'on est sur le lieu de l'action, il faut enfermer la bouteille dans le sac et la projeter violemment afin qu'elle se brise. La bouteille en se cassant met l'acide en contact avec le chlorate. La flamme qui en résulte met le feu à l'essence et la chaleur qui se dégage atteint rapidement 1200 degrés. Très efficace sur les camions de transport d'essence, de paille, sur les wagons dans les gares de triage. »

Traverse posa une autre recette sur celle que Duprest finissait de lire.

— Écoutez un peu, ça s'appelle « Comment saboter une locomotive » ! Voilà ce qu'ils racontent : « Introduire dans l'échappement des écrous de 20 mm ou des billes d'acier de même diamètre pour provoquer la rupture du plateau de cylindre ou alors la détérioration de la distribution. Travail à exécuter dans les dépôts. » J'ai aussi « Comment faire dérailler un convoi », « Comment détruire un pylône électrique », « Comment saboter un central téléphonique », « Comment casser une filature »... On va voir s'ils sont aussi malins qu'ils le prétendent : j'ai fait placer une dizaine de nos hommes pour surveiller le quartier. Je suis persuadé qu'on ramènera une ou deux prises dans les filets. Et vous, comment ça s'est passé avec les Auvergnats de Belleville ?

Bricourt renâcla. Il avait de la famille dans le Massif central, près du col de la Ventouse, et supportait modérément les allusions à l'avarice supposée de ses ancêtres.

— Tu ne crois pas que tu en fais un peu trop, à certains moments ? Tout le monde n'a pas eu la chance de voir le jour à La Queue-en-Brie...

Traverse se mordit les lèvres en se souvenant

avoir livré cette information à ses collègues, un soir d'épanchements.

— Excuse-moi, je ne cherchais pas à te vexer... C'est à cause du zazou, tu n'es pas au courant ?

— Je n'ai pas vu de zazous en grimpant jusqu'ici, je n'ai croisé que des hommes... Tu as vu des zazous, toi, Duprest ?

— Non...

Afin de prouver sa bonne foi, Traverse leur demanda de le suivre jusqu'à la salle des inspecteurs. Un garçon d'une vingtaine d'années se tenait debout tandis qu'un policier finissait de taper son procès-verbal d'interrogatoire. Duprest croisa un regard où se lisait le défi, puis il s'attarda sur l'accoutrement de l'original, le pantalon à rayures serré, les chaussures à semelles compensées, les cheveux passant par-dessus le col de chemise, la fine moustache, un trait, qui soulignait la lèvre supérieure. La veste longue à carreaux, enfin, sur laquelle était plaquée une étoile jaune avec ce mot en gothique noir : « Auvergnat ».

— Les collègues l'ont alpagué à la terrasse du Boul'Mich, à côté de la Sorbonne, alors qu'il sirotait une Suze, pour la couleur qui s'accorde à celle de l'étoile d'après ses déclarations. Un esthète en somme ! La seule explication qu'il donne à son geste, c'est l'humour, le goût de la provocation...

— Il est juif ?

— Pas le moins du monde... C'est un fils de famille, des commerçants qui ont une boutique sur les Champs-Élysées. Une succursale Panhard et Levassor. Aryen jusqu'au bout des ongles... Puisqu'il les aime tant, on a décidé de l'envoyer faire un stage de deux mois avec eux, à Drancy. Tous frais payés. Rien de tel que l'expérience. Il nous dira à son retour s'il conserve toujours les mêmes dispositions à leur égard.

L'Auvergnat se morfondait toujours, quelques semaines plus tard, sur la paille souillée qui couvrait le sol des appartements à moitié finis, quand il fut rejoint dans l'enclos de la cité de la Muette par les milliers de juifs raflés dans les quartiers de Paris et les banlieues. Duprest était au courant de ce qui se préparait trois jours avant le déclenchement de l'opération. Le commissaire Rondier l'avait convoqué en compagnie de Traverse et de Bricourt pour leur confier un rôle spécifique dans la grande descente de police baptisée « Vent printanier ».

— Les Allemands nous demandent d'appréhender plus de vingt mille juifs le 16 juillet à partir de quatre heures du matin, soit un quart de la population concernée sur la base des fichiers que nous avons établis. Les équipes chargées des arrestations procéderont avec le plus de rapidité possible, sans paroles inutiles et sans commentaires. Au moment choisi, le bien-fondé ou le mal-fondé de la mesure individuelle n'a pas à être discuté. C'est vous qui demeurez responsables et examinerez, par la suite, les cas litigieux qui vous seront signalés.

Rondier s'était alors levé pour aller se placer près de la fenêtre de son bureau et regarder la cour d'honneur. Il s'était éclairci la gorge avant de reprendre.

— Il n'entre pas dans mon esprit de juger l'opportunité des décisions. Mais je dois constater que d'un point de vue technique, ce prélèvement va assécher certaines de nos enquêtes en cours. J'ai pu obtenir que vous soyez affectés au groupe qui ratissera le bas Belleville, un secteur que vous connaissez bien si j'en crois les rapports qui me sont adressés. Les réseaux communistes y sont particulièrement nombreux. En plus de cette mission capitale d'assainissement, je souhaiterais donc que vous dressiez la liste de tous ceux dont le nom a été cité dans une procédure pour faits de nature terroriste. Qu'ils soient suspects, témoins, connaissances, parents des accusés. Vous ferez en sorte qu'ils ne soient pas dirigés vers les centres primaires de traitement. Ils feront une petite halte dans nos bureaux avant de repartir vers l'Est d'où ils sont venus.

Les trois inspecteurs des Brigades spéciales eurent accès au fichier central entreposé dans les classeurs du service de Tulard, à l'étage supérieur. Ils passèrent plusieurs jours à recouper les fiches de ce qu'ils appelaient « leurs clients » avec celles des quatre mille trois cent soixante-dix-huit juifs allemands, autrichiens, polonais, tchécoslovaques, russes rouges, russes blancs, ou apatrides résidant dans le seul XXe arrondissement de Paris et qu'on se promettait d'arrêter. Leurs efforts aboutirent à une liste de dix-sept personnes qui entretenaient des rapports plus ou moins proches avec des terroristes moscoutaires qui étaient passés entre leurs mains. Duprest habitait trop loin. Le 15 juillet au soir, il décida de rester au bureau, d'expédier les affaires courantes, rédiger les rapports en retard. Comme à son habitude, il n'avait soufflé mot à Liliane de ce qui motivait son absence nocturne. Il lui avait suffi d'évoquer les nécessités du service. Elle avait été heureuse qu'il lui demande de préparer un en-cas pour tenir pendant sa veille, et elle avait fait des merveilles avec sa carte d'alimentation pour confectionner un casse-croûte garni de vrai beurre, de vrai saucisson. Elle ne put s'empêcher de se raidir quand il posa la main sur ses fesses en lui susurrant dans le cou : « Alors, elle va comment ma petite femme ? » Elle n'osait rien dire, laissait l'habitude s'installer, partagée entre la gêne d'être traitée comme une fille des rues, et la conscience du désir qu'elle faisait naître. Au tout début, leur amour avait été une affaire de regards, aujourd'hui c'était ses paumes mouvantes au bas de son dos. Elle aurait préféré qu'il l'enlace, qu'il lui parle de ses yeux, de ses lèvres, qu'il pose ses mains là, sur ses joues, pour lui donner un baiser, comme à la fin des films, juste avant que l'écran ne s'estompe, quand il nous reste encore toute cette éternité à vivre, dans le noir, avec nos rêves.

Duprest avala son sandwich vers neuf heures du soir en buvant une bouteille de bière achetée au comptoir de la brasserie des Deux Palais. Le courage lui manquait. Il délaissa le fastidieux travail de frappe pour la lecture du journal et s'endormit bien calé dans le fauteuil du commissaire Rondier en parcourant les nouvelles sur la prise du port de Sébastopol par les armées du Reich. Bricourt et Traverse le réveillèrent sur le coup de trois heures. Un taxi les attendait sur le quai de Corse. Ils se rendirent au commissariat de la place Gambetta devant lequel se regroupaient déjà les centaines d'équipes locales renforcées par des gardiens en tenue de l'École pratique, des inspecteurs de police judiciaire ainsi que dix collègues dépêchés du XVIe arrondissement où l'on prévoyait de ne se saisir que de quatre cent vingt-quatre juifs. Le commissaire divisionnaire pointait les arrivants sur son registre, les affectait à un détachement. Il régnait une atmosphère bon enfant qu'accentuait la douceur de juillet. Sept autobus du réseau de surface de la Compagnie du Métropolitain, conduits par leurs machinistes habituels, vinrent se garer de part et d'autre de la mairie. Il était prévu que les plates-formes ne recevraient pas d'individus, qu'elles seraient réservées à l'entassement des bagages. Les véhicules stationnés à gauche partiraient pour Drancy, avec les familles dépourvues d'enfants de moins de seize ans, ceux de droite prendraient la direction du Vél' d'Hiv' avec les gamins. Selon les normes fixées, chacun effectuerait une dizaine de rotations.

CHAPITRE 6

Trois noms portés sur la liste de recoupement concernaient le numéro 8 de la rue Dénoyez qu'ils atteindraient après avoir bifurqué dans la rue Ramponeau. On rassemblait des habitants sur le trottoir, dans la lueur jaunâtre des réverbères, on faisait le tri entre les célibataires et les familles chargées d'enfants, en attendant que les bus viennent les ramasser. Quelques cris, quelques énervements, mais tout semblait se dérouler sans incidents particuliers. Soudain, alors que les inspecteurs allaient tourner vers la rue Dénoyez, un homme se mit à hurler et se jeta contre le cordon de protection formé par les policiers en tenue.

— Monsieur Bricourt !... Monsieur Bricourt !... Sauvez-moi !...

Traverse se tourna vers son collègue.

— Tu le connais ?

— Je ne sais pas... Attends, je vais voir qui c'est.

Il s'avança, braqua sa lampe sur un visage

baigné de larmes et reconnu aussitôt Éphraïm, son informateur. Le gardien qui le maintenait leva la tête.

— Il dit qu'il travaille pour vous, qu'il vous rend service... Il est sur la liste. Nous, on ne peut rien faire pour lui...

— Il vous dit ça, et vous le croyez !

Le policier se mit à bafouiller.

— Je ne sais pas...

— Si vous ne savez pas, vous la fermez, compris ? Les ordres sont pourtant clairs : « Les équipes chargées des arrestations procéderont avec le plus de rapidité possible, sans paroles inutiles et sans commentaires. » Embarquez-le.

Il courut pour rattraper les deux autres inspecteurs qui s'étaient arrêtés devant le 8 de la rue Dénoyez. Deux frères, André et Georges Waksberg, ainsi qu'un autre réfugié russe dénommé Prochazka, jouaient dans une équipe de football corporatiste dont plusieurs membres avaient été arrêtés à la suite d'attentats contre les forces allemandes. L'un d'entre eux, un Polonais, venait d'être fusillé parmi un groupe d'otages à la suite de l'assassinat d'un colonel de la Luftwaffe, sur le quai Malaquais. Une gargote qui proposait des plats espagnols occupait le rez-de-chaussée. Duprest s'engagea dans le couloir après avoir sorti son arme. Un véritable cloaque. Il fut saisi par l'humidité et l'odeur de salpêtre qui se dégageaient des murs noircis. Bricourt tapa sur l'épaule de Traverse afin qu'il le suive. Plusieurs chats miaulèrent à leur approche, dérangés dans leurs parades amoureuses. Le bâtiment s'organisait autour d'une cour intérieure. Des coursives en bois couraient tout le long des six étages, desservant une infinité de portes vitrées à mi-hauteur. Les deux frères habitaient ensemble, au quatrième, et leur complice sous les toits. L'inspecteur gratta une allumette pour lire le numéro d'appartement porté sur la boîte. Il posa la main sur la poignée tout aussitôt. La porte résista. La crosse du pistolet fit voler un carreau en éclats, pour libérer le verrou. Il traversa la première pièce, et il y eut des cris à quelques mètres, du remue-ménage, des portes claquées, le bruit de meubles que l'on poussait en hâte et dont les pieds crissaient sur le parquet. Duprest se heurta à la deuxième porte qui conduisait à la cuisine. Il frappa le panneau avec la crosse de son arme.

— Ouvrez ! Police française... Sortez immédiatement !

Pour toute réponse, une balle déchiqueta le panneau, à quelques centimètres de lui, pour venir se ficher dans un poteau en bois d'où partaient des fils à linge. C'était la première fois qu'on lui tirait dessus. Il fut surpris de ne pas avoir peur, d'être au contraire saisi d'une sorte de joie de ne pas avoir été touché. Traverse se préparait à répliquer, mais Bricourt posa la main sur le canon de son pistolet.

— Ce n'est pas la peine de gaspiller les munitions. Je suis déjà venu perquisitionner dans cet immeuble, je sais comment c'est fichu... Il n'y a qu'une petite fenêtre d'aération sur l'arrière. Ils ne peuvent pas s'en sortir, ils sont faits comme des rats. N'importe comment, tout le quartier est bouclé. Je vais rester en planque ici pendant que vous allez cueillir le dernier de la bande. Soyez prudents, ils cachent bien leur jeu.

Ils reprirent l'escalier, se postèrent de part et d'autre de la porte de Prochazka, prêts à toute éventualité. Ils n'eurent pas besoin d'employer la manière forte : le Russe répondit à la sommation de Duprest et sortit de sa tanière en tenant ses mains vides droites devant lui.

— Ne tirez pas, je me rends... Ne tirez pas...

Traverse le laissa s'avancer sur la coursive avant de venir se plaquer dans son dos, de lui ordonner d'amener ses bras vers l'arrière afin qu'il lui passe les menottes. Pendant ce temps, Clément s'était faufilé dans l'appartement qu'il commença à fouiller, ouvrant les tiroirs, les meubles, jetant à terre tout ce qui n'avait aucune importance à ses yeux, vérifiant le moindre écrit, renversant le contenu des paquets, des boîtes posés sur les étagères de la cuisine, sondant le sol pour détecter une cachette, arrachant le lino posé dans l'entrée. Son attention fut attirée par un minuscule triangle blanc qui dépassait de sous une plinthe. Il se saisit d'un couteau pour la décoller du mur. Il mit au jour une enveloppe qui contenait plusieurs milliers de francs en billets ainsi qu'une feuille de papier. Il la déplia avec précaution.

— Tu as trouvé quelque chose ?

— Du fric. Tu ne me croiras pas, mais ce type est plein aux as... Il y a aussi une sorte de plan avec des inscriptions en caractères cyrilliques tout autour... Il va nous expliquer ce que ça faisait chez lui, planqué derrière une plinthe... Pour moi, c'est bon, on peut redescendre...

Traverse saisit le prisonnier par le col et d'une bourrade le projeta vers les marches qu'il dévala en roulé-boulé puis sur le dos, les mains entravées. Il se releva en s'aidant du mur, à l'étage inférieur, reprit sa descente. Les deux policiers arrivaient à sa hauteur quand une puissante explosion fit vibrer la construction avant que des débris de toutes sortes ne soient projetés dans les airs, poutres, verre, gravats, ustensiles de ménage... Duprest rattrapa Traverse par le bras avant qu'il ne tombe, déséquilibré par le souffle. Une partie de l'escalier pendait dans le vide, arrachée sous leurs pieds, alors que des flammes sortaient de l'appartement des frères, un niveau plus bas, près du corps disloqué du troisième Russe. Une voix monta de la cour.

— Vous êtes là, inspecteur ? Vous n'avez rien ?

Duprest se pencha en se retenant à un morceau de la rampe dont il avait testé la solidité.

— C'est toi, Bricourt ?

— Non, c'est le gardien Estanel...

Il aperçut l'homme revêtu de sa courte pèlerine, de son képi, le bâton blanc aligné sur la cuisse.

— Qu'est-ce qui s'est passé ? Ils ont balancé de la dynamite ?

— Non... Ça puait le gaz depuis quelques minutes... Les deux types qui s'étaient claquemurés dans leur cuisine ont sûrement ouvert le robinet en restant ensuite plaqués au sol, le temps que la piaule se remplisse... Ils ne doivent pas être beaux à voir ! On va aller chercher une échelle pour vous tirer de là...

Ce n'est que deux heures plus tard, alors que le jour se levait sur Paris, qu'on parvint à extraire le corps de Bricourt des décombres. Il avait été écrasé par la chute du plafond, le crâne transpercé par l'anneau de métal auquel on fixait les lustres. On ne s'embarrassa pas des dépouilles pulvérisées des deux frères qui disparurent quelques jours plus tard sous la pioche des démolisseurs, mêlés aux déblais, tandis qu'au même moment dans la cour d'honneur de la Préfecture, Pierre Rondier, commissaire principal à la brigade des bobards, prononçait l'éloge funèbre de l'inspecteur Roland Bricourt, mort pour la France dans l'exercice de ses fonctions. La médaille de la Ville de Paris fut remise à sa veuve par Émile Hennequin, directeur de la police municipale, avant que la fanfare n'exécute *Maréchal, nous voilà*. Duprest se tenait au premier rang, les yeux rougis. Il avait su retenir ses sanglots, par dignité, et avait ressenti du mépris pour les larmes trop généreuses de Traverse. Quelques semaines avaient suffi pour qu'une amitié se scelle, que même la mort ne pouvait interrompre. Lorsqu'il s'approcha du cercueil recouvert du drapeau, il fit en saluant le serment de venger son collègue. La seule chose qui le tracassait, c'était d'avoir cédé à Traverse, de n'avoir pas fait mention dans le rapport des sept mille francs découverts chez Prochazka. Tout le monde pratiquait de la sorte, à l'entendre... Il rentra à Plaisance directement après l'inhumation au cimetière Montparnasse, dans le caveau de famille. Ce fut la seule fois, au cours de sa carrière, que Clément Duprest faillit s'épancher auprès de Liliane sur les vicissitudes du métier de gardien de l'ordre. Elle le bichonna, comme lors de sa crise de foie, après le repas vietnamien, l'appelant son bébé, le caressant, allant au-devant de ses souhaits, l'embarrassant de ses seins. Elle minaudait, elle en faisait tellement, lui demandant de dire ce qui n'allait pas « à sa petite maman », que l'irritation eut raison des confidences. Elle vint se coller à lui, dans le lit, croyant lui faire plaisir quand il n'avait devant les yeux que le cadavre sanguinolent de Bricourt. Elle insistait. Le désir le prit soudainement, tant le corps collé au sien irradiait. Il se contenta d'une étreinte conjugale et regrettera, pendant des années, de n'avoir pas assouvi cette nuit-là tous ses fantasmes, de ne lui avoir pas imposé toutes les figures érotiques qui peuplaient ses rêves.

Le lendemain matin, Duprest croisa Traverse près du socle vide. Il avait mis des lunettes teintées qui dissimulaient son regard exorbité, mais il demeurait toujours aussi inquiétant.

— Si tu n'as rien à prendre au bureau, ce n'est pas la peine de monter. Il faudrait que l'on retourne à Belleville.

— C'est vraiment nécessaire que je vienne ? J'ai un peu de mal à digérer la disparition de Roland. Si je croise un de ces salauds, je ne réponds de rien...

L'inspecteur le prit par l'épaule. Ils marchèrent en direction du fleuve.

— Je sais ce que tu ressens, Clément. J'ai perdu plusieurs bons copains depuis le début de la guerre. Il faut garder le cap, continuer à faire notre boulot du mieux possible. Ils sont à l'affût du moindre signe de faiblesse. On ne va pas rue Dénoyez, rassure-toi. Tout ce qu'on a à faire, c'est de poser notre cul sur la banquette d'une bagnole et de surveiller les manœuvres de chargement d'un camion. Ordre du patron. Voilà les clefs, tu veux conduire ?

Il s'était arrêté près d'une Traction noire garée sur le quai du Marché-Neuf.

— Non, prends le volant. Je n'ai pas la tête à ça...

La voiture fila vers le boulevard du Palais.

— C'est quoi cette histoire de camion ? Il en reste à ramasser ?

Traverse contourna la place du Châtelet pour s'engager sur le Sébastopol.

— Non, c'est terminé jusqu'à la prochaine fois ! Ce matin, on s'occupe seulement du matériel. Tiens, lis ce papier, tu comprendras. C'est Simone qui me l'a transmis.

Le commissaire Rondier s'était contenté de noter ses instructions à la plume dans la marge d'une lettre adressée au préfet de police. « Voir avec Traverse et Duprest, pour l'accompagnement. » Le courrier, daté du lundi 20 juillet 1942, provenait du SCCP, le Syndicat corporatif des confectionneurs parisiens, sous la signature de son secrétaire général, Henri Cornillon. À l'aide d'un vocabulaire plein de déférence, de phrases à circonvolutions, il tenait à attirer l'attention des autorités sur les troubles à la production que ne manqueraient pas d'occasionner les rafles dont le Grand Paris avait été le théâtre. En effet, et cela avait nécessairement dû échapper aux promoteurs de ces mesures, la population juive spécialisée des IIIe, XIe et XXe arrondissements de la capitale réalisait, à moindre coût, un contingent non négligeable du travail de confection de la place, dont une partie des commandes de la force d'occupation. Il allait rapidement s'avérer difficile de tenir les quotas de livraison prévus, un segment important de la main-d'œuvre hautement qualifiée étant retenu pour une durée indéterminée dans des camps de la périphérie. Henri Cornillon concluait sa lettre sur deux demandes dont la première n'était pas du ressort de la préfecture de police : la mise en œuvre rapide d'un plan de formation de personnel aryen aux métiers de la confection : coupeuse, patronnier, tailleur, surjeteuse, finisseur, ourleuse... En second lieu, le secrétaire général estimait qu'il était possible de combler une fraction du travail en attente, mais à une condition : qu'il soit rapidement procédé au ramassage des machines à coudre, du tissu, des outils entreposés dans les ateliers ou les boutiques des raflés. C'est ce à quoi les deux inspecteurs devaient s'employer. Un camion bâché Berliet appartenant au Secours national les attendait rue de l'Aqueduc, derrière la gare de l'Est, dans un entrepôt des chemins de fer. Le conducteur, une grande gueule qui disait toutes les deux minutes son admiration pour Doriot, s'était tellement échauffé au vin rouge en les attendant qu'il planta l'aile de son véhicule dans un pilier du garage. Il fallut se rendre à l'évidence qu'il était incapable de rallier Belleville, d'emprunter le lacis des ruelles de Ménilmontant dans cet état. Les deux manutentionnaires qui complétaient l'équipe ne possédaient pas le permis de conduire, et c'est Duprest qui se mit derrière le volant avec le soûlard contrit à ses côtés.

— Tu le connais Doriot, toi ? Parce que moi, je le connais depuis des années... J'ai été son chauffeur personnel, à la mairie de Saint-Denis... Je transportais pas n'importe qui... Du beau linge... Des écrivains, Drieu de la Rochelle, tu connais ? Et Suarès, tu connais ? Moi si... Un prix Nobel aussi, Alexis Carrel, pas fier pour autant... Un coup, je m'étais blessé, il m'a fait un pansement alors que j' n'ai même pas le certificat d'études ! Tu le connais ?

— Non, j'en ai entendu parler, comme tout le monde...

La Traction franchit le canal Saint-Martin devant l'Hôtel du Nord avant de contourner l'hôpital Saint-Louis.

— Tu n'as jamais eu envie de prendre ta carte au Parti populaire français ? C'est lui qui sauvera la France !

— Je suis policier... Je ne fais pas de politique, mon boulot, c'est de faire respecter la loi...

Duprest quitta la route des yeux, un instant, pour jeter un œil à son compagnon qui venait de se redresser sur son siège et qui levait la main pour le salut fasciste. Il entonna l'hymne de son parti, sans fourcher une seule fois sur les paroles, malgré son état.

Unissez-vous, hommes de science,
Ouvriers, humbles paysans,
Joignez la force à l'expérience,
En commun soyez les artisans,
Les pionniers de la vie nouvelle
Où plus léger sera notre tribut.

Écoute Doriot qui t'appelle,
Enfant de France, vers le plus noble but.

— Tu la connais, c'est *France, libère-toi...* Je l'ai entendu jouer au piano par le compositeur, Fontaine, au théâtre municipal de Saint-Denis, à côté de l'Église Neuve... Tu veux que je te l'apprenne ?

L'inspecteur déclina la proposition alors qu'il allait reprendre son couplet. Il rétrograda pour venir se garer au coin du boulevard et de la rue de Pali-Kao, juste derrière la Citroën d'où Traverse venait de s'extraire. Les deux manœuvres sortirent de sous la bâche, l'un tenant une pince-monseigneur, l'autre une cisaille de grand format. Avant de monter dans les autobus, les artisans avaient soigneusement fermé les serrures à double tour, baissé les rideaux de fer, posé les volets de bois sur les devantures des échoppes. Les protections cédèrent à l'acier des outils. Les machines Tavaro, les premières Classe 12 électriques de chez Husqvarna, les Janome japonaises décorées d'un œil de serpent, les bras-libre Casas pour la confection des jambes de pantalon, les Isaac Singer à pédale s'entassèrent sur le plateau du camion, calées pour le voyage par les pièces de tissu, les boîtes de bobines de fil. Le chauffeur doriotiste somnolait à l'avant. Le temps de charger le véhicule, il avait recouvré un contrôle à peu près acceptable de ses mouvements. Duprest lui rendit sa place, à gauche dans la cabine, soulagé de faire le trajet de retour avec Traverse.

— Où est-ce qu'on va, maintenant ?

L'inspecteur déplia son plan de Paris.

— Au carrefour Pleyel, à Saint-Denis, entre la fabrique de pianos et la centrale électrique, un peu plus loin que les ateliers de chez Hotchkiss. Il y a des sortes d'entrepôts construits par les Américains, quand ils sont arrivés, à la fin de la guerre de 14, pour les chaînes de montage des chars, des véhicules blindés... Tu connais ?

Duprest ne put retenir un départ de fou rire. Traverse le secoua, sans résultat.

— Qu'est-ce que tu as ? Je n'ai rien dit de drôle... Tu es sûr que ça va bien ?

Entre deux hoquets, des larmes de joie inondant son visage, Duprest parvint à expliquer à son collègue que tout au long du voyage aller, le chauffeur du camion n'avait cessé de lui poser la même question : « Tu connais ? », et que quand il l'avait entendu de sa bouche, pour le retour, cela avait déclenché cette réaction. Traverse dodelina de la tête, haussa les épaules, enclencha le levier de vitesses dans le logement de la première et démarra en jetant un œil au rétroviseur pour vérifier que le Berliet se plaçait dans son sillage. Ils quittèrent Paris par la Chapelle après avoir franchi les faisceaux des voies du chemin de fer, longé les murs sans fin des cokeries, les enceintes géantes des gazomètres. Il fallait encore traverser la véritable forêt de cheminées d'usines plantée sur La Plaine, dont les gueules nourrissaient en permanence un nuage gris qui décourageait jusqu'aux rayons de soleil, l'été. Seules les torchères de la raffinerie apportaient une tache de couleur dans cet univers plombé. La fin du trajet fut accompagnée du ululement sinistre des sirènes d'usines qui annonçaient la pause de midi. Ils durent stopper à plusieurs reprises pour laisser le passage à des colonnes d'ouvriers, uniformément vêtus de bleus délavés, graisseux, abrités par une marée de casquettes. Traverse pointa le doigt vers un groupe d'hommes qui s'étaient assis sur un carré de verdure pour avaler le contenu de leurs gamelles.

— Tout le reste, j'étais arrivé à m'y faire, quand j'étais ouvrier, mais pas la gamelle... Impossible ! On ne se rabaisse pas à ce point... J'allais manger un plat du jour dans une cantine quelconque ou alors je préférais sauter le repas et me rattraper le soir.

— Tu travaillais où ?

— Chez Tellier, à Juvisy, on fabriquait des avions, des hydravions que des pilotes essayaient sur la Seine... Et toi, la gamelle, ça ne te faisait rien ?

Duprest ignorait que Traverse avait été autre chose que flic. Il avait du mal à l'imaginer sur un tour ou une fraiseuse, à débiter des pièces d'empennage, à régler des moteurs.

— Je n'ai jamais eu l'occasion de me poser la

question. Après la faculté, je me suis retrouvé dans les bureaux, au Métro. On avait un restaurant spécial, réservé au personnel du service juridique.

— Alors, tu ne peux pas comprendre.

CHAPITRE 7

Ils avaient livré le matériel après une vérification interminable de leurs papiers par la garde allemande des entrepôts. Les gribouillis de Rondier dans la marge de la lettre du secrétaire général du Syndicat corporatif des confectionneurs parisiens n'étaient pas du goût de la sentinelle. L'attente aurait pu se prolonger bien davantage, si Traverse n'avait pas aperçu un type de la bande de la rue Lauriston qui s'était retrouvé en parallèle sur une de ses enquêtes.

— C'est Villaplane, Alex Villaplane, l'ancien demi gauche de l'équipe de France de football. Tu co... Excuse-moi... Il tient une boîte à Pigalle, rue Duperré, pour le compte de son patron, Henry Lafont. On y mange vraiment bien, le seul problème, c'est qu'on n'arrive à rien avec les filles...

— Ah oui, et pourquoi ?

— Elles ne s'intéressent qu'entre elles, voilà le pourquoi !

Alex s'était arrangé avec la paperasse en un

tournemain. Il lui avait suffi de montrer sa carte d'identité visée par la Gestapo pour que les difficultés s'aplanissent. Le temps que les manutentionnaires déchargent le lot de machines à coudre, l'ancien international leur avait fait faire le tour du propriétaire. Plusieurs hangars contenaient les objets interdits amenés par les juifs au cours des deux années précédentes : téléphones, bicyclettes, postes de TSF. Dans un atelier attenant, des ouvriers réparaient les saisies, dépouillant une radio de ses ampoules pour en équiper deux autres, appareillant un cadre avec un guidon, ajustant les crans d'une chaîne, posant des rustines sur des chambres percées, testant une dynamo.

— On remet tout à neuf, malgré les restrictions. Après c'est envoyé en cadeau aux familles allemandes méritantes. Celles qui ont perdu un fils sur le front de l'Est sont évidemment prioritaires.

Plus loin, se trouvait la salle des instruments de musique, pianos, violons, saxophones, tambours de toutes dimensions, une pleine caisse de triangles, une autre de baguettes de chefs d'orchestre. Une salle attenante renfermait plusieurs milliers de livres rares récupérés, pour l'essentiel, dans des appartements des beaux quartiers.

— On commence à être vraiment à l'étroit ici, il arrive de plus en plus de marchandise. Tout juste si on a le temps de la répertorier, de dresser des inventaires. Si vous avez besoin de quelque chose, n'hésitez pas : je suis chez moi ici, un coup de fil et je m'arrange pour faire livrer.

Il avait joint le geste à la parole : au moment de partir, ils découvrirent deux combinés radiophono posés sur le siège arrière de la Traction. Duprest jeta son dévolu sur le Général-Radio à caisse vernie avec ses haut-parleurs rehaussés de cuivre rouge, ses glaces biseautées maintenues par des pointes de diamant, laissant l'Arophone à son collègue. Traverse estimait plus prudent de ne pas montrer leurs cadeaux dans les bureaux, pour ne pas faire de jaloux. Il fit un crochet par le quartier Richelieu où il avait une chambre, puis il mit le cap sur Plaisance pour que Duprest aille ranger sa boîte à musique. Il vint se garer devant la devanture du marchand de pains de glace. Clément eut du mal à se saisir de l'engin qui pesait pas loin de quarante kilos.

— Tu veux que je te donne un coup de main pour le monter ?

L'inspecteur redoutait par-dessus tout que Liliane le voie en compagnie de cet escogriffe, qu'il puisse entrer par effraction dans leur intimité. Il souleva l'appareil au risque de se rompre le dos.

— Je te remercie, ça va aller, il paraît plus lourd qu'il ne l'est en réalité...

L'appartement était vide. Après un moment de doute, il se souvint que Liliane passait la journée chez ses parents, sur les hauteurs de

Rueil-Malmaison, une grosse maison entourée d'un jardin près du parc du mont Valérien. Ces escapades en cours de semaine lui permettaient d'espacer les visites à la belle-famille, d'échapper aux lourds sous-entendus sur la descendance qui tardait à se manifester, d'autant que Liliane était leur enfant unique. Il suspectait également son beau-père d'avoir fricoté avec les francs-maçons, avant-guerre, et se demandait si cela ne pouvait pas nuire à sa nouvelle carrière au cas où ce soupçon se verrait confirmé. Il posa le combiné sur quatre patins pour le faire glisser près du buffet de la salle à manger, à proximité de la prise électrique.

Ils s'octroyèrent une halte devant une assiette de charcuteries, à l'enseigne de La Demi-Lune, près des Maréchaux. Quatre heures sonnaient à la Sainte-Chapelle quand ils furent de retour. Ils s'installaient à peine dans la salle de permanence que Simone fit irruption pour leur annoncer que Rondier désirait les voir de toute urgence.

Une fumée épaisse envahissait le bureau du commissaire qui était aidé, pour la faire naître, d'un homme que les deux inspecteurs connaissaient bien. Rondier aspira longuement son mégot, l'écrasa dans le cendrier.

— Je pense que ce n'est pas la peine de vous présenter le principal Balaume de la 1re Brigade spéciale... Il est à la recherche de bons éléments pour renforcer l'efficacité de son service. Depuis l'ouverture des hostilités à l'Est, l'activité des groupes armés communistes ne cesse de progresser malgré les coups très durs qui leur sont portés. Il ne faut pas relâcher notre effort sur ce front prioritaire. J'ai accédé à sa demande quand il a souhaité vous intégrer à son équipe... Vous y serez plus utiles qu'à la brigade des propos alarmistes.

Balaume venait de fêter ses quarante ans, et grâce à la pratique intensive de la natation, de la course à pied, il en paraissait dix de moins. Il portait invariablement un costume croisé gris à très fines rayures d'un gris un peu plus clair, des souliers de cuir immaculés, hiver comme été, et ne posait jamais de chapeau sur ses cheveux naturellement crantés. On lui prêtait des multitudes d'aventures avec des championnes, des chanteuses, des actrices dont la dernière en date, la blonde Maryse Harlay, jouait dans *Les Corrupteurs*, un documentaire qui était salué par Lucien Rebatet dans *Je suis partout*. Il ne buvait pas, ce qui le distinguait des autres patrons des brigades qui évacuaient la pression du métier au moyen de l'alcool. Sa seule faiblesse, c'était le cigare dont il faisait un usage immodéré : il était rare, même le matin, qu'on le rencontre autrement que les lèvres arrondies autour d'un massif Cohiba. Contrairement à Rondier qui recevait la majorité de ses ordres du préfet, Balaume travaillait directement avec la Gestapo installée rue des Saussaies dans une aile noire et sale d'appartements petits-bourgeois. Chaque semaine, deux officiers allemands en civil se déplaçaient jusqu'à la Cité pour lui transmettre les demandes d'enquêtes. Il se leva, ouvrit la fenêtre pour secouer sa cendre au-dessus de la cour de la Préfecture.

— Je tiens tout d'abord à vous dire ceci : j'aurais aimé que Bricourt soit parmi nous. Mon choix s'était également porté sur lui. C'était un policier exemplaire. Ce qui lui est arrivé, ce lâche assassinat, ne peut que souligner la nécessité du travail d'information, un préalable indispensable au temps de l'action. Connaître l'ennemi, voilà la clef du succès ! Nous aurions dû savoir que ces deux Russes n'étaient pas des comparses ! Pour le remplacer, j'ai décidé de vous adjoindre l'inspecteur Baldowsky qui est déjà rattaché à la brigade placée sous mes ordres. Vous pouvez aller vous installer dans la pièce 503. Elle dispose d'une vue imprenable sur la rue de Lutèce et les paulownias du Marché aux Fleurs.

Il fit quelques pas pour venir leur serrer la main. Traverse semblait heureux d'avoir Baldowsky pour nouveau coéquipier, ce qui n'était pas le cas de Duprest. Des dizaines d'histoires traînaient au sujet de celui qui était surnommé « le mangeur de juifs », comme celle concernant une jeune femme portée sur les listes d'une rafle précédente, en mars. Baldowsky s'était rendu compte qu'elle était enceinte et ne pouvait être emmenée. Il était revenu quelques semaines plus tard, après l'accouchement, pour se saisir de sa proie. Plusieurs agents, pourtant rompus à la discipline du service, avaient souhaité ne plus faire équipe avec lui, ne supportant pas certaines de ses méthodes. La plus décriée consistait, lors de contrôles intempestifs dans la rue, à obliger les suspects mâles à ouvrir leur braguette pour prouver qu'ils n'étaient pas circoncis. Toujours volontaire dès qu'il fallait pousser un interrogatoire, ses accès de fureur destructrice avaient mis un terme prématuré à plusieurs enquêtes.

Les deux inspecteurs vidèrent l'armoire de la salle de permanence de leurs affaires. Duprest les entassa dans une cagette.

— Tu en penses quoi, de ce Baldowsky ? Je l'ai croisé une fois ou deux, bonjour, bonsoir... Il n'a pas très bonne réputation...

— On ne fait pas ce boulot pour figurer dans le Bottin mondain. Je l'ai connu avant la guerre, quand il bossait pour la Sûreté générale. Il était plutôt tranquille. Il n'a pas supporté les quatre mois de taule que les Allemands lui ont fait subir, quand ils se sont installés à Paris.

Clément reposa une pile de dossiers sur l'étagère.

— Attends, j'ai du mal à te suivre... Il s'est fait arrêter par les Allemands, c'est bien ce que tu viens de dire ?

— Oui...

— Il faut que tu m'expliques, je ne saisis pas tout...

Traverse appuya ses fesses sur le rebord de la table. Il se frotta les yeux, irrités par la poussière du déménagement, et des veinules rouges gonflèrent autour de ses pupilles.

— La vie est quelquefois compliquée. Une lettre de dénonciation anonyme écrite sur du papier à en-tête de la Préfecture est arrivée en haut lieu. Baldowsky, c'est d'origine polonaise, sauf que ça pourrait être aussi un nom juif. Comme Rosenberg...

— Pourquoi ? Rosenberg, ce n'est pas polonais...

— Non... Je sais que c'est allemand. Je voulais te donner un exemple d'un nom qui a deux entrées, une propre et une sale... Quand il a été convoqué, il s'est expliqué, il a apporté des papiers, des certificats, des attestations, mais il ne pouvait pas savoir que la lettre parlait aussi du prénom de sa grand-mère, Sara, sans « H » à la fin...

Clément ne voyait pas quelle différence pouvait bien faire une consonne de plus ou de moins.

— Il faut admettre que ça devient plus embêtant avec une Sara en droite ligne, même sans le « H ».

— Ils l'ont pris pour un espion, un infiltré, et l'ont traité en conséquence. En fait, sa grand-mère était aussi aryenne que toi ou moi. Son père était un admirateur de la culture française, comme beaucoup de Polonais. Il lisait les philosophes, dans le texte. Elle avait hérité de ce prénom en hommage à Jean-Jacques Rousseau qui, d'après Baldowsky, a adressé une série de très belles lettres à une fille dont il était amoureux et qui s'appelait Sara. Il faut toujours se méfier des gens qui sont trop dans les livres. Baldo, lui, il ne s'est jamais remis de cette injustice... Résultat, il se venge sur tout ce qui lui tombe entre les mains.

Traverse se pencha pour soulever le carton contenant ses affaires et sortit dans le couloir suivi par Duprest qui tenait son cageot à bout de bras. Ils n'avaient qu'une trentaine de mètres à parcourir. La pièce 503 était la plus vaste de l'étage réservé aux brigades, dans la galerie nord de la Préfecture. Une vingtaine d'inspecteurs y travaillaient en permanence, en liaison avec la centaine d'autres dispersés sur le terrain, dans des planques, occupés à de fastidieuses filatures ou à d'interminables vérifications. Les tireurs de fils. Une porte, à gauche, donnait directement sur la salle des détenus ce qui permettait de ne pas perdre de temps dans les transferts au moment de la production des documents. On leur fit de la place, loin des fenêtres dont ils se rapprocheraient peu à peu au gré des mutations, des affectations, des promotions. Ils eurent à peine le temps de s'installer que Baldowsky entra à son tour en faisant tournoyer un vêtement noir au-dessus de sa tête. Il louvoya entre les tables, les bureaux, pour finir par se diriger droit sur Traverse à qui il tendit la main.

— Salut Émile. Vraiment heureux qu'on fasse équipe... On ne m'a pas demandé mon avis, mais si ça avait été le cas, tu étais le premier sur la liste...

Il lança d'abord un regard furtif sur le côté, finit par s'attarder sur l'autre policier.

— Et toi, c'est Duprest, Clément Duprest... On dit le plus grand bien du boulot que tu as abattu en seulement quelques mois. Sans parler de ton courage dans l'affaire de la rue Dénoyez.

— J'ai fait ce que j'avais à faire...

L'inspecteur serra la main qui s'offrait. Il crut reconnaître la coupe du col d'une soutane dans le tissu sombre que Baldowsky avait bloqué sous son aisselle.

— Et modeste avec ça ! Je ne voudrais pas vous bousculer, mais vous aurez tout le temps plus tard de ranger vos affaires. Je vous emmène faire une virée à la campagne.

Il les entraîna vers l'escalier secondaire qui donnait directement sur la cour intérieure. Un huissier faisait reluire la carrosserie marron fauve d'une énorme Delahaye Chapron.

— Merci Henri, c'est impeccable ! Montez, je l'ai récupérée hier, les Allemands n'en voulaient pas, ils la trouvaient trop voyante...

Duprest s'installa sur la vaste banquette

arrière en cuir orangé, laissant Traverse prendre place près du conducteur. Le bolide rallia la porte des Lilas en un temps record, ne ralentissant qu'aux rares feux rouges qu'il franchissait au ralenti, obligeant les plus téméraires à s'arrêter, l'avertisseur poussé à fond. Baldowsky se dressait dans l'habitacle, hurlant « Police française ! » si on lui refusait le passage. Ils s'infiltrèrent dans la banlieue paisible, longeant des infinités de petits pavillons, contournant des placettes, avant de s'élancer vers les collines de Romainville. Le fort apparut bientôt, dans son écrin d'arbres centenaires. Les portes s'ouvrirent après un contrôle rapide des papiers des occupants du véhicule. Un SS en uniforme noir, l'Obersturmführer Trappe, sortit du bâtiment de commandement pour se porter à la hauteur des arrivants. Il parlait un français impeccable. Seule une légère pointe d'accent, sur des syllabes chuintantes, pouvait indiquer à un spécialiste qu'il était originaire de Prusse.

— Inspecteur Baldowsky. Quel plaisir de vous revoir dans nos murs... Votre nouvelle voiture vous donne toute satisfaction ?

— Oui, tant que l'on me fournit assez de bons d'essence pour l'alimenter... Je vous présente les inspecteurs Traverse et Duprest avec lesquels je fais équipe.

Trappe les gratifia d'un bref salut, tête inclinée. Baldowsky continuait à parler tout en triturant son bout de tissu noir.

— Je n'ai pas réussi à vous avoir directement au téléphone ce matin, vous étiez occupé... J'ai parlé au commandant Bickenbach... Il vous a transmis ma requête ?

— Oui, désolé, je supervisais une fouille des cellules. Bickenbach m'a relaté votre entretien. Il n'y a aucun problème, inspecteur, je vais mettre un de mes hommes à votre disposition, pour le temps de la visite. J'espère que vous obtiendrez ce que vous êtes venus chercher.

Accompagnés d'une ordonnance militaire, ils contournèrent le plus grand des bâtiments, longèrent la cour grillagée pour aboutir près des casemates creusées dans la muraille, où étaient détenus les clandestins ainsi que les otages. Près d'une centaine de ces « Sühnepersonen », des victimes expiatoires selon la terminologie officielle, venaient d'être regroupées près de l'abri numéro 22 avant d'être dirigées sur le mont Valérien, un autre fort de l'ancienne enceinte de défense de Paris où avaient lieu les exécutions. Il y avait parmi elles plusieurs membres des groupes terroristes qui n'avaient plus rien à apprendre aux services de police, mais la majeure partie des captifs était constituée de suspects, de proches qui paieraient de leur vie les attentats commis contre les forces allemandes ou leurs installations. Le soldat ouvrit la grille de fer dont le grincement, sur ses gonds, résonna dans des cavités invisibles. Baldowsky prit Duprest par l'épaule.

— J'ai bien étudié la liste de ceux qui sont

sous les verrous pour faire mon choix. Il y en a trois qui passent l'été ici, bien au frais, suite à votre expédition chez le charbonnier de Pantin. Bricourt a un peu précipité le mouvement, mais ça n'a pas été inutile. Loin de là...

Il s'avança le premier dans le couloir qui menait aux cellules et s'isola dans une latrine située sur la gauche pour ressortir, une minute plus tard, transformé en curé, la soutane recouvrant ses vêtements civils... Il souleva le pan de la robe pour aller prendre un missel et une croix dans sa poche de veste.

— Il vaut mieux que vous m'attendiez dans la salle de garde. Ils pourraient se douter de quelque chose en voyant près de moi d'autres Français habillés en bourgeois... Même avec la meilleure volonté du monde, on a du mal à vous prendre pour des enfants de chœur !

Ce n'est que sur la route du retour, une heure plus tard, confortablement installé sur son siège rembourré de la Delahaye que Baldowsky leur expliqua l'efficace stratagème qu'il avait mis au point : il se renseignait sur les convictions spirituelles des otages qui, bien que participant de l'entourage immédiat de bolcheviques, ne partageaient pas toujours leur rejet de la religion. Il se présentait devant eux sous les traits du père Gardel, curé de la paroisse Notre-Dame du Rosaire et se mettait à leur disposition pour soulager leur conscience avant la terrible épreuve qui les attendait.

— Il suffit de bien les cibler. Un sur deux se laisse avoir, principalement les hommes alors qu'on pourrait croire que ce sont les bonnes femmes les plus faciles à rouler dans la farine. Ils sont tellement en confiance qu'en plus certains me demandent de faire suivre des lettres, en douce... J'en ai encore récolté deux ce matin...

Il lâcha le volant pour fouiller dans sa poche, tendit à Traverse le papier qui se chiffonnait entre ses doigts. La voiture fit une embardée, un pneu frotta sur le rebord du trottoir alors qu'ils traversaient le faubourg Saint-Antoine.

— C'est de la bonne bagnole, mais elle tire à droite, impossible de la régler, il faut se cramponner ! Il n'y a jamais rien de bien intéressant pour le service dans ce qu'ils écrivent... Lis un peu, on ne sait jamais...

L'inspecteur lissa les deux feuilles de papier du plat de la main sur sa cuisse.

— C'est écrit tout minuscule. Ralentis un peu, sinon les lignes sautent... Voilà : « Ma chère mère, mes chères sœurs. Au moment de vous quitter pour toujours, je pense à papa qui n'est plus là depuis si longtemps et que je vais revoir, j'en suis sûr. C'est cette pensée qui me tient debout et qui fait que j'ai le courage de vous écrire ces quelques mots. Je ne regrette rien de ce qu'a été ma vie. Nous savions tous ce qui nous attendait. C'est comme si j'étais parti à la guerre et que je n'étais pas revenu. Chère maman, tu recevras mes affaires dans un délai de 8 jours, avec le chandail que tu m'avais tricoté l'hiver dernier, celui avec la manche plus courte que l'autre. J'espère que Ferdinand et André ont retrouvé du travail chez Legros et Frères, et que tous les petits de la famille vont bien. Dis à la voisine Violaine que je lui souhaite d'être heureuse dans son mariage auquel j'étais invité. Dis aussi à Robert que je chante en cellule, pour les copains, toutes les chansons qu'il m'a apprises à l'accordéon. Voici mes dernières volontés. Sur ma tombe, une simple croix et quand vous viendrez me voir, apportez seulement des fleurs rouges. Je vous embrasse de toutes mes forces. Votre fils Pierre qui meurt sans peur l'année de ses vingt ans. J'ai embrassé cette lettre là où j'ai tracé une croix. »

— Écoute-les pleurer sur leur sort ! Ils en sont écœurants ! Tu crois qu'ils se posent des problèmes de conscience quand ils préparent leurs bombes ? J'en ai assez entendu !

Baldowsky allongea le bras pour se saisir de la lettre et la jeta par la fenêtre grande ouverte. Elle se plaqua un moment contre la vitre arrière, devant le visage de Duprest, avant qu'un cahot ne la décolle. L'inspecteur tourna la tête pour la voir flotter un instant devant le socle de la colonne de Juillet, dans le cadre de la lunette. L'air était transparent. Il aperçut une jeune femme aux lèvres rouges qui se baissait pour la ramasser.

CHAPITRE 8

Clément Duprest assurait la permanence de nuit, en compagnie d'un autre inspecteur, Fontanier, lorsque les premiers flocons tombèrent sur Paris au tout début du mois de décembre. Il se tenait debout devant les hautes fenêtres, un verre de grog à la main, émerveillé comme un gamin au spectacle de cette pluie cotonneuse qui recouvrait peu à peu les toits de l'Hôtel-Dieu, les jardins de Notre-Dame, les branches dépouillées des paulownias du Marché aux Fleurs. Des coups frappés à la porte du bureau le sortirent de sa rêverie. Deux policiers en tenue, la pèlerine mouillée par la neige fondue, s'avancèrent dans la pièce en poussant devant eux un couple qu'on aurait dit raflé dans une soirée mondaine. La femme, une trentaine d'années, portait un tailleur rouge sur lequel des pierres scintillaient, sa jupe s'arrêtait à mi-cuisse et mettait en relief des jambes d'un galbe parfait. Son visage était fardé de blanc, pour faire ressortir le dessin de ses lèvres et l'éclat de ses yeux bleus.

L'homme, à ses côtés, pouvait sembler plus discret, comme éclipsé par les brillances de sa compagne, mais si on portait un peu attention à lui, on était stupéfié par la coupe de ses vêtements, la qualité du cuir qui le chaussait et la profusion des bagues à ses doigts. Duprest fut incapable de masquer sa surprise quand Fontanier apostropha les deux personnes appréhendées avant de s'adresser aux policiers du commissariat du quartier Pigalle.

— J'étais sûr de vous revoir ! Je vous avais dit que votre langue reconnaîtrait le chemin... Qu'est-ce qu'ils ont fait comme conneries, cette fois ?

L'un des gardiens s'approcha pour déposer un rapport devant l'inspecteur.

— C'est surtout la femme Oléo. Elle a insulté un général allemand, en public, ce qui constitue une circonstance aggravante... Le mari n'a pas voulu la laisser partir seule. Il a insisté pour l'accompagner jusqu'ici, mais nous n'avons pas de charges contre lui...

Fontanier vint se placer près de Duprest qui finissait de boire son grog dans son coin.

— Vous les connaissez, ces deux oiseaux, non ?

— Justement, non... Qui est-ce ?

— Raoul Arnaud, le directeur du Théâtre de Dix-Heures, sur le boulevard de Clichy, et sa femme, Oléo, une des chansonnières les plus affûtées de la place...

Il éleva la voix.

— Alors, qu'est-ce qu'il en est cette fois-ci ? Il y a huit mois, si je me souviens bien, un colonel de la Kriegsmarine qui remettait difficilement son manteau avant de partir de votre cabaret s'est entendu dire : « Elle n'est pas facile à traverser, la manche ! »

La jeune femme lui coupa la parole.

— C'est ce qu'il prétendait. J'ai été libérée quand tout le monde a fini par admettre la vérité. J'avais simplement lancé à la cantonade : « Il s'y prend comme un manche ! » Un peu familier, mais pas outrageant...

Fontanier avait profité de l'interruption pour prendre connaissance du rapport.

— Je veux bien... Ce colonel avait une maîtrise imparfaite de la langue française, particulièrement de ce jargon que l'on parle sur les pentes de Montmartre... Mais là, il n'y a pas de confusion possible... On vous a entendu proférer à l'adresse d'un général arrivé en retard, et qui se faufilait vers la table qui lui était réservée : « Il a du mal à passer ici, c'est comme à Stalingrad. » Vous avez conscience de la gravité du propos ?

Oléo ouvrit son sac pour y prendre une cigarette qu'elle alluma sans demander l'autorisation à personne.

— J'ai l'impression qu'il y a de mauvaises ondes dans cette salle... De mauvaises vibrations qui déforment les paroles les plus innocentes... Il neige cette nuit sur Paname, et nous avons la chance d'être bien chaussés, d'avoir de la laine sur les épaules pour échapper au froid. Et vous croyez vraiment que je me serais moquée, avec autant de légèreté, de tous ces soldats qui souffrent mille morts dans l'enfer de Stalingrad ? Je lis les journaux, je regarde les actualités, j'écoute la radio... Vous me croyez aussi insensible ?

— Je ne crois rien, je me borne à constater l'évidence. On vous a entendue, j'ai là deux paires d'oreilles qui en témoignent...

Le patron du théâtre se porta au secours de son épouse.

— J'étais présent également et à un poste d'observation privilégié puisque je regarde le spectacle chaque soir depuis les coulisses. Si quelqu'un peut capter le moindre son de ce qui se dit sur la scène, c'est bien moi...

— Et alors ?

Il y eut un silence. Raoul Arnaud prit le temps de se moucher.

— Cet officier, j'ignorais que c'était un général, est arrivé au beau milieu d'un monologue d'Oléo, quand elle se confie au public, assise derrière l'encadrement d'une fenêtre. Je dois à la vérité de signaler que ce militaire assez imposant ne marchait pas très droit, qu'il bousculait beaucoup de gens sur son passage... Il a rompu le charme, et Oléo, pour ne pas utiliser l'expression toute faite de l'éléphant dans un magasin de porcelaine, a improvisé en direction du public : « Il a du mal à passer, c'est comme un plantigrade. »

Fontanier leva le menton en direction des gardiens en tenue.

— Ça vous paraît plausible ? Les témoins ont peut-être mal interprété...

— C'est possible, nous on n'était pas sur place.

— On a assez de travail avec les vrais saboteurs pour ne pas perdre du temps à s'en inventer ! Vous les raccompagnez rue du Mont-Cenis, et vous les laissez mariner le reste de la nuit en cellule. Ils auront le temps de réfléchir aux textes de leurs prochains sketchs.

Duprest retourna se placer contre la vitre froide que son haleine encore parfumée au rhum voilait. Il vit le geste amoureux de l'homme enveloppant les épaules de la chansonnière quand le groupe s'éloigna dans la rue de Lutèce.

— Ils vous ont eu. Je crois que c'est vraiment ce qu'elle a dit, « Stalingrad »...

— Oui... Et alors ? Ils ne sont pas dangereux, on se contente de leur mettre la pression pour ne pas qu'ils aillent trop loin. Une nuit au poste, la sanction me paraît appropriée...

— Baldowsky...

L'inspecteur Fontanier lui coupa la parole sur la dernière syllabe.

— Je sais ce que vous allez me dire, Duprest, que Baldowsky aurait pris la petite en tête à tête, qu'il lui aurait fait réciter son spectacle en l'aidant à coups de nerf de bœuf. La méthode a du bon, je n'y répugne pas, sauf qu'il faut qu'elle soit adaptée à la faute...

— Vous exagérez...

— Pas tellement. Vous étiez à la brigade des bobards, il n'y a pas si longtemps... Vous connaissez la dernière qui circule dans Paris ?

Il ne lui accorda pas le temps de réagir.

— C'est un juif alsacien qui se fait torturer par la Gestapo quand le téléphone se met à sonner. L'un des gars qui s'occupent de lui prend le téléphone et gueule dans la pièce : « Je n'y comprends rien ! Quelqu'un parle français ici ? » Le juif sort la tête de l'eau et avance timidement : « Oui, moi... » On le tire de la baignoire, on lui détache les poignets, on lui tend le téléphone. Il le prend, et de sa petite voix, il dit : « Allô, ici la Gestapo, j'écoute... » Elle est bonne, non ? Elle mérite combien de jours de taule ? Deux, trois ? À ton avis, il ferait quoi Baldowsky s'il était ici avec nous ? Il se marrerait ! Si on commence à mettre au trou tous ceux qui plaisantent sur le régime et les Allemands, le pays devra se couvrir de prisons. Et il faudra que j'y conduise au moins la moitié de ma famille, moi en tête ! Je suis d'accord pour que l'on soit sans pitié contre les juifs, les communistes, les francs-maçons, toute la racaille qui a abaissé le pays, mais pas pour qu'on s'en prenne à l'esprit gaulois.

Lorsque Duprest quitta la Cité, au petit

matin, la neige recouvrait la place, le socle vide où s'était dressée la statue de Théophraste Renaudot, les verrières du marché, les pavés des quais. Un chien de mariniers faisait des allées et venues, laissant l'empreinte de ses pattes sur le toit de la péniche où dormaient ses maîtres. Duprest n'avait pas envie de dormir, encore moins de s'engouffrer dans le métro. Il se mit à marcher au bord du fleuve, vers Notre-Dame, écoutant cette sorte de crissement, sous ses pas, quand la neige se tassait. Le bruit le ramena vers son enfance, à une irruption dans la nuit de Noël, en Bretagne, pour rejoindre la ferme voisine. Il revoyait sa mère, ses grands-parents, mais pas son père dont il savait seulement qu'il était « dans les rizières ». Une fois la cour boueuse traversée, le monde se résumait à un immense tapis blanc planté d'arbres sur lequel ils avançaient. Dans son souvenir, cette traversée durait des heures entières, et il avait été déçu, des années plus tard, de constater qu'à peine trois cents mètres séparaient les deux corps de bâtiments. Il pensait entrer dans une salle décorée, découvrir un sapin illuminé, quelques bonbons. On l'avait amené dans une chambre glacée éclairée par des cierges où flottaient des odeurs d'encens et de Javel. Une vieille femme reposait sur un lit haut, les mains jointes, un ruban noué autour de la tête, du crâne à la mâchoire, comme un œuf de Pâques. Il avait fallu qu'il se hisse sur la pointe de ses galoches pour embrasser en pleurant un front plus froid que la pierre. Les hommes s'étaient ensuite rassemblés pour boire près de la cheminée, dans la salle commune, tandis que les femmes et les enfants avaient reflué dans la pièce attenante qui servait de cellier. Il avait commencé par écouter les histoires que se racontaient les grandes personnes avant de s'ensommeiller. Plus tard, tout le monde le croyant endormi, il s'était laissé porter par son grand-père, sur le chemin du retour. Le souvenir de ce parcours, balancé dans les bras vigoureux de l'ancêtre, avec les flocons qui piquaient droit des cieux pour s'écraser en fondant sur ses lèvres, ses yeux, ce souvenir le força à lever le visage vers les immensités pour retrouver le picotement humide. Lorsqu'il franchit le pont au Double, la neige évanouie se mêlait à ses larmes. Il traversa Paris dans une sorte d'engourdissement des sens. C'est à peine s'il remarquait que la vie reprenait ses droits autour de lui, que les rues se remplissaient de silhouettes, que les ouvriers, les artisans se hâtaient vers le travail, que les autobus, les gazogènes envahissaient les avenues, que la rumeur de la ville prenait à nouveau possession de l'espace. Il était seul, il marchait droit devant lui à la manière d'un automate, comptant chacun de ses pas, uniquement préoccupé de savoir si le prochain angle de la rue de Médicis était distant de cent ou de cent dix mètres, si le feu passerait deux ou trois fois au rouge avant qu'il ne l'atteigne. Il y mettait toute son énergie afin qu'il n'en reste pas une once pour d'autres questions. Des cris d'enfants mirent fin à sa comptabilité obsessionnelle alors qu'il entrait dans le quartier Plaisance. Ils étaient dix à se battre à coups de boules de neige de part et d'autre de la rue d'Alésia, en allant à l'école. Duprest eut soudain froid. Il agita la tête pour faire tomber l'eau qui noyait ses cheveux, s'ébroua à la manière d'un animal. Il poussa la porte du café auvergnat situé à l'angle de la rue Bardinet et fut accueilli par les accords de guitare matinaux d'un colosse au visage barré d'une épaisse moustache noire. Il s'accouda au bar, écouta sans parvenir à se souvenir s'il avait déjà entendu les chansons que marmonnait l'inconnu. Le patron lui servit un grog au marc de contrebande, dans un verre à pied, sans faire de commentaire sur l'heure matinale de prise du remède. L'alcool chauffé produisit son plein effet alors que les arômes du café de la brûlerie du Planteur de Caïffa enveloppaient Duprest. Il se mit à tituber, faillit tomber sur l'asphalte boueux. Il ressentit une violente crampe à l'endroit où on l'avait frappé, après le repas d'anniversaire de son père dans le restaurant vietnamien... Il appuya ses mains sur le plâtre noirci du mur d'un jardinet, se plia en geignant et capitula devant les hoquets qui crispaient ses organes. Des ouvriers en vélo ralentirent leurs mouvements de mollets pour se foutre du pochard en phase terminale de cuite.

— On se serre tous la ceinture, et regarde-moi ça, il y en a qui trouvent le moyen de gaspiller !

L'illusion procurée par l'alcool s'était dissipée, l'inspecteur tremblait de tous ses membres, saisi par le froid, affaibli par sa traversée de Paris, ventre vide. Il se sentait surtout sale, misérable. Il atteignit la rue Joanès à près de neuf heures, se hissa dans les escaliers en s'aidant de la rampe. Il n'eut pas le temps d'introduire la clef dans la serrure que la porte s'ouvrait. Liliane lui jeta un regard où se mêlaient inquiétude, surprise et désarroi.

— Mais d'où tu viens ? Tu as vu dans quel état tu es... Tu es trempé... Mon pauvre chéri...

Duprest n'eut pas la force de venir placer ses semelles sur les patins de feutre. Il traversa le couloir en laissant des traces humides sur le parquet et vint échouer sur le canapé, près du combiné radio récupéré à Pleyel d'où montait la voix de Léo Marjane :

Je suis seule ce soir
Avec mes rêves,
Je suis seule ce soir
Sans ton amour.
Le jour tombe, ma joie s'achève,
Tout se brise dans mon cœur lourd.
Je suis seule ce soir

Avec ma peine
J'ai perdu l'espoir
De ton retour...

Liliane s'était agenouillée devant lui pour délacer les chaussures gorgées d'eau, déboutonner le manteau au tissu gonflé comme une éponge..

— Je n'ai pas dormi une seule minute, j'étais folle d'inquiétude... Tu devais rentrer à six heures, je t'ai attendu... Tu ne veux pas me dire où tu étais ?

Il la laissa défaire la boucle du ceinturon, ouvrir sa braguette pour faire glisser le pantalon. Duprest trouva juste assez de forces pour aller dans la chambre et se glisser entre les draps.

— Avec Fontanier, on a suivi des terroristes toute la nuit... On était coincés, nous ne pouvions pas rompre la filature... Il faut que je dorme un peu... Je reprends le service en début de soirée, réveille-moi vers cinq heures.

Liliane remit une pelletée de charbon dans le poêle Godin, rajouta une couverture sur l'édredon. Elle attendit que Clément s'endorme pour venir se blottir contre lui.

CHAPITRE 9

Baldowsky ne décolérait pas. Balaume, le chef de la 1re Brigade spéciale, venait de lui ordonner de débarrasser la cour d'honneur de la Préfecture de sa Delahaye Chapron. Il pouvait aller la garer sur le quai des Orfèvres qui bénéficiait d'une protection renforcée, mais la place dont il usait, directement sous les fenêtres, venait d'être attribuée à un adjoint de Bousquet, le ponte du secrétariat général.

— Priorité aux ronds-de-cuir ! On se troue le cul jour et nuit pour relever le pays, et voilà comment ils nous remercient ! Il faut vraiment y croire, agir par conviction... Je vais aller la dégager... Suivez-moi, tous les deux, on va profiter du dérangement pour vous présenter aux gars de la radio...

Ils dévalèrent les escaliers. Duprest se débrouilla pour monter à l'avant, près des cadrans qui indiquaient la vitesse, la pression d'huile, la température du moteur, tandis que Traverse s'affalait sur la banquette arrière. Baldowsky fit passer son bolide sous le porche de la Cité pour la dernière fois, en recevant le salut du policier de faction. Il traversa le pont au Change, bifurqua à gauche sur le quai de la Mégisserie, sans prendre la précaution de ralentir. La voiture tangua sur les pavés huileux avant de répondre à l'accélération du moteur six cylindres et de se replacer en droite ligne. Il ne cessait de parler, indifférent aux crispations de ses passagers.

— Tous nos efforts seraient réduits à néant si la presse, la radio ne les relayaient pas... Pour parvenir à ce résultat, il n'y a pas de secret : il faut tenir les journalistes par les couilles ou le portefeuille... Les acteurs, c'est différent, il faut qu'ils voient leur nom sur les grands boulevards, dessiné à l'électricité... J'ai appris à les connaître : quand tu les alignes, tu t'aperçois qu'il y a beaucoup plus de nombrils que de cerveaux...

Il coupa la place de la Concorde en diagonale à près de cent à l'heure, récupéra les Champs-Élysées qu'il remonta en un temps record pour piler devant la façade du Normandie où s'affichait la figure inquiète d'Albert Préjean serrant entre ses dents la pipe du commissaire Maigret pour les besoins du film *Picpus* adapté d'un roman de Simenon. Plusieurs centaines d'amateurs avaient envahi la contre-allée, pour la première séance. La file d'attente débordait sur celle plus maigre du cinéma concurrent situé à droite, s'étendait à gauche le long de la devanture du chausseur Heyraud. Il fallut jouer des coudes pour la traverser, s'entendre traiter de resquilleur. Les gardiens en civil qui se tenaient de part et d'autre d'une lourde porte en bois massif reconnurent Baldowsky. Ils laissèrent passer les trois policiers qui foulèrent le sol en marbre d'un vaste hall. Une hôtesse quitta son siège, sous le sigle de Radio-Paris, pour appeler un ascenseur qui les propulsa vers le troisième étage où ils furent accueillis par les éclats d'une dispute. Un petit homme aux cheveux bruns fournis, habillé d'un costume rayé, serrant une liasse de papiers dans sa main droite, trottinait vivement dans le couloir pour se maintenir à la hauteur d'un autre personnage, d'une maigreur remarquable, agité de gestes presque mécaniques, qui se dirigeait droit vers le mur à grandes enjambées nerveuses en hurlant. Il fit soudain demi-tour, à moins d'un mètre de la cloison, et avant même de le reconnaître, Duprest fut saisi par l'intensité de son regard. Il y brillait un feu qui faisait penser tout autant au génie qu'à la folie. Le policier eut l'impression d'être transpercé, d'être non pas compris mais mis au jour. Presque possédé. L'homme fit encore quelques pas, s'arrêta, leva ses mains vers le ciel, doigts écartés, dans un geste de prédicateur.

— Georges, comment veux-tu que je dise un texte pareil ! En poésie, on compte les pieds, là, il est écrit avec les pieds ! Les syllabes s'entrechoquent, ça m'oblige à chuinter...

Son interlocuteur parvint à placer quelques phrases d'une voix douce, persuasive, teintée d'un léger accent suisse.

— Je suis d'accord avec toi, Robert, il n'est pas parfait, loin de là... Il faut que tu me comprennes, moi aussi. J'ai des impératifs : je dois livrer cette émission demain matin alors qu'elle n'a été commandée qu'avant-hier. C'est déjà un miracle qu'on en soit arrivé là...

— Il est drôlement bancal, ton miracle !

— Tu te reposes pendant une heure, d'accord ? On t'apporte ce que tu veux dans ta loge... Je vais demander à Maurice Rémy de voir ce qu'il peut faire pour l'améliorer...

Duprest tapa sur l'épaule de Traverse.

— Pince-moi si je rêve, mais c'est Robert Le Vigan, l'acteur qui jouait le rôle de l'homme invisible dans *Les Disparus de Saint-Agil*...

— Oui, c'est bien lui... Il était tout aussi épatant dans son dernier film, *Les affaires sont les affaires*. Baldo le tient à la poussière d'ange... Il lui apporte son ravitaillement. Un sacré coco... On doit le freiner, il envoie des lettres de dénonciation à la Gestapo sur tout ce qui bouge dans le monde du spectacle. On aurait besoin d'un service complet pour trier dans ses informations, les recouper. Heureusement qu'on ne prend pas toutes ses accusations au pied de la lettre, sinon la scène de la Comédie-française serait vide, comme celle du Théâtre Marigny. Il faudrait faire le voyage jusqu'à la Santé ou Fresnes pour entendre du Molière...

— Et la gravure de mode, c'est qui ?

— Dieudonné, il chapeaute une bonne partie des émissions de Radio-Paris. Si la vérité sur les suceurs de sang commence à éclater en France, c'est à lui et à son équipe qu'on le doit. Son vrai nom, c'est Oltramare, Georges Oltramare. Un camarade national-socialiste de Genève. Il a dirigé un journal parisien, *La France au travail*, mais son domaine de prédilection, c'est la radio. Il a tout compris. Un authentique génie de la TSF...

Duprest, tout comme Liliane, n'aimait pas la parlotte. La radio servait essentiellement à écouter de la musique, avec un faible pour la diffusion des chansons à la mode du « Concert gai », le matin au réveil. Il suffisait d'un *Swing, swing madame* de Reda Caire ou d'un *Je n'embrasse pas les garçons* de Blanche Darly pour évacuer les soucis, s'accommoder du gris du ciel. Ils faisaient une exception pour le « Radio-Journal » du soir qui précédait « Bonne nuit », le tout dernier programme musical avant la coupure d'antenne, vers minuit.

Baldowsky avait attendu patiemment que le directeur et le comédien parviennent à un accord pour s'approcher. Il leur serra la main avant de disparaître vers les loges en compagnie de Le Vigan. Dieudonné entraîna les deux inspecteurs vers un bureau transformé en bar.

— Il vous donne du fil à retordre...

Le Suisse fit sauter le bouchon d'une bouteille de champagne.

— Le génie n'est pas facile à manier. Et il n'en manque pas... Je vais vous faire une confidence : des engueulades de ce genre, j'en redemande... Je peux compter sur les doigts d'une seule main les acteurs de qualité qui acceptent de travailler pour moi. Personne ne veut s'engager pour l'Europe nouvelle. On cachetonne à la Continental et on laisse le téléphone sonner dans le vide quand c'est Radio-Paris ! Cela n'en donne que plus de mérite à quelqu'un de la trempe de Robert... Il se plaint des textes, et c'est vrai que nous n'y consacrons pas assez de temps, mais son interprétation les transfigure. Mieux encore, les autres comédiens sont comme emportés par son jeu, ils se surpassent... On va remettre quelques passages en chantier, pour la forme... C'est lui et lui seul qui fera tenir l'ensemble... Trinquons à notre rencontre...

Baldowsky les aida à venir à bout des bulles. Il fit tinter son verre contre celui de Dieudonné.

— Il sera d'attaque dans une petite demi-heure... J'ai eu une longue discussion avec le commissaire principal Balaume. La capitulation du maréchal Paulus à Stalingrad a donné des ailes aux groupes judéo-terroristes. Hier, une grenade a explosé dans un *Soldatenkino*, pas plus tard que ce matin, c'est confidentiel, deux officiers de la Luftwaffe ont été abattus en plein

Paris, aux guichets du Louvre. Nous remontons patiemment les filières pour mettre le maximum de terroristes hors d'état de nuire. Et en réfléchissant, il nous est venu à l'idée que votre radio pouvait nous y aider...

Dieudonné fit pétiller le vin frais sur sa langue.

— Je crains de ne pas y connaître grand-chose en matière d'enquêtes de police...

— On vous demande surtout de rester ce que vous êtes. Nous pourrions vous fournir des dossiers sur certaines de nos affaires, à charge pour vous de bâtir de petites pièces dramatiques édifiantes. Ce serait passionnant pour vos auditeurs, et l'évocation de tel lieu, de tel nom, puisés dans la réalité pourrait faire bouger les choses sur le terrain... Qu'est-ce que vous en pensez ?

Pendant tout le temps qu'avait duré l'exposé de Baldowsky, Dieudonné était demeuré impassible, se contentant de faire tourner le champagne, au fond de sa coupe.

— Il faut étudier la question de très près... Le problème, c'est que je suis déjà au maximum de mes possibilités. C'est de la fiction assez lourde. On aura besoin de bruitages sophistiqués, de prises de sons en extérieur, de faire appel à des voix nouvelles, des musiciens...

— Le préfet en a touché un mot au chef de cabinet du ministre de l'Information. Nous avons le feu vert. Le règlement prendra la forme d'une subvention exceptionnelle. Les inspecteurs Traverse et Duprest seront chargés de rassembler les informations de base, de déterminer jusqu'où il est possible d'aller, puis de relire les scénarios définitifs sous couvert de la censure allemande... C'est toujours Karl Kopf qui manie le crayon rouge ?

— Oui, on fait avec. La *Propaganda Abteilung* n'a pas trouvé mieux.

Dieudonné pointa le doigt sur une lampe rouge clignotante placée au-dessus d'une porte capitonnée.

— Je crois que Robert est en de meilleures dispositions. Mes assistants, Jacques Rogere et Maurice Rémy, ont revu son texte. Apparemment, ça doit lui convenir. Si vous avez encore un peu de temps devant vous, vous pouvez assister à l'enregistrement depuis la cabine du preneur de son. On fait toute la première partie en une seule prise...

Le directeur du programme les fit entrer dans la salle technique où convergeaient les fils branchés aux micros sur pied installés devant Le Vigan, un autre comédien qu'on leur désigna comme étant Nobis, et le bruiteur. Ce dernier, en réponse à un signe du technicien, posa l'aiguille d'un gramophone sur un disque. Des explosions, des détonations se mirent à retentir. Le Vigan approcha ses lèvres du cercle grillagé placé devant le microphone. Il adapta le débit de sa prononciation, marquant les virgules.

— Qui est responsable, au premier chef, de la conflagration actuelle ?

Le second comédien fit un pas en avant et prononça d'une voix sourde.

— Le juif !

Le bruiteur baissa le volume du disque, et ponctua la réponse d'un coup de gong. Il abrégea les vibrations de l'instrument en le prenant à pleine main pour permettre à Le Vigan de poser sa deuxième question. Le ton se fit ironique.

— Qui était belliciste acharné en 1939 pour venger les petits copains corrigés par Hitler ?

Nobis donna la solution que souligna un nouveau coup de gong.

— Le juif !

La liaison fut immédiate.

— Qui est Karl Marx ?

— Un juif !

Le Vigan gonfla sa poitrine pour dire sa tirade d'un seul souffle.

— Qui est Lénine, qui sont les tyrans sanguinaires Béla Kun, Rosa Luxemburg, Trotsky, Léon Blum, et tant d'autres partisans du chambardement général ?

Son compère fit peser un silence qui ajoutait à l'émotion en créant un suspens là où s'imposait l'évidence.

— Des juifs !

— Qui rêve de la domination universelle ?

— Le juif !

— Qui était le maître de la presse, de la radio, du théâtre, du cinéma et de la Finance en France ?

— Le juif !

Le technicien coupa l'alimentation des micros avant d'aller ouvrir la porte pour s'adresser directement aux comédiens.

— Pour moi, c'est parfait. Tout a marché comme sur des roulettes... Et pour vous ?

Nobis leva le pouce.

— Impeccable.

Le Vigan haussa les épaules tout en inclinant la tête sur le côté, vers Dieudonné.

— Je ne suis pas un emmerdeur, je suis un professionnel, nuance ! Quand le texte est au point, il n'y a plus qu'à suivre la musique... Je peux aller en griller une dans ma loge ?

Le Suisse était au courant du code.

— Une, pas plus, il reste encore le monologue à mettre en boîte. Après, tu fais ce que tu veux.

Au cours des mois qui suivirent, Traverse et Duprest reprirent une dizaine de fois le chemin des studios de Radio-Paris, croisant nombre de vedettes du Tout-Paris qui venaient cachetonner entre deux engagements au théâtre, au music-hall ou au cinéma. Malgré les efforts déployés, le feuilleton réaliste sur la traque des terroristes ne parvint pas à voir le jour, le contrôle allemand craignant que le seul fait d'évoquer des figures de clandestins ne suscite des vocations. L'un des penseurs du service Dieudonné leur expliqua qu'il ne fallait pas faire dans la dentelle.

— Il est impératif de rester simple : la vérité doit être assimilable sans effort. L'auditeur sait que s'il faut réfléchir, c'est qu'on nous cache quelque chose. Pour qu'une pièce prenne une forme idéale, le forgeron ne compte pas ses coups de marteau. À la radio, le marteau, c'est les mots.

Duprest restait évasif quand Liliane lui posait des questions sur son emploi du temps. Il aurait aimé lui parler de Le Vigan dont elle avait vu tous les films, même des raretés comme *L'Homme de nulle part* et *Ernest le rebelle*. Il savait qu'une anecdote, une seule, était l'apéritif des confidences. Il ne put pourtant résister, un soir au dîner, à l'envie de lui raconter la séance d'enregistrement à laquelle ils avaient assisté dans l'après-midi, avec Traverse. Il prit soin d'habiller son histoire, prétendant avoir entendu l'émission à la radio, dans le bureau du commissaire principal. Dieudonné s'était entouré des meilleurs chansonniers de la place, embauchés dans les cabarets de Montmartre, de la République et de Montparnasse. Il leur avait fait écrire des saynètes sur les turpitudes des grands noms de la IIIe République dont il avait confié l'interprétation à la fine fleur des imitateurs.

— C'était incroyable, on avait l'impression de les entendre dire la vérité, pour une fois. C'était comme s'ils livraient enfin le fond de leur pensée... Ils étaient tous là, toute la racaille, les Georges Mandel, les Jean Zay, les Léon Blum, l'escroc Stavisky, plus une femelle, la banquière Marthe Hanau...

Liliane posa sa cuillère sur le rebord de son assiette.

— Clément, sois gentil... Je n'aime pas quand tu fais de la politique...

Il pensait lui faire plaisir, et elle le rabrouait. Deux jours plus tard, un samedi qu'il ne travaillait pas, les sketchs étaient passés à l'antenne, juste après les succès du moment dans le « Concert gai », alors qu'ils paressaient au lit.

— Tiens ! Ce n'est pas l'émission dont tu me parlais avant-hier ?

Il s'en sortit par une pirouette.

— Oui, ça y ressemble. C'est sûrement une rediffusion.

Elle avait éteint le poste.

— Je ne trouve pas ça marrant. En plus, je n'y comprends rien.

CHAPITRE 10

Un an après son arrivée dans les brigades de renseignements, Duprest s'était vu titulariser automatiquement, avec une promotion au titre d'inspecteur spécial, ce qui lui ouvrait un régime de remboursements de frais très favorable. En s'y prenant bien, l'accumulation des notes de restaurants, de taxis, de blanchisserie, permettait de doubler le salaire de base. Sans compter la prime mensuelle de risques de mille francs instituée après l'assassinat du commissaire Tissot par des terroristes, alors qu'il se promenait paisiblement au bois de Vincennes. Le climat s'était alourdi à la préfecture, pas tant en raison de la situation internationale, après la succession de revers de l'armée allemande, qu'à cause des rumeurs qui touchaient le cœur même du système, les Renseignements généraux. Lors de plusieurs réunions, l'existence d'un groupe de traîtres agissant depuis les bureaux des Brigades spéciales avait été évoquée par des commissaires aussi rigoureux que David ou Gautherie. Et comme personne n'était nommé, tout le monde se sentait visé. Depuis, la belle unanimité forgée dans le combat contre l'ennemi intérieur s'était effritée, remplacée par une sourde suspicion, alors que les résultats n'avaient jamais été aussi spectaculaires, que ce soit en chiffres ou en qualité des arrestations. L'appareil clandestin du parti communiste était désorganisé, sa direction traquée, et son groupe de terroristes balkaniques en était réduit à se terrer, dans l'unique espoir de retarder le moment inéluctable de la capture. Pour parvenir à ce bilan, ils avaient puissamment été aidés par le zèle dénonciateur d'une frange de la population, par le travail rémunéré des indicateurs, mais aussi par la multitude de renseignements glanés au hasard des files d'attente, dans le métro, lors des contacts amicaux des inspecteurs avec les concierges. Au fil des mois, ils avaient adopté des techniques, en avaient inventé d'autres. De paisibles policiers qui, quelques années auparavant, se seraient contentés de régler la circulation, s'étaient mués en remarquables chasseurs de gibier humain. Ils pouvaient se retrouver à cinquante sur une filature, repérant leur cible grâce à des renseignements sur la carrure, les vêtements, la description de la façon de marcher, ne restant dans son sillage que le temps de passer le relais à un collègue, allant rapidement changer deux ou trois éléments de la panoplie pour reprendre une place dans le vaste ensemble répressif. La vie de chacune des personnes que le filoché abordait dans sa journée était minutieusement analysée, que ce soit un marchand de journaux, un garçon de café ou un mendiant auquel il avait jeté une pièce. C'est ainsi qu'avaient été identifiés près de cinquante activistes communistes dont les noms figuraient en bonne place parmi les trois mille portés sur le fichier C que gérait en secret le commissaire Balaume. Il y avait aussi le renseignement direct, celui qui sortait de la bouche ensanglantée des types enfermés dans la salle 502. Duprest avait toujours répugné à se mêler aux groupes de cogneurs, ne répondant jamais aux invites de Baldowsky et Traverse. Si le fait de remonter une piste lui plaisait, il ne se sentait pas à sa place au moment de la mise à mort. Il préférait étudier les rapports d'interrogatoires, évaluer la sincérité des aveux, les mettre en résonance avec d'autres déclarations, effectuer des recoupements, échafauder des hypothèses d'organisations, ausculter le fantôme d'un réseau. Depuis plus d'un mois, il analysait les centaines de procès-verbaux contenus dans le dossier des membres présumés d'un groupe de francs-tireurs particulièrement actifs. On les soupçonnait d'avoir attaqué des patrouilles, assassiné un général allemand, fait sauter plusieurs cinémas ou bordels fréquentés par la Wehrmacht, détruit une dizaine de trains, saboté des aiguillages, des dépôts d'essence... Grâce à son point de vue sur l'ensemble, il était le seul à pouvoir relier deux narrations de filatures effectuées par des inspecteurs différents à des semaines de distance. À la fin de septembre 1943, Lavoignat, un homme du groupe du commissaire Barrachin, suit un inconnu baptisé « Bourg » puisqu'il avait été repéré pour la première fois à Bourg-la-Reine. Il prend le métro à la station Alésia. Il descend plusieurs fois de son wagon pour passer dans un autre, quitte le réseau souterrain à la gare du Nord, consulte les panneaux des arrivées, des départs, s'installe dans un café et reste seul pendant plus d'une heure, finit par grimper dans un train en partance pour la grande banlieue. Arrivé au terminus de Mériel, dans l'Oise, il attend que tous les voyageurs quittent le convoi pour sauter sur le quai. Lavoignat s'arrête dans la salle d'attente, allume une cigarette et laisse passer « Bourg » devant lui. Celui-ci sort sur la placette, devant la gare, et un homme le rejoint depuis le trottoir de gauche. L'inspecteur ne peut le voir de face, et le baptise du nom de la ville « Mériel ». Il note rapidement les caractéristiques du nouveau venu : « Trente-cinq ans, un mètre soixante-cinq, corpulence moyenne, blond, calvitie en couronne derrière la tête, vêtu d'une gabardine bleu marine à ceinture, pantalon marron, souliers noirs. » Quelques semaines plus tard, le même « Bourg » était pris en chasse par Constant, un autre inspecteur du groupe Barrachin. Il quitte sa planque de la rue de Plaisance, se rend à la gare de Lyon et grimpe dans un train pour Brunoy. Constant assiste alors à la rencontre fortuite de « Bourg » avec un homme auquel il donne le nom de la gare « Brunoy » avant de le décrire selon la méthode du portrait parlé mise au point par le préfet Berthillon : « Trente-cinq ans, un mètre soixante-deux, râblé, cheveux blonds très clairsemés sur le dessus, figure osseuse, chapeau mou marron, complet marron, raglan gris-noir, aspect petit-bourgeois. » C'est Duprest qui fit le rapprochement décisif en plaçant un signe d'égalité entre « Mériel » et « Brunoy ». Le commissaire principal Balaume le convoqua dès qu'il eut connaissance de son rapport de synthèse, en présence des inspecteurs filocheurs Constant et Lavoignat. La confrontation de leurs observations confirmèrent qu'on était bien en présence du même homme et qu'il ne pouvait s'agir que de Joseph Epstein, le responsable militaire interrégional des Francs-tireurs et partisans. Le tenir, le faire parler, c'était décapiter toute la résistance communiste. La décision fut immédiatement prise de procéder à son interpellation à la première occasion qui se présenterait, de l'attraper vivant pour avoir confirmation de son identité. Duprest avait tenu à y être associé. Moins d'une semaine plus tard, le 16 novembre 1943, un mardi, toute l'équipe du commissaire Barrachin et quelques renforts, une dizaine d'hommes en tout, planquaient dans le quartier Plaisance, à quelques centaines de mètres seulement du domicile de l'inspecteur. Ce dernier se tenait devant le comptoir de l'épicerie, au coin de la rue Didot, faisant semblant d'acheter quelques pommes de terre ridées à une commerçante effrayée par le pistolet qu'il tenait à la main. « Bourg » se montra en début de matinée pour se mêler à la foule des ouvriers et des employés qui se rendaient à leur travail. Clément le vit passer, cheveux et sourcils broussailleux, moustache épaisse, de l'autre côté de la vitre. Il attendit qu'on lui fasse signe pour sortir et descendre la rue Didot à une distance de plus de cent mètres de la silhouette sombre, jusqu'au métro Alésia. Le vent froid et humide qui s'engouffrait dans la voie étroite bordée de logements ouvriers amenait par moments les effluves parfumés de la brûlerie proche. Duprest monta dans l'avant-dernier wagon de la rame bondée qui filait vers Clignancourt. Après plusieurs fausses alertes, la cible descendant sur le quai d'une station avant de regagner sa place au dernier moment, alors que la sonnerie de fermeture des portes retentissait, ils parvinrent à la gare de Lyon. Ils ne furent que six à grimper dans le train pour Corbeil, aux trois quarts vide, dans lequel ils se dispersèrent. À l'arrivée du train en gare d'Évry-Petit-Bourg, à dix heures moins le quart, l'homme fit semblant d'attendre une hypothétique correspondance, puis rassuré après avoir constaté que tous les voyageurs avaient disparu dans des directions différentes, il sortit de la gare dont la façade donnait sur des terrains plantés d'arbres nus qui s'inclinaient vers la Seine. Il demeura quelques minutes à contempler le paysage perdu dans les brumes, puis il aperçut un autre homme qui marchait sur un chemin parallèle au fleuve, à une centaine de mètres. Les signes presque imperceptibles qu'ils échangèrent n'échappèrent pas aux regards acérés des policiers, et l'agencement des lieux leur montrait que les deux clandestins n'avaient aucune chance de s'en sortir. Le commissaire Barrachin laissa « Bourg » faire une dizaine d'enjambées en direction de son acolyte pour donner le signal de l'assaut aux cinq inspecteurs qui l'entouraient. Celui qu'ils venaient d'identifier comme étant « Mériel-Brunoy », trente-cinq ans, un mètre soixante-deux, râblé, cheveux blonds très clairsemés sur le dessus, figure osseuse, s'aperçut dans l'instant de la présence des policiers. Il hâta le pas, s'engagea droit sur les berges du fleuve, pataugeant dans les flaques, ramenant sous ses semelles des plaques de terre argileuse. L'autre, le brun moustachu, filait en bordure d'un bois, poursuivi par deux hommes armés qui le sommèrent de s'arrêter. Deux coups de feu tirés par Chouffot retentirent vers le fleuve, obligeant le fuyard à s'immobiliser. Trois inspecteurs profitèrent de son hésitation pour le ceinturer, l'obliger à mettre les mains dans son dos pour le menotter. Un peu plus haut, « Bourg » n'avait pas eu le temps de se servir du 6.35 glissé dans sa poche avant que deux autres policiers ne se saisissent de sa personne. Duprest se chargea d'aller téléphoner à la Cité, afin que l'on dépêche d'urgence des voitures à Évry-Petit-Bourg, et il transmit également l'ordre de Barrachin de ne plus différer les arrestations des comparses comme Marcel Rayman, Golda Bancic ou Josef Svec.

Les prises de la gare d'Évry-Petit-Bourg furent transférées dans les locaux des Brigades spéciales, conduites dans la salle de fouille puis longuement interrogées. Baldowsky et Traverse se portèrent volontaires pour le travail d'accouchement. Ils ne parvinrent pas, ni ceux qui leur succédèrent, à obtenir le moindre renseignement de la part de « Mériel-Brunoy », même lorsqu'il fut soumis au visage de cuir, un masque souple enserrant la tête et muni de systèmes de compression qui donnaient à celui qui y était soumis le sentiment effroyable que son crâne allait éclater comme une coque de noix. Il se borna à donner un nom qui ne correspondait à rien, Joseph Andrei, et qui ne menait nulle part. « Bourg » ne fut pas plus loquace. Le malheur, pour lui, vint de ce qu'il avait servi la France. Il était arrivé à Marseille en 1924, depuis un premier exil en Syrie, à l'âge de dix-huit ans, après la mort de ses parents. Son père avait été tué lors du massacre des Arméniens, en 1915, sa mère, malade, l'avait suivi dans la tombe peu après. Les inspecteurs savaient qu'il avait animé deux revues littéraires dans le Paris d'avant-guerre, *Tchank*, qui voulait dire Effort et *Machagouyt* qui signifiait Culture, puis qu'il avait animé un Comité de secours à l'Arménie ainsi que la rédaction du journal *Zarlgou* qui devait son titre à un fleuve de cette région. En 1939, il s'était engagé dans l'armée française. On l'avait envoyé dans un régiment cantonné en Bretagne. Une photo d'identité en provenance des archives des armées le montrait la tête couverte d'un calot, avec ses nom et prénom calligraphiés sur la fiche marron : Missak Manouchian, né le 1er septembre 1906 à Adyaman, Turquie.

Le service de Balaume fut contacté au début du mois de février par l'Office français d'information pour établir la liste d'accréditation des journalistes en vue du procès du groupe Manouchian auquel les autorités allemandes voulaient donner le plus grand retentissement possible. Un film destiné à être diffusé en avant-programme dans toutes les salles du pays était en préparation, sous le titre provisoire *Les Faits d'armes de la semaine*. Un opérateur avait pu capter les visages des vingt-deux terroristes sur fond de murs de prison, puis une sentinelle les avait fait défiler en rang d'oignons devant lui pour qu'ils regagnent leurs cellules. La *Propagandastaffel* prévoyait également de tirer des milliers d'exemplaires d'une affiche et d'inonder les kiosques de brochures dénonçant les assassins cosmopolites. Duprest avait procédé à un premier choix de chroniqueurs qu'il avait soumis par téléphone à l'assistant de Dieudonné, à Radio-Paris. Georges Oltramare, en personne, l'avait rappelé sur le poste du commissaire principal, Turbigo 92 00. Balaume était sorti dans le couloir, en bras de chemise, la cravate pincée par une barrette en or.

— Clément, c'est pour toi... Dieudonné à l'appareil...

C'était la première fois qu'il traitait une affaire dans le bureau du chef. Il entra, demeura debout, presque au garde-à-vous, pendant toute la durée de la conversation. La sélection était parfaite, le chef d'antenne proposait seulement d'y inclure un collaborateur de l'hebdomadaire *Au pilori* que dirigeait son vieil ami Jean Drault.

— Il était de la première équipe de *La France au travail*, en 40 avec moi... Il a trouvé une perle rare dont il ne cesse de me vanter les qualités d'analyse et le style. Féchy, René de son prénom si ma mémoire est bonne...

Duprest avait fait sa connaissance le 19 février 1944 à l'hôtel Continental, rue de Rivoli, lors de l'unique audience du procès. Une armée gardait les arcades, comme s'il s'agissait de la première ligne d'une forteresse. La salle principale du palace accueillait le tribunal militaire institué auprès de la Kommandantur qui s'était rapidement accordé sur le chiffre de vingt-trois condamnations à mort. Dont une visait une femme. Duprest avait marqué de la surprise quand un jeune Français d'origine italienne s'était levé dans son box. Il lui semblait bien le connaître, et s'était souvenu, à l'énoncé de son nom, Rino Della Negra, qu'il l'avait vu jouer à plusieurs reprises à Saint-Ouen, aux avant-postes de l'équipe du Red Star. Tandis que l'on escortait les terroristes en sursis, l'inspecteur avait eu la primeur de l'accroche de l'article que Féchy devait donner au *Pilori* dans la soirée. Le journaliste remerciait ainsi celui grâce auquel il venait de couvrir l'événement, en même temps qu'il testait sur un de ses spectateurs privilégiés la force de sa prose.

— Comme titre, je vais proposer : « Ce n'étaient pas des hommes ». Bien trouvé, non ? Qu'est-ce que vous en pensez ?

— Pas mal... Et la suite ?

Féchy essuya les carreaux de ses lunettes de myope à l'aide d'un coin de mouchoir.

— « Ce n'étaient pas des hommes. Comment, en effet, donner ce titre que tout misérable peut revendiquer, pour peu qu'il ait quelque lueur d'humanité en lui, à cette cohorte de gouapes monstrueuses ? Ils étaient tous là sur le banc des accusés, du petit voyou que l'on trouvait dans tous les défilés du Front populaire, le poing dressé et l'ordure à la bouche, jusqu'au faux intellectuel, prétentieux, hypocrite, cauteleux et bavard, en passant par la brute prête à tout pourvu qu'elle ait sa ration journalière d'alcool. Tout cela porte le sceau d'Israël... » Alors ?

— Je lirai la suite sur papier... Vous savez déjà comment vous allez finir ? Je veux dire, comment vous allez conclure ?...

Le journaliste feuilleta rapidement son calepin aux pages noires de notes.

— Je vais très certainement en ajouter une louche, pourquoi pas deux louches, sur ce misérable troupeau de voyous, de dégénérés, de monstres, suant le crime crapuleux, la peur et la lâcheté... Et en point d'orgue, voilà, c'est là, je regretterai que « des millions de Français, pour leur édification, n'aient pas eu l'occasion d'admirer ces héros et ces nobles défenseurs de la judéo-maçonnerie internationale » !

CHAPITRE 11

La veille, Liliane avait insisté pour sortir. Une amie d'enfance clouée au lit par une mauvaise grippe lui avait cédé deux billets pour un spectacle de music-hall dans lequel se produisait une sorte de prodige de la chanson dont toutes les Parisiennes semblaient soudain folles. Clément, harassé par l'intensité de son travail et qui ne rêvait que de soirées près du phono, avait fini par se laisser convaincre. Cela faisait en effet plus d'un mois qu'il ne l'avait emmenée ni au cinéma ni au restaurant. Il s'était arrangé pour quitter la Cité vers cinq heures, le temps de faire le trajet jusqu'à Plaisance, de changer de chemise, puis de reprendre le métro, avec Liliane, en direction des Grands Boulevards. Il fallait se dépêcher ; le programme débutait à dix-neuf heures trente, en raison du couvre-feu. La foule se pressait sur le boulevard Poissonnière, à l'angle de la rue Saint-Fiacre, quand ils émergèrent de la station Montmartre. Un jeune garçon tendit une publicité à Duprest, au passage. Il la fourra machinalement dans la poche de son pardessus. Ils prirent place dans la file de ceux qui possédaient déjà leur sésame, entre deux groupes compacts d'officiers allemands accompagnés de femmes lumineuses en fourrure, piétinant dans le froid humide. Ils n'étaient jamais allés à l'ABC, l'une des adresses les plus en vogue, et pour se rendre à leur place, dans la salle située en contrebas, ils longèrent l'exposition des portraits de vedettes qui avaient occupé la scène au cours des mois précédents : Édith Piaf, Charles Trenet, Georges Guétary, Francis Blanche, Tony Murena ou Georgette Plana. Pas moins de douze numéros figuraient au programme, mais seule la tête d'affiche André Dassary, l'inoubliable interprète de *Maréchal nous voilà*, s'installait pour une vingtaine de minutes, le temps de faire entendre six ou sept chansons. Les autres artistes devaient conquérir les faveurs des spectateurs en moitié moins de temps. Les chiens savants du couple Les Rénatis remportèrent un accueil mitigé, tout comme le chansonnier Romeo Carles. Le public se montra plus sensible aux airs célèbres d'opéra interprétés par la soprano Germaine Feraldy ainsi qu'aux sous-entendus coquins des textes chantés par Betty Spell. Plus on se rapprochait de la fin du spectacle, et plus Clément sentait monter la nervosité autour de lui. Liliane se mit à trépigner lorsque le présentateur approcha son nœud papillon du micro pour y lancer le nom d'un inconnu : Yves Montand.

— Qui est-ce ?

— Un chanteur...

— Je l'ai déjà entendu ? Il est passé à la radio ?

— Non, il n'a pas encore enregistré de disque. On m'en a parlé...

Il la regarda avec des yeux ronds.

— On t'en a simplement parlé, et tu te mets dans des états pareils !

Le projecteur venait de balayer la scène étroite pour s'immobiliser sur la silhouette élancée d'un jeune garçon d'à peine vingt ans, chevelure noire fournie, yeux pétillants, sourire largement ouvert, qui s'était lancé dans la reprise d'un succès de Fernandel avant de rendre hommage au répertoire de Maurice Chevalier. Duprest se pencha vers sa femme.

— Je ne comprends toujours pas...

— Attends, il en a encore une à passer...

L'obscurité totale se fit à cet instant. Elle se prolongea plus de trente secondes, et alors que les premiers murmures troublaient les rangs, un air d'harmonica monta de la fosse d'orchestre pour occuper tout le volume de la salle. Une lumière crépusculaire nimba le chanteur posé droit devant le pied du micro. Il se mit alors à gesticuler, remuant des hanches, du torse tandis que le projecteur accompagnait sa danse de mouvements désordonnés.

Dans les plaines du Far West quand vient le soir,
Les cow-boys dans leur bivouac sont réunis...
Près du feu sous le ciel de l'Arizona,
C'est la fête aux accords d'un harmonica.

À la fin du premier couplet, l'interprète se mit à tourner au centre de la scène étroite, imitant un cavalier lancé au galop sur sa monture, donnant l'impression de jouer du lasso, de dégainer des colts monstrueux, de tirer sur des bandits, des hordes d'Indiens imaginaires. Il interrompit sa gigue endiablée pour la deuxième strophe, dans laquelle l'accent marseillais se faisait davantage remarquer, qu'il ponctua d'une autre pantomime aussi nerveuse. Si la moitié de la salle, sa partie militaire et masculine, en restait à des applaudissements polis, l'autre moitié laissait éclater son enthousiasme. Clément se vit retenir Liliane par la manche pour l'empêcher de se lever et de pousser des cris de rappel. Le calme revint avec l'apparition d'André Dassary qui reprit la maîtrise du public en s'appuyant sur l'un de ses inusables succès immédiatement repris en chœur.

Quand refleuriront les lilas blancs
On se redira des mots troublants
Les femmes conquises
Feront sous l'emprise
Du printemps qui grise
Des bêtises

Ils quittèrent le music-hall peu après vingt-deux heures trente, remontèrent à pied jusqu'à Richelieu-Drouot pour faire l'économie d'un changement. Ils croisèrent un détachement de miliciens en armes près du carrefour, larges bérets inclinés sur la gauche, alors que quelques lourdes gouttes de neige fondue s'écrasaient au sol. Liliane l'entraîna au fond du wagon, se blottit contre lui, la tête nichée sur son épaule, les yeux fermés sur les souvenirs de la soirée. Duprest plongea les mains dans ses poches de manteau. Sa main droite rencontra le papier qu'un inconnu lui avait tendu dans la file d'attente. Il le sortit, le déplia lentement pour ne pas déranger le rêve de sa femme. Deux colonnes se faisaient face sur la feuille, quelques mots à gauche auxquels des lettres répondaient sur la droite. Il lut la première ligne où apparaissaient les trois lettres majuscules du nom du théâtre qu'ils venaient de quitter :

« La Nation : ABC. »

Il poursuivit, intrigué :

« La République : DCD.
La Gloire : FAC.
Les places fortes : OQP.
Les Lois : LUD.
Le Peuple : ÉBT.
La Justice : HT.
Les Libertés : FMR.
Les prix : LV.

La Collaboration : RAT.
L'armée d'Hitler : ÉKC.
La Démocratie : SOV. »
Et c'était signé : AJC.
Liliane ouvrit un œil.
— Alors, c'est quoi ?
Il remit le tract dans sa poche avec l'intention de le donner au service qui avait en charge le recensement des libelles, des papillons, des graffitis, des pochoirs.
— Rien, de la réclame...
Duprest pensait qu'ils se mettraient au lit dès leur arrivée rue Joanès. Il la serra dans ses bras, les pieds sur les patins, et c'est le moment qu'elle choisit pour lui confier qu'elle était indisposée. Cela le désarmait chaque fois, il ne comprenait rien au côté fantasque des cycles féminins. Il le fut également quand Liliane, en robe de chambre, lui annonça qu'elle avait donné son accord à ses parents pour un déjeuner à la campagne, le samedi suivant.
— Tu aurais pu me demander mon avis !
— Cela fait plus de trois mois qu'on ne les a pas vus ensemble... Ils vont finir par se poser des questions. Mon père a beaucoup insisté, et tu sais que ce n'est pas dans ses habitudes... Il veut absolument te parler...
Clément fronça les sourcils.
— Il a besoin de moi ? Il a des ennuis ?
— Non, pas que je sache. Il m'a dit que c'était toi qui risquais d'en avoir.

La phrase lui trotta dans la tête pendant tout le reste de la semaine. Elle lui revint en mémoire jusqu'au cœur du procès du groupe de l'Arménien sous les ors de l'hôtel Continental. Il ne nourrissait pas une grande affection à l'égard de ses beaux-parents, et le fait qu'il leur soit redevable pour l'appartement du quartier Plaisance n'arrangeait rien. La mère, curieusement prénommée Florencie, était aussi transparente que la sienne. Elle revêtait l'apparence d'une grosse femme à la poitrine comprimée par du tissu à fleurs, aux jambes éternellement lourdes et douloureuses, et n'existait que par ses plaintes incessantes, l'énoncé de ses projets de cures en Auvergne ou dans les Pyrénées contrariés pendant des années par la coupure du pays en deux. D'une certaine manière, la ligne de démarcation l'avait empêchée de retrouver la sienne. Le père, Augustin Génin, était l'héritier d'une famille d'entrepreneurs de Boulogne-Billancourt. Son propre père avait fait une petite fortune en lançant un autocuiseur, le Thermorapide, qui avait eu un beau succès à la Foire de Paris, remportant une médaille d'argent remise par le préfet Lépine lors du concours qui porte son nom, au début des années vingt. Les royalties générées par le brevet de cette « marmite à fermeture hermétique et vis à pression pour la cuisson alimentaire et la préservation des éléments nutritifs » avaient été englouties dans des placements dont le caractère hautement spéculatif s'était révélé lors du krach boursier d'octobre 1929. Bien que rétrocédé à un industriel plus précautionneux, le procédé produisait néanmoins assez de retombées financières pour permettre au couple de vivre de ses rentes, d'autant qu'il arrondissait ses revenus grâce à plusieurs appartements vétustes loués à des familles ouvrières, rue Esquirol dans le XIIIe. La réunion familiale se déroula dans le seul bien apporté par Florencie dans sa corbeille de mariage, une maison en meulière élevée sur trois niveaux posés près des berges de la Seine, à L'Île-Saint-Denis, dans ce qui devait être une campagne. Liliane y avait des souvenirs. L'arrivée d'une cimenterie, l'édification au cours de la Grande Guerre d'un hangar pour ballons dirigeables évoluant en chaîne de montage de moteurs d'avions, avaient transformé le site en banlieue, et Clément s'était promis de bazarder la construction dès la sortie de l'étude du notaire, au moment de la succession. Il avait apporté une caisse de six bouteilles de Petrus 1938 offerte par Dieudonné à chacun des inspecteurs de l'équipe Balaume, sans trop se rendre compte que le cadeau valait plusieurs mois de son traitement de fonctionnaire. Augustin Génin sortit un des premiers crus de Bordeaux de son lit de paille pour vérifier que l'étiquette correspondait bien à la provenance inscrite sur le bois de la caisse. Il hocha la tête d'un air entendu.

— Tu n'aurais pas dû... Des bouteilles comme ça, il faut la cave qui va avec. Ici, c'est trop humide, et l'appartement trop sec...

— On peut aussi s'arranger pour les vider...

Ils s'installèrent dans la véranda chauffée par une salamandre qui engloutissait le bois du jardin mis à sécher sous l'auvent depuis le début de l'automne. Duprest se perdait dans l'observation des péniches alourdies qui montaient vers Paris et dont la buée, sur les vitres, déformait les lignes. Ils se partagèrent un pâté de légumes, des paupiettes miraculeusement venues de Normandie, une conserve de petits pois puis des pommes au four, en dessert, le tout arrosé de deux bouteilles de Petrus. Liliane raconta leur soirée à l'ABC, fredonnant, le vin aidant, l'air des *Plaines du Far West*. Quand la maîtresse de maison s'excusa de ne pas servir de vrai café mais de l'orge grillée, Augustin posa sa main sur le bras de Clément.

— Si cela ne te dérange pas de prendre ta tasse... Il doit me rester quelques petits cigarillos dans le secrétaire du salon...

Duprest le suivit, le pouce et l'index serrés autour de l'anse, la coupelle posée sur sa paume ouverte. Son beau-père prit place derrière le bureau, lui laissant le fauteuil crapaud.

— Il y a déjà plusieurs semaines que je ressens le besoin d'avoir une conversation avec toi, Clément... Tu te doutes de la raison...

— Non, pas du tout... Liliane ne m'a parlé de

rien de précis... Il y a quelque chose qui ne va pas entre elle et moi ? C'est ça ?

Augustin lui tendit l'étui de petits cigares.

— Non, et je ne me permettrais jamais d'intervenir dans les affaires d'un couple... C'est une énigme, et ça doit le rester... Non, je voulais te parler de ton engagement professionnel...

Clément prit le temps d'allumer le cigarillo, de tirer une première bouffée.

— J'ai bien peur que ce soit impossible. Je suis tenu au devoir de réserve... Je traite d'affaires hautement confidentielles...

— Ne t'inquiéte pas, il n'est pas davantage dans mes intentions de te demander de soulever le coin du voile... Je veux simplement te mettre en garde, dans ton intérêt et dans celui de Liliane. Tu te tiens au courant de la situation internationale ? Tu n'ignores donc pas qu'après Stalingrad, c'est au tour de Leningrad d'avoir rompu le siège de l'armée allemande... La Corse s'est libérée, des éléments d'une armée française reconstituée combattent aux côtés des divisions américaines dans le nord de l'Italie, on dit qu'un débarquement des coalisés sur les côtes de la Manche est imminent... C'est identique dans le Pacifique, aux îles Marshall. Un effondrement général des forces de l'Axe n'est pas à exclure au cours des prochains mois.

L'inspecteur se leva pour prendre un cendrier.

— Un pareil discours pourrait vous valoir

des ennuis s'il était tenu ailleurs que dans le cercle familial...

— C'est pourtant la simple vérité... J'ai le devoir de te mettre en garde, Clément, car ton attitude n'est pas sans effet sur le devenir de ce qui nous est le plus cher au monde à Florencie et à moi, notre fille Liliane... Si vous êtes unis pour le meilleur et pour le pire, en tant que parents, nous n'envisageons que le meilleur. Loin de moi l'idée de te forcer à remettre en cause ta loyauté vis-à-vis de tes supérieurs, mais il faut que tu songes à l'avenir immédiat, que tu te garantisses une porte de sortie. Tu connais les commissaires David, Rottée et Balaume ?

Duprest écarquilla les yeux.

— D'où tenez-vous leurs noms ?

— On les prononce assez souvent sur Radio-Londres dans la liste de ceux qui auront des comptes à rendre si de Gaulle revient à Paris. Ils sont promis au poteau... C'est très sérieux, Clément, et l'affiche collée depuis hier sur tous les murs de France, l'exécution de ce groupe de saboteurs étrangers, ne va rien arranger. C'est bien ton service qui les a arrêtés, non ?

Il éluda la question et demeura silencieux, s'emplissant les poumons de fumée bleue qu'il rejetait par les narines, en deux traits parallèles.

— Il ne se passe pas un jour sans qu'on nous prévienne contre les traîtres infiltrés dans nos rangs. Je n'ai aucune envie de tenir un de ces rôles. Je fais mon travail, c'est tout.

Florencie cogna à la porte du salon qu'elle traversa en minaudant pour déposer une bouteille d'armagnac ainsi que deux verres galbés sur une table basse. Augustin attendit qu'elle disparaisse vers la véranda pour reprendre le fil de la conversation.

— Entre l'aveuglement et la trahison, il existe une infinité d'attitudes plus prudentes à adopter... C'est cela que je veux que tu comprennes... Si les Alliés remportent cette guerre, ce qui semble maintenant le plus probable, ils exigeront des comptes de tous ceux qui ont participé à l'organisation de ce régime. Pierre Pucheu, l'ancien ministre de l'Intérieur qui a créé les Brigades spéciales auxquelles tu appartiens, va être jugé à Alger, la semaine prochaine, et le verdict annoncé est la mort par fusillade... Un ancien ministre de l'Intérieur ! Ils se passeront de juges pour les simples inspecteurs trop compromis...

Duprest se versa une bonne dose d'alcool ambré qu'il réchauffa en serrant le verre entre ses paumes.

— Je ne m'intéresse pas à la politique, vous le savez bien... Je n'avais pas réfléchi aux choses de cette manière. Je suis totalement concentré sur mon travail, depuis des mois. Il a fallu que Liliane insiste énormément pour que je l'emmène au spectacle, cette semaine... Demandez-lui...

— Je sais tout cela...

— Alors ? Que faut-il que je fasse ? Je vous écoute...

Augustin Génin se rejeta contre le dossier de son siège, s'étira, le cigarillo raccourci aux lèvres.

— Il faut que tu donnes des gages à ceux d'en face...

Clément regarda son beau-père d'un air horrifié.

— Aux terroristes ?

— En face, il n'y a pas que des communistes, il y a aussi des gaullistes, des chrétiens, des monarchistes, des anciens de Verdun ou de Craonne, des socialistes, de simples patriotes... Il suffirait que tu fasses passer aujourd'hui des informations dans de bonnes mains pour que demain tu puisses t'en prévaloir...

— Le problème, c'est qu'il faut être sûr de ceux auxquels on s'adresse. Je ne me vois pas aller chercher un interlocuteur à l'aveuglette ou le choisir à pile ou face. Je n'ai pas droit à l'erreur...

— Tu as parfaitement raison, Clément. La méthode la plus simple consiste à ce que tu me fournisses des éléments établissant ta bonne foi que je ferai transiter vers des personnes de toute confiance. Tu es d'accord ?

L'inspecteur laissa échapper un petit rire nerveux.

— Vous, beau-père ! Vous faites partie...

Augustin l'interrompit.

— Je te demande si tu es d'accord ?

— À une seule condition...

— Laquelle ?

— Je n'exige pas de savoir les noms de vos contacts, mais vous devez m'éclairer sur eux... Je joue très gros dans cette affaire. Si l'Allemagne rétablit la situation en sa faveur, ils me tiennent...

— La personne à laquelle je pense est en poste dans une annexe de la préfecture, square Rapp, au Service des associations dissoutes où une vingtaine de tes collègues des Renseignements généraux s'occupent essentiellement de la lutte anti-maçonnique. J'ai eu l'occasion de croiser le directeur du service, au début des années trente alors qu'il était journaliste...

— Vous voulez parler de Marquès-Rivière ? C'est lui votre correspondant ?

— Dieu m'en préserve ! Je l'ai pratiqué, je sais à quoi m'en tenir à son sujet. À l'époque, nous avons fréquenté la même loge, rue Greffulhe...

Clément se resservit une dose d'armagnac, abasourdi par les révélations du père de Liliane qui poursuivait sur sa lancée.

— Il n'était pas là par choix philosophique mais par pur arrivisme. Il envoie aujourd'hui derrière les barreaux ceux sur qui il comptait pour accéder à la reconnaissance. C'est devenu un véritable nazi, et son seul regret est de n'être pas né allemand. Non, je suis en rapport avec l'un de ses adjoints. Ce sera pour toi un allié très précieux.

CHAPITRE 12

Sur les conseils de son beau-père, l'inspecteur Duprest s'était arrangé pour distraire de la Cité plusieurs dossiers de militants gaullistes qui avaient fini par atterrir sur un bureau inconnu d'un somptueux immeuble du square Rapp, après un détour par le pavillon de campagne de L'Île-Saint-Denis. Il avait pourtant fortement douté de son geste à la fin du mois d'avril, quand le maréchal Pétain avait effectué sa première visite à Paris depuis le début de l'Occupation. Une semaine plus tôt, les bombardiers anglo-américains s'étaient acharnés sur la gare de triage de La Chapelle, au nord de la capitale. Près de deux mille bombes avaient pulvérisé des centaines d'immeubles du XVIIIe arrondissement, de Saint-Denis, d'Aubervilliers, de La Courneuve, faisant six cent cinquante morts et deux mille blessés. L'un des buts du voyage du Maréchal consistait à rendre hommage aux Français éprouvés dans leur chair avec une halte dans les salles d'urgence de l'hôpital

Bichat. Les murs de Paris s'étaient couverts d'affiches proclamant « Lâches ! La France n'oubliera pas », qui représentaient le Sacré-Cœur vu depuis la perspective d'une rue détruite. Tous les effectifs des Brigades spéciales avaient été requis pour assurer la protection du chef de l'État, les forces allemandes ayant choisi la discrétion même si leurs voitures banalisées flanquaient le cortège. En milieu de matinée, Clément s'était rendu à Notre-Dame pour sécuriser le parvis de la cathédrale où le cardinal Suhard accueillerait le Maréchal avant de lui donner l'absoute, puis il avait filé à la mairie de Paris. Alors que le discours était annoncé pour quinze heures, on se rassemblait déjà par milliers pour ovationner le vainqueur de Verdun. Des centaines d'enfants des écoles libres, encadrés par des prêtres en soutane, des sœurs en cornettes, se pressaient sur la place ensoleillée en agitant des petits drapeaux tricolores. Des groupes compacts de membres des Chantiers de la Jeunesse, bras tendus à la romaine, se mêlaient aux chemises bleues, aux chemises vertes, aux chemises noires, aux miliciens de Doriot, de Déat, de Bucard. La ferveur populaire qui émanait de cette foule improvisée le faisait vaciller. Était-ce vraiment là l'image d'un pouvoir moribond ? Et si le père de Liliane avait tort, si le régime de ce vieux chef avait encore un avenir qui échappe à la tenaille formée par la puissance allemande et la menace communiste ? S'il s'était fourvoyé en donnant des gages à la résistance gaulliste infiltrée dans les rouages du combat contre la franc-maçonnerie ? Il en était là de ses réflexions quand Baldowsky le cueillit devant l'entrée du Bazar de l'Hôtel de Ville.

— Il faut que tu viennes immédiatement, c'est une question de vie ou de mort...

Il eut l'impression que son cœur allait bondir hors de sa poitrine et demeura figé sur le trottoir, incapable du moindre geste. Baldowsky le bouscula.

— Mais qu'est-ce que tu attends, bordel ! Je te dis que j'ai besoin de toi. Tu es armé ?

Duprest finit par se ressaisir. Il plaqua la main sur son pistolet pour s'assurer de sa présence.

— Oui, bien sûr... Qu'est-ce qui se passe ?

Le confesseur d'otages marchait à grandes enjambées vers sa Delahaye garée rue de la Tacherie, au pied de la tour Saint-Jacques.

— Traverse est en danger...

— Je croyais qu'il restait chez lui à cause de son lumbago.

— Justement. La femme de Traverse vient de passer un coup de téléphone au service. Elle a repéré des mouvements d'individus suspects dans sa rue, et jusque dans l'escalier de leur immeuble... Le commissariat du quartier ne bouge pas, à cause de la visite du Maréchal. Une chance que je sois remonté pour prendre mon chapeau que j'avais oublié... Simone m'a prévenu de l'appel...

Ils s'installèrent sur la banquette de l'énorme voiture après avoir franchi les barrages en agitant leurs cartes préfectorales. Baldowsky mit le contact.

— Si ce n'est pas une fausse alerte, c'est qu'ils sont drôlement bien renseignés : il avait déménagé pas plus tard que la semaine dernière !

Il fila sur Sébastopol pour gagner les boulevards en direction de l'Opéra et venir stationner près de la rue de Hanovre. Il dégaina avant de sortir du véhicule. Duprest l'imita. Les deux inspecteurs n'avaient pas fait dix mètres que des claquements secs se répercutèrent contre les façades.

— Il habite au 6... Juste là... Troisième étage...

Ils poussèrent un portail à armature métallique, pénétrèrent dans un hall d'où partait un double escalier de fer inscrit dans des grès verts flammés. Baldowsky leva la tête vers les étages avant de franchir la première volée de marches. Une fresque publicitaire pour les crayons Hardtmuth occupait le mur tournant. Des cris provenaient d'une porte béante, sur le palier du troisième. Ils entrèrent. Émile Traverse était allongé de tout son long sur le parquet du corridor, et une mare de sang s'élargissait, qui prenait naissance à hauteur de sa tête. Duprest détourna le regard pour échapper à celui, vide et globuleux, de son collègue mort. Une femme agenouillée pleurait, hoquetait, en se tenant le visage dans les mains. Baldowsky lui prit doucement les poignets.

— Que s'est-il passé ? Comment sont-ils entrés ?

Elle essuya ses larmes, renifla, et désigna silencieusement une vieille femme effondrée sur une banquette de la salle de séjour.

— Ils ont forcé la concierge à sonner à notre porte... C'est moi, j'ai ouvert, moi ! Vous vous rendez compte ? J'ai fait confiance en reconnaissant la voix... J'ai ouvert aux assassins de mon mari...

Baldowsky l'attira contre lui, la berça comme s'il s'était agi d'un enfant.

— Ils sont partis par où ? On ne les a pas vus dans l'escalier...

La concierge émergea de sa torpeur.

— Ils sont montés sur les toits... Dans le quartier, les immeubles sont tous à la même hauteur, ils se touchent... Les ramoneurs ne redescendent jamais leur matériel pour passer dans la rue de Choiseul, ça communique...

Baldowsky se tourna vers Duprest avant de disparaître, arme au poing, dans les étages supérieurs de l'immeuble.

— Reste là, j'envoie un coup de sifflet si j'ai besoin de toi.

Duprest traversa la pièce encore encombrée des cartons du déménagement, ouvrit la porte vitrée du bow-window, leva les yeux vers le ciel printanier à la recherche d'ombres, de silhouettes. Ce n'était pas un temps à mourir. Seuls quelques pigeons perchés sur des rambardes battirent des ailes à son apparition avant de prendre la mesure du peu de danger qu'il représentait. C'est en revenant vers le corps de Traverse qu'il vit le papier épinglé sur la toile du haut-parleur du phono offert par l'ex-champion de football Villaplane quand ils l'avaient rencontré dans les docks de Pleyel, au cours d'une de leurs premières missions communes. Il le détacha pour le lire :

« C'est ainsi que la Résistance française châtie les collaborateurs germanophiles, les traîtres, les tortionnaires. Tous nos martyrs seront vengés. »

La femme de Traverse s'approcha de lui, une enveloppe fermée à la main.

— Tenez, c'est pour vous... Émile m'avait dit de vous remettre ce paquet s'il lui arrivait malheur... Je crois que ce sont des papiers...

Duprest les glissait dans sa poche quand le premier coup de sifflet retentit. Il grimpa sur les toits à son tour, mais la chasse aux assassins de Traverse prit fin deux blocs plus loin devant une vue époustouflante de l'Opéra Garnier.

Émile Traverse eut droit à un hommage du préfet Bussière dans la cour d'honneur de la Cité, comme avant lui Roland Bricourt, l'autre équipier de Duprest tué dans l'explosion de la rue Dénoyez, vingt-deux mois plus tôt, lors de la rafle de Belleville. La fanfare des gardiens de la paix interpréta *La Marche funèbre* de Chopin, une messe fut dite pour le repos de son âme, à Notre-Dame. Les recoupements effectués dans le cadre de l'enquête confirmèrent l'existence d'un réseau de renseignements lié aux Francs-tireurs et partisans au cœur même de la préfecture de police, une sorte de « service spécial » espionnant les Brigades spéciales, et dont la dénomination exacte était « Comité de la France combattante des administrations publiques et de la police de la région parisienne ». L'adversaire utilisait des méthodes proches des leurs, ne leur faisaient défaut que les moyens. De son côté, Clément avait étudié les papiers légués par Traverse. Il s'agissait, selon toute probabilité, d'une partie du « Carnet C » établi par le commissaire Balaume, dressant l'inventaire des éléments communistes qui, pour une raison ou une autre, renseignaient la Préfecture. Il décida de garder le silence sur ces documents et les mit à l'abri chez ses parents. Hier encore, sa vie future ne tenait qu'à un fil, celui qui avait été tissé par Augustin, son beau-père, un après-midi de février. Il disposait d'un deuxième recours. Les assassins de Traverse parvinrent à passer au travers du dispositif. Quelques comparses furent arrêtés, dans les deuxième et troisième brigades, mais personne ne fut inquiété dans celle à laquelle il appartenait, la première, commandée par le commissaire Balaume.

Le débarquement allié sur les côtes normandes provoqua de l'inquiétude, mais pas de panique, comme s'il prenait place dans le déroulement ordinaire de la guerre. Les investigations continuaient, on interrogeait toujours dans les salles des détenus, on organisait des filatures, on dressait des listes d'otages. La situation bascula lors du second souffle de l'offensive américaine dans le Cotentin, à la fin du mois de juillet. Balaume convoqua ses hommes, son secrétariat, dans le grand bureau des inspecteurs, sur la galerie sud du deuxième étage alors que les instances supérieures de l'administration allemande commençaient à se replier vers l'est. Le teint hâlé par ses séances de natation à la piscine Deligny, impeccablement vêtu d'un complet noir, d'une chemise grise sur laquelle tranchait une cravate à dominante vert sombre, il attendit que le calme s'établisse pour pouvoir parler sans élever la voix.

— Je n'ai pas pour habitude de parler devant un si vaste auditoire, notre travail nous fait plutôt privilégier le tête-à-tête, la confidence... Si je m'y résous aujourd'hui, c'est que le moment est grave. Je viens d'avoir un entretien avec M. le Préfet. Il tient toujours fermement le commandement de cet édifice. Il ne désertera pas, il restera avec nous jusqu'au dernier moment. Il est néanmoins conscient des difficultés de l'heure, et s'est engagé à ce que soit versée à chacun des agents des Brigades spéciales, policiers et employés, une indemnité exceptionnelle de trois mois de salaire. Il vous sera également fourni une carte d'identité en blanc. Ces mesures devraient prendre effet d'ici deux ou trois jours. Cela vous permettra de vous fondre dans le paysage pendant les quelques semaines d'aveuglement qui s'annoncent. Avant un mois, les nouvelles autorités, de quelque nature qu'elles soient, feront appel à nous pour mettre les communistes à la raison ! Nous y répondrons d'un seul cri : Fidélité !

Les quatre syllabes fusèrent de quarante poitrines, comme un écho amplifié :

— Fidélité !

Sur les conseils d'Augustin Génin, Clément ne remit plus les pieds à la Préfecture après avoir touché son trimestre de gratification et ses papiers de complaisance. Il s'installa en compagnie de Liliane dans la maison de L'Île-Saint-Denis dont la véranda vola en éclats lors d'un raid d'avions Lightnings qui bombardaient le dépôt de matériel militaire de Gennevilliers. Les jours suivants, les quais de la Seine furent envahis par des camions, des blindés recouverts de branchages qui refluaient depuis la Normandie. Puis ce fut au tour des Résistants d'occuper le pavé. Une barricade constituée de charrettes, de herses, de charrues, de sacs de sable, d'hélices de péniche, de pièces de moteur, de pavés, obstruait le pont de Villeneuve. Des jeunes gens armés de pétoires s'y hissèrent pour défier un ennemi invisible, jusqu'à ce qu'un obus tiré d'un char dissimulé sur la rive opposée n'en fauche deux. Puis ce fut au tour d'un bateau-logement d'être pulvérisé, un ponton aussi qui servait aux lavandières. Ils se réfugièrent dans la cave tout au long des trois derniers jours de combats, et n'émergèrent de leur refuge qu'au vacarme que firent les centaines de cloches de la région en sonnant à toute volée, le jeudi 24 août 1944 au soir, quand les avant-gardes des troupes alliées s'immiscèrent dans Paris. Au matin, l'île s'était habillée en tricolore, drapeaux rescapés des greniers ou étendards fabriqués à la hâte à partir de draps, de pièces de vêtements, tous flottaient aux fenêtres. Une nouvelle milice patrouillait dans les rues, presque des gamins, des filles aussi, tête nue, les cheveux nimbés de soleil, un brassard FFI épinglé à la manche du corsage. Liliane fit quelques pas sur les quais qu'encombraient les vestiges des combats, contourna la carcasse éventrée, noircie, d'une Traction tandis que Clément restait prudemment dissimulé derrière la porte du pavillon. On se battait encore au nord, au barrage de Saint-Denis, près du vélodrome, autour de Stains, des vagues d'avions allemands sillonnaient le ciel pour aller larguer leurs dernières bombes sur Paris. Ce fut le lendemain, le dimanche 27 août, peu après onze heures, que trois membres d'un Comité ilo-dionysien de libération se présentèrent devant la grille. Liliane vint à leur rencontre. Elle reconnut immédiatement celui qui faisait office de chef, mains libres, encadré par deux combattants armés de mitraillettes. Henri Veillard, l'un des fils de l'éclusier de la Maltournée. Il était un peu plus âgé qu'elle, et ils avaient partagé les mêmes jeux sur les berges du fleuve avec la bande de gosses du quai du Moulin, une douzaine d'années plus tôt. Elle se souvenait de baisers furtifs, de mains aventureuses, de boutons de chemise âprement défendus. Il devait penser à la même chose car une rougeur s'empara de ses traits. Il se reprit en esquissant un salut militaire.

— Capitaine Veillard. J'ai pris avec mes hommes le commandement de l'île, et on nous a signalé qu'un collaborateur se cachait dans cette maison...

— Vous vous trompez, c'est un malentendu...

— Je parle de votre mari, Clément Duprest. Ne nous obligez pas à pénétrer de force dans votre maison.

Liliane obstruait l'entrée, les doigts crispés sur la poignée de la porte.

— Ce n'est pas un collaborateur, il travaillait pour la Résistance...

L'un des hommes lui fit lâcher prise, la repoussa dans le jardin dévasté.

— Si c'est le cas, il n'a rien à craindre, il lui suffira de s'expliquer...

L'inspecteur les vit s'approcher depuis le bout du corridor où il se tenait accroupi. Il se redressa, leva les bras, marcha lentement vers la lumière, retenant ses pas, et quand, parvenu dans l'encadrement le soleil fit ciller ses paupières, il dit simplement :

— Ne tirez pas, je me rends.

DEUXIÈME PARTIE

Au service de la République

CHAPITRE 1

À défaut de cellule, Clément Duprest avait été enfermé dans une réserve sans fenêtre du dispensaire de l'île, derrière la mairie, le temps que des relations sécurisées soient rétablies avec la capitale. Liliane avait eu beau expliquer aux nouveaux maîtres de la ville qu'ils se fourvoyaient, que son mari était des leurs, rien n'y avait fait. Elle n'était pas parvenue à revoir le capitaine qui, lui semblait-il, se défilait pour éviter que le souvenir des amitiés d'enfance ne fausse son jugement. Un éventuel fléchissement devant la fille de l'industriel, du rentier, aurait pu écorner sa récente autorité. Elle se trouvait face à des subordonnés convaincus de tenir un gestapiste et qui se demandaient pour quelle raison sa femme pouvait se balader en toute liberté. Elle ne fut pas avertie du transfert de Clément. Dans la nuit du 31 août, un camion militaire qui était venu apporter un lot de suspects au camp de Saint-Denis avait fait un crochet par L'Île-Saint-Denis, pour emmener l'inspecteur vers une destination inconnue. Il était le seul prisonnier sous la bâche, à l'arrière, face à deux soldats taciturnes qui ne lui avaient pas adressé un seul mot autre qu'utilitaire :

— Debout, marche, stop, monte, assieds-toi...

L'impression de n'être qu'un morceau de viande en sursis. Il était persuadé de rouler vers le dépôt de la Préfecture, à Paris, de pouvoir parler avec une personne responsable qui passerait un coup de téléphone à son beau-père, aux inconnus qu'il avait alimentés de ses dossiers, pour enfin mettre un terme à ce cauchemar. Ses espoirs s'effondrèrent quand le véhicule contourna la capitale pour foncer vers le sud. Il crut sa dernière heure arrivée lors d'un arrêt intempestif en pleine campagne, sur la route du village de Wissous. Les soldats abaissèrent la ridelle pour sauter à terre.

— Descends, toi aussi.

Il sauta maladroitement, à cause de ses mains entravées, chuta sur le côté, se releva.

— Tends tes bras...

L'un de ses gardes déverrouilla les menottes tandis que l'autre le tenait en joue avec sa mitraillette.

— Si tu as envie de pisser, c'est le moment. Après, il faudra que tu mouilles ton pantalon.

Il fit jouer les articulations de ses poignets endoloris avant de se tourner pour arroser les ténèbres. Pendant quelques secondes il fut pris par l'idée de se mettre à courir, pour au moins décider de la seconde exacte de sa mort. La voix, derrière, effaça la tentation.

— Alors, tu as fini de l'égoutter ? Tends les bras.

Le voyage se prolongea encore pendant une vingtaine de minutes, et il reconnut, à la faveur d'un virage, les trois bâtiments de quatre étages chacun, bâtis en parallèle avec le même matériau sordide de banlieue que le pavillon de l'Île-Saint-Denis, la meulière. La prison de Fresnes. Il y était venu à plusieurs reprises dans le cadre de ses enquêtes, au cours des trente mois précédents, la dernière fois avec Traverse, pour accompagner les membres du réseau de l'Arménien, avant leur procès à l'hôtel Continental. Il se trouvait maintenant dans leur position, au même endroit, à la seule différence qu'il n'avait pas encore été frappé. Le camion se dirigea vers le Grand Quartier. Duprest fut tout d'abord conduit dans une des cases de la salle des cellules d'attente où il demeura jusqu'au matin, sans boire ni manger. Il en fut tiré pour passer à la salle d'écrou. Une fois immatriculé, ce fut la douche, le vestiaire. On lui remit le costume de la pénitentiaire, le droguet, tandis que ses habits civils étaient dirigés vers le service de désinfection. Un gardien le poussa dans un ascenseur. En sortant, ils laissèrent passer le service : des wagonnets placés sur rail supportant le café des détenus. La cellule qui lui était destinée, quatre mètres sur deux et demi, murs clairs, parquet de chêne, fenêtre de verre strié translucide, lui parut plus petite que celles où il avait conduit des accusés. Il avala une soupe aux pois et du pain bistre avant d'être extrait pour la promenade. Le soleil tapait sur les façades, la chaleur devenait étouffante. Une vingtaine d'hommes piétinaient une pelouse chétive bordée de pavés qui butait sur une grille au travers de laquelle on apercevait une morne campagne. L'un d'eux quitta le groupe pour venir à sa rencontre.

— Salut Duprest ! Ils t'ont agrafé, toi aussi...

L'inspecteur eut besoin de plusieurs secondes pour mettre un nom sur le visage rouge affublé d'un sourire perpétuel qui lui faisait face.

— Tu étais du troisième bureau, si je me souviens bien... Aux Étrangers et aux Affaires juives... Escalier F, premier étage. Chouffiac... C'est ça, hein...

— Chouffriac...

— Je ne suis pas tombé loin... Tu es là depuis longtemps ?

— Une semaine. Je me suis fait serrer quand nos chers collègues se sont mis en révolution ! Le petit jeu du moment consistait à passer les menottes, le plus vite possible, à un type du service d'à côté pour bien prouver qu'on était un grand patriote... Les flics de quartier se sont montrés les plus agiles dans ce genre d'acrobaties... Champions du retournement de pèlerine ! Celui qui m'a traîné au bout d'une corde, Sicart, le principal du commissariat du VIe, c'est moi qui lui graissais la patte en lui refilant les clefs des appartements bourgeois, après les rafles... Voilà le remerciement... Tu étais où pendant ce temps-là ?

Duprest prit une cigarette dans le paquet qu'on lui avait laissé, au moment de la fouille.

— J'ai senti venir le coup, j'ai essayé de me mettre à l'abri, en banlieue mais quelqu'un m'a balancé aux Milices patriotiques... Un voisin. Tu as vu d'autres collègues dans les couloirs ?

Chouffriac tira deux bouffées à la cigarette que Duprest lui tendait.

— Oui, pas mal... Ici, c'est le secteur des prolétaires, du petit personnel... Dans l'autre bâtiment, au transfèrement, il y a tout le gratin. Music-hall, théâtre, ministres et amiraux... J'y ai passé deux jours à l'étage de Tino Rossi avec cinq kilos de fer aux pieds. Ici, au moins, tu ne te traînes pas comme un bagnard. J'ai croisé Sacha Guitry, Peyrouton le ministre de la Justice du Maréchal, Pierre Taittinger, des champagnes du même nom, Robert Brasillach, le journaliste de *Je suis partout* et le maître d'hôtel de chez Maxim's... Ils ont aussi le préfet Bussière, et tous les chefs des Brigades spéciales, Balaume, Rottée, David... Ton commissaire principal, Balaume, toujours aussi élégant, même avec la toile de lin ! J'ai aussi aperçu le gars avec qui tu faisais équipe, Baldowsky, quand ils l'ont dirigé sur l'infirmerie centrale...

— Qu'est-ce qui lui est arrivé, il est blessé, il est malade ?

Le policier ramassa le mégot que Duprest venait de jeter à terre.

— Il a essayé de se foutre en l'air en s'ouvrant les veines avec une dent de fourchette aiguisée contre un mur... Un maton s'est aperçu du carnage au petit matin quand ses godillots ont fait floc-floc dans le sang caillé, en marchant dans le couloir... Ils le remettent en état pour le fusiller bien-portant...

Duprest réintégra sa cellule surchauffée une heure plus tard. Rien d'autre à faire qu'attendre. Le salut ne pouvait venir que de l'extérieur. Le nez collé au mur envahi de salpêtre, il essayait de lire les inscriptions laissées par ceux que le destin avait jetés avant lui dans ce cul-de-basse-fosse. La première, laconique, datait de 1906 : « Pas de chance. Gaston Néant. » Un autre prédécesseur avait gravé ses initiales, G.V., une date, janvier 1923 et ces mots : « Toute mon enfance me repasse devant les yeux », un autre son seul prénom, Maurice, pour authentifier ce message : « Ne porte pas mon deuil éternellement. » Des sexes dressés, des cuisses ouvertes, des cœurs transpercés de flèches, un « Vive Staline » rayé de trois traits rageurs... Il s'allongea sur le plancher pour déchiffrer les dernières pensées qu'un anonyme avait écrites au crayon noir au plus près du sol afin d'échapper à l'inspection des gardiens : « On va me fusiller demain à l'aube. J'ai aussi peur que je suis calme. C'est comme si j'étais déjà mort. Je ne ressens pas de haine pour mes bourreaux allemands. Elle est tout entière adressée aux compatriotes qui m'ont arraché tout ce que je savais... »

Il se redressa en entendant qu'on poussait le verrou, de l'autre côté de la porte, et se mit au garde-à-vous quand le maton apparut dans l'encadrement. On lui avait dit que chaque nouvel arrivant devait prendre une douche.

— Prends tes affaires, Duprest, tu as de la visite.

Il effectua le trajet du matin en sens inverse, les couloirs, les portes grillagées, l'ascenseur pénitentiaire, sans qu'on lui fournisse la moindre explication, se vit remettre, contre la peau de singe de détenu, les vêtements civils qu'il avait abandonnés à la désinfection. Il signa les formulaires de la levée d'écrou, récupéra ses papiers d'identité, avant qu'un gardien ne l'accompagne jusqu'à la porte d'entrée de la prison. Un homme qu'il ne connaissait pas l'attendait de l'autre côté de l'enceinte, appuyé sur la carrosserie poussiéreuse d'une Renault Monasix où se lisaient les trois lettres blanches FFI tracées au pinceau. Habillé d'un pantalon de sport et d'un blouson d'aviateur, de chaussures militaires, il devait avoir une quarantaine d'années, et la partie gauche de son visage disparaissait sous un énorme pansement. Il s'approcha. Clément serra la main qu'il lui tendait.

— Heureux de vous rencontrer enfin, monsieur Duprest...

— Comme on dit, tout le plaisir est pour moi. Je vous remercie de m'avoir sorti de là. Vous êtes qui, si ça n'est pas indiscret ?

Il contourna le véhicule pour ouvrir la portière, côté conducteur.

— L'endroit n'est pas des plus sympathiques pour entamer une conversation... Qu'est-ce que vous diriez d'une bière bien fraîche ?

La voiture traversa l'avenue de Versailles pour venir se garer devant l'arrêt des autocars face au Tabac de la Mairie. Ils s'installèrent à une table en fond de salle, dans un renfoncement sombre et frais, à l'écart des joueurs de billard. On leur proposa de la Munchausen, une blonde bavaroise réquisitionnée par caisses entières dans le blockhaus dévasté de la route de L'Haÿ-les-Roses, après le passage des chars de la division Leclerc. L'homme inclina les verres pour servir la bière que le patron venait de décapsuler.

— J'ai été prévenu de votre arrestation par votre femme, Liliane, et votre beau-père, Augustin Génin. C'est à moi qu'étaient destinés les documents que vous lui remettiez en fin de semaine, à L'Île-Saint-Denis...

— C'est donc vous mon mystérieux correspondant du square Rapp, le proche collaborateur de Marquès-Rivière... Vous avez pris de sacrés risques, à ce que je vois...

L'homme porta la main à son pansement.

— Un retour de flamme après l'explosion d'un blindé allemand devant la Préfecture... Pas facile de passer sans transition du stylo plume à la bouteille incendiaire... Il faut attendre que ça cicatrise...

Il leva son bock.

— À votre libération !

Le toast sonna étrangement aux oreilles de Duprest qui parvint à murmurer :

— À la libération...

— On commençait à désespérer. La pression était tellement forte que je n'aurais pas tenu un mois de plus... Je m'appelle Julien Frénault, et aussi curieux que cela puisse paraître, je dirigeais un réseau de noyautage des administrations depuis le Service des sociétés secrètes... Votre aide nous a été très précieuse.

L'inspecteur essuya la mousse déposée sur ses lèvres.

— Je n'ai fait que mon devoir... J'étais moi aussi dans une position difficile... C'est fini maintenant, je ne crains plus rien...

Julien Frénault dodelina de la tête.

— Ce n'est malheureusement pas aussi simple. La situation est très tendue. Plusieurs dizaines de vos collègues, on parle de cent cinquante, ont été arrêtés puis conduits au Vél' d'Hiv', rue Nélaton. Il faut s'attendre à la nomination d'une commission d'enquête puis à une vague de procès. Vous serez très certainement convoqué pour vous expliquer sur votre attitude au cours de ces années d'activités au sein des Brigades spéciales. Le dossier que j'ai constitué sur votre participation à notre combat vous sera de la plus grande utilité. Si la légalité républicaine est rétablie, si les extrémistes sont écartés, il devrait vous permettre d'être blanchi de toute accusation. En cas de besoin, je viendrai témoigner en votre faveur... Vous pouvez également donner un coup de pouce au destin...

— De quelle manière ?

L'ancien adjoint du service de répression des menées maçonniques jeta un regard circulaire autour de lui comme s'il redoutait la présence d'un indiscret.

— En acceptant d'accorder votre concours à la justice.

— À la justice ? Bien sûr... Et ça veut dire quoi, concrètement ?

— Une course de vitesse est engagée entre les républicains et les forces communistes qui jouent la surenchère. Si on les laissait agir à leur guise, on remettrait la Conciergerie en activité, on rétablirait la guillotine sur la place de la Concorde pour y faire monter tous les fonctionnaires de l'Ancien Régime, sans distinction de responsabilité. Leur méthode consiste à laver l'affront dans des flots de sang, comme en Russie. Ce n'est pas ainsi, par la Terreur, qu'on refonde la République. L'histoire nous enseigne que c'est la porte ouverte à la dictature. Je pense qu'il est nécessaire de châtier les coupables, mais en prenant soin de garder les forces aptes à assurer le fonctionnement des institutions... N'importe qui ne peut pas prendre n'importe quel poste ! Vous n'êtes pas d'accord ?

Duprest était étonné par la ferveur, la véhémence avec lesquelles Frénault défendait son point de vue. Il se méfiait de toutes les variétés de croyants.

— Si... Mais qu'est-ce que je viens faire là-dedans ?

— J'y arrive. Nous devrons fournir des gages aux extrémistes, du moins leur en donner l'illusion... Pour gagner du temps. Des gens comme les commissaires Rottée ou David ne sont pas amendables, ils ont directement mis en œuvre la chasse à tous les Résistants, à la population juive, alors que le préfet Bussière, par exemple, même s'il était leur supérieur, s'est toujours posé la question de la légitimité de son action. Comme Balaume. Nous aurons besoin de fonctionnaires qui étaient présents au deuxième étage de la Préfecture durant toute cette période, pour établir la vérité des comportements. Je compte sur vous.

Duprest ne répondit pas, l'esprit tout entier occupé à se repasser le film de sa vie. Tout tenait à ce double jeu pratiqué au cours des derniers mois. Ceux qui n'avaient pas été assez prudents pour s'y livrer allaient le payer de leur liberté, peut-être de leur sang. Tout au long du voyage vers Paris, Julien Frénault raconta les exploits de son groupe contre l'armée allemande en déroute. À l'entendre, il avait croisé Jean Marais devant l'hôpital Beaujon, au volant d'un camion d'armes pris à l'ennemi, il s'était lancé à l'assaut de l'Hôtel de Ville en compagnie d'un autre jeune acteur, Gérard Philipe, avant d'aller organiser un poste de secours aux blessés dans le hall de la Comédie-Française, enrôlant comme brancardiers un auteur à lunettes, Jean-Paul Sartre, et Robert Doisneau, un photographe rigolard. Il avait également, près d'une barricade du faubourg Saint-Denis, affirmait-il, assisté à la mort d'Aimos, l'acteur qui donnait la réplique à Gabin dans *La Belle Équipe*. Cela faisait beaucoup pour un seul homme. Sortant la fiche de son libérateur, quelques années plus tard lors d'une nuit d'insomnie, Duprest constatera pourtant qu'il disait vrai.

La Monasix se fraya un chemin dans les rues du quartier Plaisance encore bouleversées par les souvenirs des combats de guérilla urbaine. Carcasses incendiées, pavés arrachés... La première chose qu'il vit en arrivant rue Joanès, ce fut la croix gammée dessinée sur la porte d'entrée de l'immeuble, à côté de la devanture du fabricant de glace à rafraîchir. Il leva les yeux vers les fenêtres de son appartement qu'obturaient les volets de bois. Des voisins s'arrêtaient

pour dévisager les occup
parlait à voix basse, on co
bler, à hocher du mentoı
Frénault ne mit pas lon
mesure de la situation.
ornée du sigle FFI, se pla
ses deux jambes, au mili
repoussa le pan droit de s
laisser apparaître l'étui garni d'un revolver. Il passa devant le capot pour ouvrir l'autre portière afin que Duprest puisse descendre. Il lui serra longuement la main avant d'esquisser un salut militaire et de se remettre au volant. La démonstration de déférence à l'égard de l'inspecteur, venue d'un responsable des Forces françaises de l'intérieur, désarma ceux qui, une minute plus tôt, se déclaraient les plus intransigeants. On regarda la Renault s'éloigner, dans un nuage bleuté, puis les têtes se tournèrent vers le locataire qui franchissait le seuil de sa maison en faisant semblant de ne pas voir l'inscription déshonorante. Liliane l'attendait, prostrée au milieu de l'appartement plongé dans l'obscurité, avec pour seule compagnie la musique qui sortait du phono. Il se jeta à ses genoux. Toute la tension accumulée au cours des jours précédents se relâcha d'un coup. Il se mit à pleurer comme un enfant, le corps secoué de sanglots.

CHAPITRE 2

La convocation de la commission d'épuration lui fut apportée à domicile, un matin, par l'un des gardiens en tenue récemment affectés au commissariat de quartier en remplacement des révoqués. Jeune, l'air crâne, le visage criblé de taches de rousseur, des cheveux blonds s'échappant du képi. Un flic zazou et sans avenir, pensa-t-il. La lettre était signée d'une initiale redoublée, « A.A. » pour Arthur Airaud. Au téléphone, Frénault lui avait appris que ce responsable de l'organisation communiste d'infiltration de la police venait d'être promu adjoint du nouveau préfet alors que ses seuls états de service le désignaient comme cheminot. Après avoir vécu une dizaine de jours pratiquement sans sortir, Liliane et Clément s'étaient décidés à s'afficher dans les rues, les commerces de Plaisance. Ils avaient affronté les regards hostiles, tourné la tête pour éviter de voir les jets de crachats, fait semblant de ne pas entendre les insultes proférées à voix haute, ignoré les relations d'hier qui changeaient de trottoir à leur approche. Ils s'étaient payé le cinéma à deux reprises, au Gaîté-Palace pour voir Jules Berry dans *Le mort ne reçoit plus* puis *La Vie de plaisir* avec Albert Préjean tout juste sorti des griffes des FFI du boulevard Suchet qui lui reprochaient un voyage imprudent à Berlin en compagnie de Danielle Darrieux. Cette dernière soirée s'était achevée aux Mille Colonnes devant une blanquette de veau, plat unique d'un ancien caf'conc' transformé en restaurant populaire à la Dupont. Quelques semaines plus tard, plus personne ne susurrait « gestapistes » dans leur sillage. Ils faisaient à nouveau partie du paysage.

Il reprit le métro, soudain frappé par les changements de couleurs dans les rames. Disparition des uniformes vert-de-gris et des étoiles jaunes, profusion de bleu, de blanc, de rouge, de tenues kaki. L'atmosphère également n'était plus la même. Il restait quelque chose de l'excitation des combats, de la fièvre des défilés. Il surprenait l'envie, dans les yeux des femmes, quand leur regard se posait sur des soldats américains. Il y eut une longue interruption du trafic, après Montparnasse, et il fut pris d'une angoisse à la simple idée d'être en retard. Il courut dans les couloirs, les escaliers de la station Cité et se présenta à bout de souffle devant le planton, rue de Lutèce. Le policier lui sourit en le reconnaissant. Il jeta un œil à la convocation.

— C'est à l'hôtel préfectoral. Premier étage, escalier numéro un. Ce n'était pas la peine de vous dépêcher, inspecteur... Ils ont pris une bonne heure de retard, comme tous les jours... Ils s'occupent de Rondier, qui était à la brigade des bobards... Au fait, ce n'est pas là que vous avez commencé ?

Duprest replia son papier. Il revit les paulownias en fleur, puis Bricourt lui livrant les petits secrets du métier, lors de leur prise de contact, rue de l'Observatoire, au Restaurant des Intellectuels.

— Si...

Il attendait depuis près de trois quarts d'heure quand le commissaire principal Rondier sortit, sous bonne garde. Il avait la bouche tordue par une récente attaque cérébrale. Il fit un effort pour essayer d'accrocher le regard de Clément qui baissa la tête. On fit entrer l'inspecteur dans une salle d'apparat située non loin des bureaux du préfet. Airaud se tenait droit derrière une table surélevée encombrée de dossiers, flanqué de deux adjoints. Il prit une liasse dans la pile, la feuilleta, étudia plusieurs documents en silence avant de sembler s'apercevoir de la présence du nouveau suspect.

— Asseyez-vous Duprest... Vous savez pourquoi vous comparaissez devant nous...

— Oui, monsieur le Président... Parce que je

suis, enfin parce que j'étais membre des Brigades spéciales...

Airaud n'eut pas besoin d'avoir recours à ses papiers.

— Depuis le mois de mai 1942, entré directement comme inspecteur, sur concours puis promu au grade d'inspecteur spécial... Vous êtes surtout là pour vous défendre de l'accusation de trahison et d'intelligence avec l'ennemi, selon les dispositions des articles 75 et suivants du Code pénal. D'après les notes, les comptes rendus, les procès-verbaux, les témoignages divers en notre possession, vous avez participé à la traque du groupe de Francs-tireurs et partisans du secteur de la gare de Pantin. Le bilan global de cette opération de répression s'établit à cinq arrestations, deux fusillés, deux morts en déportation et un seul survivant dont je vais immédiatement requérir la présentation... Faites entrer Albert Faugère.

Sur le coup, le nom n'évoqua rien de précis dans l'esprit de Duprest, mais il suffit que la grande carcasse dégingandée se découpe dans le jour de la porte ouverte pour qu'il se souvienne de la séance des *Inconnus dans la maison*, au Normandie, des protestations du public dans la salle au moment des actualités, de l'interpellation de Faugère, des menottes qu'il avait fait claquer sur ses poignets... Puis des cris de bête blessée, de l'autre côté de la cloison, quand Bricourt et Traverse le travaillaient au nerf de bœuf. Il avait seulement lu ses aveux, arrachés après plusieurs heures d'interrogatoire, qui avaient permis la descente chez le charbonnier de Pantin suivie du démantèlement du réseau. L'inspecteur fixa son regard sur celui de son premier prisonnier, sans ciller. La voix d'Airaud s'éleva.

— Faugère, est-ce que vous identifiez l'inspecteur Clément Duprest comme l'un de vos tortionnaires ?

Le jeune chauffagiste baissa la tête au souvenir de ce qu'il avait vécu, de ce qu'il avait lâché d'essentiel et que cet homme, en face de lui, ne pouvait ignorer. Il refusa d'affronter la vérité.

— Non... Je ne le connais pas... Il n'y était pas...

Il disparut par là où il était venu, sur un signe de main nerveux du président de la commission.

— On dirait que vous avez de la chance, Duprest. Le seul témoin encore en vie vous innocente, et les deux collègues qui faisaient équipe avec vous, Roland Bricourt et Émile Traverse, sont décédés. Vous étiez présent lors de la mort de Bricourt, le 16 juillet 1942, rue Dénoyez ?

Le piège était grossièrement tendu. L'inspecteur avait eu tout le temps de réfléchir à la justification de ses actes au cours de ces longues semaines d'inactivité, de solliciter les conseils, les éclairages juridiques de Frénault, même si, la nuit, il se réveillait avec des sueurs en recherchant les images fuyantes qui avaient agité son sommeil. Il s'attendait à des dispositifs plus sophistiqués.

— Oui, j'ai en effet été désigné comme volontaire pour les grandes rafles de l'été... J'agissais sur ordre de mes supérieurs... Les lois reconnaissent qu'il n'y a pas de délit quand des actions contraires à la morale sont ordonnées par une autorité légitime...

Airaud l'interrompit.

— Le gouvernement provisoire a abrogé cet article du Code pénal auquel vous faites allusion...

Duprest comprit qu'il allait marquer un point décisif dans l'échange.

— Sauf que cette décision a été prise en juin 1944, et que ce que vous me demandez de justifier, monsieur le Président, date de juillet 1942, c'est-à-dire plus de deux ans auparavant. Je ne pouvais pas me conformer à une recommandation qui n'existait pas... Je peux vous assurer que je n'approuvais pas ce que l'on m'obligeait à faire. Ces femmes, ces enfants... J'ai cherché à me mettre en rapport avec des collègues aussi réticents que moi, mais c'était extrêmement difficile... Dès qu'un contact a été établi, avec une annexe de la Préfecture, le Service des sociétés secrètes du square Rapp, j'ai fait transiter des informations, des documents, pour entraver l'activité de mon propre service. Cela doit figurer dans mon dossier avec le témoignage sur l'honneur de Julien Frénault qui s'occupait du noyautage des administrations...

L'assesseur qui se tenait à la droite d'Airaud compulsa le dossier avec fébrilité, en tira deux feuillets tenus solidairement par un trombone. Les trois juges se concertèrent en chuchotant, replongèrent dans la paperasse, finirent par s'accorder.

— Effectivement... Il est signalé que votre première « livraison » se situe au mois de février dernier. C'est un peu tardif, au regard de l'Histoire, mais cela précède de plus de six mois la conversion miraculeuse de milliers de nos collègues policiers... Sous réserve du versement d'un élément nouveau, vous pouvez considérer que la procédure vous concernant s'achève maintenant...

L'inspecteur Duprest semblait tétanisé, il ne réagissait pas. Airaud se fit pédagogue.

— Vous ne comprenez pas ? Je vais être encore plus clair : je viens de vous dire que le dossier ne serait pas transmis. La commission n'a rien à vous reprocher. Une convocation vous sera prochainement adressée pour fixer les conditions de votre reprise de travail, spécifiant votre nouvelle affectation. Vous pouvez disposer.

L'administration le fit patienter près de deux mois pour lui proposer, à la mi-décembre, d'occuper un bureau au deuxième étage de la Préfecture, au débouché de l'escalier E, dans les anciens locaux des Brigades spéciales où il avait commencé sa carrière. Arrivé en avance sous une pluie fine, il flâna dans les allées couvertes du Marché aux Fleurs dont les étals regorgeaient de sapins de Noël, puis il fit les cent pas dans la cour d'honneur de la Cité, s'arrêta sur l'emplacement où Baldowsky garait sa Delahaye Chapron marron fauve avant d'aller faire le prêtre dans les cellules de la prison de Fresnes, du fort de Romainville. Sa déambulation le conduisit devant la plaque apposée en l'honneur des policiers victimes du devoir. L'épuration s'était arrêtée aux portes des cimetières : les noms gravés de Bricourt et de Traverse figuraient toujours sur la plaque en hommage aux trente-cinq inspecteurs disparus en mission pendant l'Occupation. Rien n'avait vraiment changé en apparence, si ce n'est la dénomination du service, revenue à Renseignements généraux, et sur les murs la photo d'un général en lieu et place de celle d'un maréchal. Il se sentait revivre, et prenait pleinement conscience du manque provoqué par l'éloignement. La première personne qu'il croisa en sortant de l'ascenseur fut Simone, l'ancienne secrétaire de Rondier. Elle lui apprit qu'elle faisait partie d'un groupe patriotique depuis près d'un an, et que des enquêteurs l'avaient longuement questionnée sur le personnel des Brigades.

— Je n'ai dit que du bien de vous, et je suis très heureuse que vous soyez de retour, inspecteur Duprest.

Pour l'heure, elle collectait le maximum de renseignements sur la magistrature française afin de dresser un état des personnes les moins compromises avec les administrations allemande et vichyste. Ce n'était pas une mince affaire. On allait devoir former des cours qui réclameraient très certainement la mort pour un chef d'État, un chef de gouvernement, un académicien, un préfet de police, des écrivains, des journalistes... On ne pourrait éviter de faire appel à des fonctionnaires qui avaient prêté serment à ceux qu'ils répudiaient aujourd'hui, loué des dirigeants en disgrâce, qui avaient porté des distinctions éphémères au revers de leurs vestons, mais il ne pouvait être question de commettre l'erreur de choisir des juges impliqués dans des condamnations de Résistants, de juifs, ou qui avaient siégé dans des Sections spéciales. Les carriéristes oui, pas les tortionnaires. Il longea les bureaux. Les inspecteurs présents à l'étage, dans leur grande majorité, lui étaient étrangers. Il croisa quelques visages familiers, mais les civilités se bornèrent à un rapide mouvement de tête. La conscience d'être passé entre les gouttes faisait qu'aucun ne ressentait le besoin de renouer un contact plus chaleureux. Un homme d'une petite trentaine d'années occupait la pièce qui lui était attribuée. Il se dressa devant la fenêtre haute, sur fond de ciel plombé.

— Bonjour. Enchanté de vous rencontrer.

Duprest colla sa paume à celle qui s'offrait.

L'inconnu avait la poignée de main un peu trop énergique, un aussi mauvais signe qu'une mollesse excessive.

— Vous êtes qui ?

— Excusez-moi... Germain Labroux, inspecteur à la 1re Section. Je suis là depuis six semaines.

— Et vous veniez d'où, si ça n'est pas indiscret ?

Le type était brun, des sourcils très marqués faisaient ressortir le bleu intense de ses yeux.

— J'étais cheminot à la gare du Nord, mais j'habite en face, rue de la Huchette. J'ai fait partie du comité de libération du VIe arrondissement, et je me suis porté volontaire pour épauler les policiers insurgés. Une fois les Allemands partis, il a fallu se retrousser les manches pour nettoyer les couloirs de tous ceux qui s'étaient mis à leur service. On a fini par me demander si je ne voulais pas rester travailler ici... J'ai dit oui...

— Vous avez fait quoi comme études, du droit, de l'administration ?

Un sourire satisfait illumina son visage.

— De la chaudronnerie, de la mécanique diesel... Je ferai du rattrapage. Dès que tout sera remis en ordre, je m'inscrirai aux cours du soir...

La seule mention de son métier d'origine, cheminot tout comme Airaud, avait suffi à mettre Duprest en alerte. Les communistes avaient profité des événements pour investir la citadelle. Ils avaient encadré l'insurrection, s'étaient donné une légitimité dans un rouage de l'État qui n'avait pourtant cessé de les combattre. En conclusion de cette manœuvre, ils se débarrassaient de tous ceux qui se dressaient sur la route vers le pouvoir grâce à leur présence dans les commissions d'épuration. Chaque homme jeté à terre, traîné devant les tribunaux, était immédiatement remplacé par un de leurs affidés, et cela tenait presque du miracle d'avoir pu échapper à leurs griffes. Labroux ne faisait d'ailleurs pas mystère de ses convictions, persuadé que par la force de leur évidence elles ne pouvaient que s'imposer au monde.

CHAPITRE 3

Duprest devait en convenir, Labroux était un collègue de commerce agréable et une sorte d'enquêteur intuitif. Logé à quelques encablures de la Préfecture, il connaissait la moindre ruelle du Quartier latin et entraînait l'inspecteur, à la pause de midi, dans des troquets insoupçonnés emplis de jolies filles, de fumée et de musique américaine. Sa belle gueule lui valait de nombreux succès auprès de gamines qui faisaient rarement plus de la moitié de son âge. Il vouait une admiration sans borne à des musiciens noirs dont Duprest se souvenait avoir entendu les noms à la radio, dans les nouveaux programmes, avant que Liliane ne change de fréquence. Ellington, Armstrong... Il achetait des disques pressés à New York que des GI laissaient en dépôt dans une librairie de la rue Hautefeuille, et ne s'était pas retenu de joie la fois où il avait découvert, dans la pile, *The Very Thought of You*, un enregistrement de Billie Holiday, une artiste qu'il vénérait par-dessus tout. Il avait pratiquement obligé Clément à l'accompagner, pour étrenner la galette, dans son deux-pièces de la rue de la Huchette, au-dessus d'une gargote d'où montaient les vapeurs d'un petit salé aux lentilles. Il avait sorti le 78 tours de sa pochette kraft avec des gestes de chirurgien avant de le déposer sur son phono et de présenter la pointe de lecture au début du sillon. Duprest s'était immédiatement senti envahi par le phrasé du saxophoniste et les réponses de ce qui ne s'apparentait pas seulement à une voix féminine mais à un instrument d'un mélodieux inconnu. L'émotion était là, même s'il n'y connaissait rien. Labroux, lui, était en extase, immobile devant l'appareil, comme hypnotisé par la rotation du disque sur la platine. Il ne réagit pas quand la musique prit fin et que l'aiguille ne fit plus entendre que des craquements lancinants. Duprest le laissa reprendre lentement ses esprits en observant le cadre de vie de celui que les événements lui avaient imposé. Un lit défait entouré de montants de cuivre, une armoire à glace au miroir piqué, quelques ustensiles de cuisine posés sur une paillasse près d'un réchaud à pétrole, une table recouverte d'un rectangle de toile cirée, quelques chaises dépareillées et le guéridon sur lequel était installé le phono. Tout était ordinaire, gris, à l'exception d'une affiche aux couleurs éclatantes punaisée face à la fenêtre à petits croisillons. On y voyait une barricade tenue par une foule d'hommes en casquette et de femmes en chignon, des mains brandissant des mitraillettes, lançant des bouteilles incendiaires avec, au deuxième plan, des chars allemands abandonnant leur position symbolique de la place de la République. Un slogan, « Paris se libère », séparait deux portraits de chefs communistes, les colonels Rol-Tanguy et Fabien. L'occupant des lieux avait ajouté un portrait de Staline découpé dans *Franc-Tireur* ou *L'Humanité*. Duprest se mordit les lèvres pour ne pas faire de commentaire.

— Ce n'est pas tout ça, Germain, il y a du boulot, on doit retourner aux Champs-Élysées...

Labroux renonça difficilement à l'envie de repasser son disque fétiche, le rangea dans son étui de papier.

— Je serais bien resté ici... Mais c'est vrai qu'on se trouve presque dans le même domaine...

Cela faisait près de deux mois qu'on leur avait confié un vaste travail d'inventaire des activités de Radio-Paris en vue du procès de ses dirigeants comme de tous ceux qui avaient prêté leur concours, leur talent, leur voix, à la propagande par les ondes. Il ne restait pas grand-chose des archives de la station sous contrôle allemand : avant de fuir, les derniers occupants des deux étages avaient brûlé le maximum de dossiers, détruit les disques sur lesquels étaient enregistrées les émissions les plus compromettantes, emporté les registres de comptabilité. Il avait fallu interroger les secrétaires, les fournisseurs, des comédiens, des chanteurs, récupérer des bribes d'histoire dans les stocks de paperasse rescapés des flammes, au siège des administrations allemandes. Piocher également dans les rapports établis par Baldowsky et Traverse sur lesquels, parfois, apparaissait le nom du troisième larron, Duprest. Germain faisait semblant de ne pas le remarquer. Ils passaient aussi pas mal de temps dans un centre d'écoute de l'armée américaine, basé près de la tour Eiffel, à capter les fréquences des groupes de collaborateurs réfugiés en Allemagne et prétendant parler au nom d'un gouvernement français en exil. Ils parvinrent ainsi à débusquer des discours de Jean Hérold-Paquis sur *Radio-Patrie* à Bad Mergentheim, d'autres sur *Ici la France* repliée dans un château à Sigmaringen, tandis que Dieudonné-Oltramare, élevé au grade de Haupt Kommentator, s'exprimait directement sur *La Voix du Reich* accueillie par *Radio-Stuttgart*. Labroux s'était retrouvé assez mal à l'aise au moment de rédiger la synthèse qui devait être présentée à Airaud. Si la fiche consacrée par Duprest à Dieudonné relatait son engagement d'extrême droite dans son pays natal, la Suisse, son activité de conseiller municipal de Genève, ses rencontres avec Goebbels ou Benito Mussolini, elle ne laissait pas dans l'ombre l'aventure éphémère du journal *La France au travail*. Le fait que Dieudonné ait réussi à y faire cohabiter, au moment de l'installation des Allemands à Paris, des rédacteurs venus des groupes les plus antisémites, les plus nazis, avec des journalistes en rupture de ban qui signaient auparavant dans *L'Humanité*, posait un problème au jeune Résistant qui le résolut en censurant la précision. D'autant que certains de ces personnages hantaient maintenant les allées du nouveau pouvoir, comme si de rien n'était. De son côté, Duprest se contenta de transmettre l'information à Julien Frénault, son ancien correspondant au Service des sociétés secrètes, qui travaillait maintenant avec Donnedieu de Vabres, chargé de mission pour la Justice dans le gouvernement provisoire du général de Gaulle. La règle voulait qu'on évite les contacts directs. Il laissa l'enveloppe au planton du ministère, et y joignit la première partie d'un rapport secret distrait à son collègue de bureau. Les trois pages avaient été reconstituées à partir de véritables confettis ramassés dans sa poubelle, avant le passage des femmes de ménage, et que Duprest avait minutieusement assemblés avec autant de plaisir que les puzzles de son enfance. Il songea un moment y ajouter le morceau de fichier des taupes communistes que lui avait remis la femme de Traverse près du cadavre encore chaud de son époux, rue de Hanovre, mais il préféra le garder par-devers lui, à toutes fins utiles. Labroux écrivait :

« Depuis cinq mois que je suis en poste à la

1re Section des Renseignements généraux, je m'occupe essentiellement de nourrir les dossiers qui serviront aux procès annoncés contre les personnages publics (radio, journalisme, chanson, cinéma, littérature). Des doubles vous seront adressés, dans la mesure du possible. Mais il est à noter que cela ne constitue pas le travail central de cette direction. J'ai même l'impression que l'on me cantonne dans ce domaine pour m'interdire de me rendre compte que tout continue comme avant. Bien que l'on se méfie de moi, j'ai pu constater que de nombreux inspecteurs reconstituent des fichiers sur le Parti communiste, son organisation de jeunesse, les milieux trotskystes et anarchistes ainsi que socialistes. Deux groupes distincts sont en outre spécialisés dans l'infiltration des communautés algérienne, indochinoise et africaine présentes en région parisienne (à signaler au camarade Lozeray de la section coloniale). Je dois attirer votre attention sur le fait que de très nombreuses informations arrivent directement ici, sur les bureaux des inspecteurs, sans qu'il soit besoin d'aller les chercher. La 1re Section dispose d'un réseau de mouchards implanté dans notre organisation. Même si certains doivent leur sujétion à des affaires de mœurs, la raison la plus commune expliquant leur trahison est l'argent. Le service a en effet largement accès aux fonds secrets pour payer le mouchardage. Tout ceci est complété par les confidences recueillies auprès des patrons d'usines, et par les comptes rendus de nos assemblées effectués par les inspecteurs de la brigade des réunionnistes. L'ensemble nourrit un vaste fichier directement géré par le commissaire principal. Je mets tout en œuvre pour avoir accès à la liste des indicateurs et vous la transmettre. »

Depuis son retour à la Cité, Clément devait se contenter de l'ordinaire des inspecteurs. Finis les pourboires, les extras, les primes de terrain, les gratifications, les à-côtés, les invitations au théâtre ou au music-hall. Quelques commerçants qui s'estimaient encore redevables du temps d'avant demeuraient accueillants, et il lui arrivait de demander les cartes de ravitaillement à Liliane pour faire les courses dans le quartier, entre Odéon et Buci, le soir, avant de prendre le métro direction Plaisance. Un billet discrètement glissé avec les coupons de rationnement permettait d'échapper à la malédiction des cent cinquante grammes de viande par personne et par semaine, au kilo de sucre par mois pour un couple, à l'huile chichement mesurée. Cette fois-ci, il parvint à marchander du jambon, des lentilles, et même de la saucisse de Morteau.

Un papier plié en deux, punaisé, faisait une tache blanche sur la porte d'entrée quand il déboucha des escaliers. Intrigué, Duprest posa son cabas sur le parquet du palier pour détacher la feuille du bout des ongles. Il reconnut l'écriture de sa belle-mère à ses lettres minuscules penchées sur la ligne, presque à l'horizontale. Elle lui demandait de ne pas s'inquiéter, mais de la rejoindre dès que possible à l'hôpital Broussais, dans le service du docteur Legrand où Liliane venait d'être transférée. Il entra à l'intérieur de l'appartement, le temps de ranger les provisions dans le garde-manger, puis en ressortit pour filer vers la rue Didot, à moins d'une centaine de mètres de la fabrique de glace à rafraîchir. Le mutilé de guerre qui occupait le local de la conciergerie feuilleta le registre des admissions avec dextérité au moyen du moignon de son bras gauche.

— Elle est sortie des urgences. Vous la trouverez dans le pavillon numéro 3, au bout de l'allée centrale.

Florencie était seule au chevet de sa fille. Elle dressa son imposante silhouette sur le parcours de son gendre pour lui interdire l'accès à la malade, l'embrassa rapidement sur les deux joues.

— Il ne faut pas la déranger, elle se repose...

L'inspecteur recula, non pour obéir à ses recommandations, mais pour échapper au contact de l'opulente poitrine de sa belle-mère. Il eut tout juste le temps, en se penchant, d'apercevoir les yeux clos de sa femme.

— Qu'est-ce qui se passe ? C'est grave ?

— Calmez-vous. Je vais vous expliquer...

— Je ne comprends pas... Elle allait vraiment très bien quand je l'ai quittée, ce matin...

Florencie l'avait obligé à quitter la chambre, à se diriger vers une pièce minuscule où les infirmières avaient l'habitude de ranger les plateaux à roulettes, entre deux services.

— Il lui est arrivé quelque chose, un accident ?

Elle baissa la tête et la voix, comme on le fait au chevet des agonisants. Il tendit l'oreille pour saisir le chuchotement.

— Oui, c'est un grand malheur... Elle a perdu le petit que vous attendiez...

Duprest demeura interdit pendant une fraction de seconde avant de se mettre à bégayer.

— Le quoi ? Le petit... Un petit ! Quel petit ?

Florencie lui prit les mains et le fixa de ses yeux écarquillés.

— Ce n'est pas vrai ! Elle ne vous avait rien dit ? Vous n'étiez pas au courant... Elle ne vous avait pas dit qu'elle était enceinte ?

Il ne parvint qu'à dodeliner de la tête, puis un « non » presque inaudible mourut sur ses lèvres. Les sons lui parvenaient comme ralentis par un brouillard épais.

— Comment est-ce possible ? Vous êtes mari et femme... Cela faisait plus de trois mois ! Il y a des signes quand même ! Vous ne vous êtes aperçu de rien ?

Il demeura silencieux. Que pouvait-il lui répondre ? Qu'elle se refusait à lui depuis des mois et qu'il en avait pris son parti, se satisfaisant de rencontres de hasard, qu'elles soient tarifées ou non. Que Liliane ne parlait jamais de ces choses-là, que lui non plus n'avait pas les mots pour dire ses envies, ses plaisirs, et que la seule évocation, aujourd'hui, de ce « petit » perdu, de ce minuscule cadavre qui venait de s'imposer entre eux, lui inspirait un sentiment proche du dégoût... Il plongea les mains dans ses poches à la recherche de son paquet de cigarettes, se planta une Élégante dans la bouche, l'alluma, expulsa la fumée par les narines, en deux jets puissants et parallèles. Le tabac lui redonnait du courage.

— Je voudrais savoir comment elle va... Elle n'a rien ?

Une infirmière qui les observait depuis un instant s'approcha du réduit.

— Rassurez-vous, votre femme va bien. Elle est simplement très fatiguée.

Duprest la fixa droit dans les yeux.

— Elle va rester longtemps ici ?

— Il faut qu'elle dorme. Nous allons la garder toute la journée de demain en observation, pour éviter les complications... Ensuite, il faudra être très patient avec elle... Il n'y a que le temps qui parviendra à effacer ce qui vient d'arriver... D'ailleurs, vous pourriez commencer maintenant...

Il haussa les épaules.

— Commencer quoi ?

— À être prévenant... En attendant par exemple d'être dehors pour fumer votre cigarette.

Il serra les dents. Personne ne lui avait plus donné d'ordre depuis son court séjour à Fresnes. Il jeta l'Élégante à peine entamée sur le sol carrelé et l'écrasa sous son talon.

CHAPITRE 4

Liliane n'était pas retournée rue Joanès après son court séjour à l'hôpital Broussais. Sa mère avait profité de l'occasion pour récupérer son bien. Clément se contentait de venir voir sa femme chaque fin de semaine, dans l'appartement parisien, quelquefois sur les quais de Seine, à L'Île-Saint-Denis. Ces rencontres hebdomadaires lui convenaient mieux que la promiscuité quotidienne du mariage, il y retrouvait l'entre-deux des fiançailles, ce moment de grâce où l'on permettait tout aux futurs époux, où l'on ne semblait remarquer que leurs qualités, où l'on fermait les yeux sur leurs disparitions prolongées dans les annexes, où l'avenir n'était que promesse. Il appréciait également d'être seul dans le trois-pièces du quartier Plaisance, de pouvoir rentrer quand bon lui plaisait, de s'affaler sur le canapé, les pieds posés sur la table basse, de se servir un fond de marc rescapé de l'Occupation, de se consacrer jusqu'au petit matin aux dossiers qu'il ramenait du bureau, sans qu'une voix plaintive lui demande la raison de son retard, de mettre les patins, de ne pas se vautrer, de faire attention à sa santé, d'économiser l'électricité. La solitude lui permettait surtout de noter sur un carnet la multitude de faits, de paroles, qui marquaient une journée ordinaire, et que l'esprit humain ne retenait au mieux que quelques heures. Ce pouvait être des choses d'apparence anodine comme un échange de regards, un geste inachevé, une conversation suspendue, mais aussi des rencontres surprenantes comme celle, dans une allée du Marché aux Fleurs, de Simone, la secrétaire de l'ancienne brigade des bruits alarmistes, avec un juge chargé du procès de Baldowsky. Il inscrivait aussi toutes les dépenses, depuis l'achat des tickets de métro et du journal, jusqu'au casse-croûte du midi, les cigarettes, la boîte d'allumettes, le coiffeur, le bois, le charbon, les notes de blanchisserie. Au début, il lui arrivait d'établir une moyenne, de dresser une statistique, puis c'était devenu une habitude, presque une nécessité. Un simple coup d'œil sur le tableau récapitulatif mensuel ou trimestriel lui rappelait qu'il avait dépensé deux fois plus en chauffage qu'en alimentation ou bien que l'argent versé chaque jeudi à la voisine qui entretenait l'appartement équivalait, à peu de chose près, à sa propre consommation d'électricité. Un code, à base de noms de marques de voitures, dissimulait les haltes horizontales qu'il s'octroyait :

Renault pour le quartier Pigalle, Delaunay pour la rue Saint-Denis, Packard pour la Madeleine, Panhard pour Saint-Lazare... Si par inadvertance, Liliane tombait sur le calepin en venant faire le ménage, il pourrait toujours lui affirmer qu'il s'agissait de courses en taxi.

Le procès de Baldowsky s'ouvrit en octobre, une semaine après l'exécution de Pierre Laval. Le hasard voulut que les débats soient précédés de la sentence d'une autre série de comparutions : celles des membres de la police spéciale du commissaire Betchen qui officiaient à Aubervilliers, la ville conquise par Laval au début des années vingt. Le sang versé depuis des mois semblait avoir étanché une partie de la soif de vengeance des juges : la peine de mort se faisait plus rare, et celui qui se serait retrouvé devant un peloton au printemps s'en sortait à l'automne, pour les mêmes accusations, avec dix ou quinze ans de travaux forcés assortis de l'indignité nationale. Baldowsky aurait dû être déféré en compagnie de l'inspecteur Rouchely, un autre « mangeur de juifs ». Ils partageaient la même cellule dans la section numéro 3 de la prison de Fresnes depuis la libération de Paris. C'est Baldowsky qui, le matin même, avait décroché la bande de drap avec laquelle son compagnon s'était pendu à la poignée de fenêtre, dans la nuit. Échappant à la vindicte des hommes, il était mort innocent. Le public ne s'était pas encore lassé des exorcismes, et plusieurs dizaines de personnes se pressaient en haut des escaliers du palais de justice, devant les hautes portes à hublots des chambres correctionnelles. Duprest était entré dans les premiers pour aller se placer sur la droite, derrière les travées dévolues aux avocats. La silhouette de Baldowsky, escortée par deux gendarmes, s'était découpée dans l'encadrement de la porte du box, après l'injonction du président de faire entrer l'accusé. Ce n'était plus l'homme que Duprest avait connu, quelques semaines d'enfermement avaient eu raison de sa superbe, de sa morgue, et l'inspecteur se demanda dans quel état il aurait lui-même comparu si le hasard ne lui avait pas fait rencontrer Frenault. Il ne restait plus grand-chose du bravache qui traversait Paris au volant de sa Delahaye rutilante, une soutane d'opérette tassée dans la boîte à gants, rien qu'une carcasse voûtée, une nuque courbée, un regard baissé. Il eut du mal à se mettre debout quand on lui demanda de décliner son identité, au point qu'un de ses gardiens l'aida en le prenant sous le bras. L'écho encore proche des fusillades lui redonna le courage d'y échapper. Son système de défense ne différait pas de celui qu'avaient adopté ses chefs bien que son efficacité laissât à désirer : David comme Rottée s'étaient vu infliger douze balles dans la peau, une par juré.

— Je n'ai fait qu'obéir aux ordres de mes supérieurs qui eux-mêmes les recevaient de dignitaires de l'État français. On me reproche aujourd'hui d'avoir combattu les communistes entre 1941 et 1944, mais je suis bien obligé de rappeler à la Cour que j'ai engagé cette lutte bien avant l'entrée en guerre de l'Union soviétique. Ce parti a été mis hors la loi en septembre 1939, après la signature du pacte Hitler-Staline, et vous savez tout aussi bien que moi que la police avait ordre de traquer, d'arrêter tous ses militants, du plus bas de la pyramide jusqu'à son sommet, du distributeur de tracts jusqu'au membre du Bureau politique. Ce que j'ai fait, à partir de juin 1941 se plaçait dans l'exacte continuité de cette action. D'ailleurs, les textes d'interdiction de ce parti, les décrets Sérol, n'ont pas été annulés, et les fonctionnaires des Brigades spéciales s'appuyaient sur ces dispositions pour faire leur travail. Comment aurais-je pu les mettre en question, moi simple inspecteur de base, alors que toute ma hiérarchie, depuis le chef de l'État, en passant par le ministre, le préfet, le commissaire principal, me disait de m'y conformer ?

Le président ne s'était pas aventuré sur un terrain qu'il savait miné, d'autant que s'il devait sa brusque promotion aux compromissions trop voyantes de son prédécesseur, son parcours comportait quelques points d'ombre sur lesquels il ne souhaitait pas que l'avocat de Baldowsky dirige la lumière. Simple assesseur pendant toutes les années noires, il ne s'était jamais opposé aux réquisitions du procureur, pas plus qu'aux sentences prononcées par celui qui dirigeait les débats contre le gibier livré par tous les Baldowsky de la préfecture de Paris. Il choisit de privilégier un autre angle d'attaque, pour s'épargner.

— Saviez-vous que vos collègues vous surnommaient « le bouffeur de juifs » ?

— Non, et si c'est vraiment le cas, je trouverais ça totalement injustifié... Vous pouvez regarder dans mon dossier, j'ai été arrêté par les Allemands parce qu'ils me soupçonnaient, je veux dire parce qu'ils pensaient que j'étais juif, à cause de mon nom et du prénom de ma grand-mère, Sara...

Le président lui coupa la parole.

— On vous a en effet interpellé sur la base d'une lettre de dénonciation, une sur des millions, mais vous avez été rapidement remis en circulation, et le moins qu'on puisse dire c'est que cet épisode n'a pas entravé votre carrière. Les lois sur lesquelles vous vous appuyiez alors ne relèvent pas d'un gouvernement légal, mais d'une administration en intelligence avec l'ennemi. Je souhaiterais que vous me racontiez ce que vous faisiez dans la nuit du 16 au 17 juillet 1942...

— Je dormais, probablement...

Un murmure de désapprobation monta du public. Baldowsky devança la remarque du juge.

— Comment voulez-vous que je réponde à

une pareille question ? Cela fait plus de trois ans !

— Nous allons vous rafraîchir la mémoire. Faites entrer le premier témoin.

Un vieil homme se présenta à la barre et s'y accrocha comme à une bouée.

— Connaissez-vous l'accusé ?

Après avoir décliné son identité, Marcel Schnébélé, boulanger-pâtisser, né le 12 septembre 1902 à Colmar, domicilié rue des Gravilliers à Paris, IIIe arrondissement, avait tourné la tête vers Baldowsky, l'avait observé fixement pendant une éternité. Sa voix s'éleva dans un silence oppressant.

— Je reconnais l'accusé et je peux vous affirmer que je le vois pour la deuxième fois de mon existence.

— Pouvez-vous nous préciser les circonstances de votre première rencontre ?

Les mains se crispèrent autour du bois verni.

— Je donnerais tout pour que cela ne se soit jamais produit ! C'était la nuit de la grande rafle... On a cogné de grands coups à la porte, et quand je suis venu ouvrir après avoir passé un pantalon et une chemise, je suis tombé nez à nez sur l'inspecteur Baldowsky ici présent. Il était accompagné d'un autre policier en civil et de deux municipaux en uniforme. Il a sorti une liste de sa poche où figuraient le nom de ma femme, Golda, et celui de mes deux enfants Elsa et David...

— Pas le vôtre ?

L'homme porta une main à son visage pour effacer une larme.

— Non, je suis d'origine alsacienne. Mes parents ont rejoint la France en août 1914, au moment de la déclaration de guerre, je veux dire celle d'avant... Si j'étais resté, j'aurais été élevé à la dignité de pur Aryen... Ma femme était juive, et mes enfants également, selon les dispositions du statut en vigueur depuis l'automne 1940...

— « Était »...

Il hocha la tête.

— Oui... Je ne sais toujours pas ce qu'elle est devenue ni les enfants... Ils sont passés par la mairie du IIIe, le Vél' d'Hiv' et Drancy. Je n'ai pas encore reçu la confirmation officielle de leur mort. Ma vie se résume à les attendre.

Le président feuilleta le dossier posé devant lui, annota un document au crayon noir pour se donner une contenance.

— Je mesure tout ce que cela a de pénible, mais j'ai besoin de vous entendre nous dire comment l'accusé s'est comporté envers vous et votre famille... Vous vous en sentez le courage ?

— Je vais essayer, monsieur le Président... Dès qu'il a pénétré dans notre appartement, l'inspecteur Baldowsky a demandé aux policiers en tenue de ressortir et de les attendre, lui et son collègue, sur le palier. À mon avis, il avait certainement sélectionné sur les listes les familles qu'il estimait les plus intéressantes financièrement. Dès qu'il a été seul avec nous, il a laissé entendre qu'on pouvait s'arranger, que la remise des objets de valeur cachés dans l'appartement pourrait nous éviter les mêmes désagréments qu'à nos voisins. Il avait dû être mal renseigné car le peu que je possédais avait servi à couvrir les dettes qui s'accumulaient depuis des mois et des mois... Je lui ai proposé de prendre les meubles, les outils de travail... Il s'est alors mis à hurler, à me frapper... Il a ouvert les tiroirs, vidé les meubles, retourné les matelas, puis comme il ne trouvait rien, il a sorti son pistolet et nous a obligés à nous déshabiller entièrement, les parents devant les enfants, les enfants devant les parents... Et quand on a été nus, il nous a fouillés pour vérifier qu'on ne dissimulait rien dans notre corps... Ce sont les derniers moments que j'ai vécus avec les miens, monsieur le Président...

L'obscurité enveloppait la ville lorsque, à la demande de l'avocat de l'accusation, il fut donné lecture de la déposition que Duprest avait rédigée sous le contrôle de son correspondant Julien Frénault.

« Je soussigné Clément Duprest, inspecteur à la 1re Section des Renseignements généraux déclare en sachant que mes écrits seront utilisés par la justice, que j'ai fait partie à compter du 7 mai 1942 de la 1re Brigade spéciale, tout d'abord dans le Service des propos alarmistes dirigé par le commissaire Rondier, puis directement sous les ordres du commissaire principal Balaume. C'est là que j'ai été amené à faire équipe avec l'inspecteur Gérard Baldowsky à compter du mois d'août 1942 et jusqu'à la Libération. Émile Traverse, le troisième inspecteur qui complétait le groupe, a, lui, été tué par la Résistance en juin 1944, le jour de la visite du maréchal Pétain à Paris. Pour sceller notre prise de contact, Baldowsky nous a emmenés au fort de Romainville où étaient regroupés plusieurs dizaines d'otages gardés par l'armée allemande sous l'autorité du commandant Bickenbach. Baldowsky entretenait quant à lui des relations privilégiées avec l'Obersturmführer SS Trappe. Sans nous avoir mis au courant de ce qu'il venait faire dans ce lieu de rétention de patriotes, Baldowsky est entré dans une pièce du corps de garde et en est ressorti revêtu d'une soutane de prêtre, tenant à la main un livre d'église et une croix. Nous avons alors compris qu'il se faisait passer pour un confesseur auprès des otages afin de recueillir les aveux qui n'avaient pu être obtenus par la force. Cela nous a été confirmé par Baldowsky lui-même quand, sur le chemin du retour, il s'est amusé à nous lire les dernières volontés que les condamnés lui avaient confiées à destination de leurs proches. Je tiens à préciser au tribunal que j'écris ces lignes sans haine aucune, simplement pour servir la vérité. Je signale d'autre part que tout en étant membre de la 1re Brigade spéciale, je servais mon pays en relation avec M. Julien Frénault, aujourd'hui conseiller de M. Donnedieu de Vabres au gouvernement provisoire de la République française. »

La gêne qu'il avait ressentie dès que ses mots s'étaient élevés dans le prétoire s'était vite transformée en une honte épaisse. Il avait l'impression que tout le monde le connaissait intimement et que les mensonges sur lesquels sa vie reposait apparaissaient à chacun. Il éprouva le malaise jusqu'à la douleur. Impossible de dégager la tête de ses épaules, de soulever des paupières devenues aussi lourdes que le plomb, de faire entrer l'air dans ses poumons. Le corps comme une prison. Une crampe violente, dans le ventre, l'obligea à se lever, à traverser la foule qui l'engluait, pareille à un banc de sables mouvants. Il sentit peser sur lui le regard de Baldowsky pendant sa progression vers la sortie. Il se réfugia dans les toilettes où il demeura jusqu'à ce que les piétinements, dans le hall marbré, lui indiquent que la cour s'était retirée pour délibérer. Une Élégante aux lèvres, il se mêla aux groupes de fumeurs accoudés aux rambardes des escaliers, grappillant au passage des bribes de discussions. Personne ne donnait très cher de la peau de Baldowsky, et si chacun compatissait au malheur du boulanger orphelin de sa famille, tous s'accordaient pour dire que l'ignominie était à son comble quand on se faisait passer pour un ministre du culte dans le seul dessein de voler à Dieu les dernières paroles d'un supplicié. Duprest n'eut pas le courage de retourner dans la salle du tribunal pour la lecture de la sentence. Il quitta l'enceinte du Palais, traversa le boulevard pour regagner les bureaux de la rue de Lutèce. Ce fut Germain Labroux qui l'informa du verdict, tard dans la soirée, alors qu'il revenait d'une planque dans un meeting socialiste sur le référendum prévu à la fin du mois. Il s'était installé pour mettre ses notes au propre.

— Je ne pensais pas qu'ils auraient assez d'énergie pour le coller au poteau, ce salaud ! Il y en a de plus en plus qui en réchappent. Ils n'ont pas eu de pitié, eux, pour les envoyer dans les camps, femmes et enfants compris !

Il savait à quoi s'en tenir mais il avait posé la question comme si cela possédait le pouvoir d'atténuer sa responsabilité.

— De qui tu parles ?

— De Baldowsky, le faux prêtre et vrai bourreau. Je passais sur le trottoir quand le procès se terminait. La mort, à l'unanimité. Félicitations ! D'après les commentaires, il paraît que ton témoignage a été décisif.

Duprest décrocha son manteau de la patère.

— À demain...

Il traversa la Seine sous le crachin pour rejoindre le plateau Beaubourg encombré par les camions, les charrettes et les chevaux des commerçants des Halles. Il n'avait faim de rien, ni des plats que lui proposaient les gargotes, ni des sourires offerts par les pierreuses de la rue Quincampoix, ni des heures d'oubli en Technicolor promises par les calicots tendus au-dessus des cinémas. Il marchait, le col relevé, les cheveux collés sur le front par la pluie passagère, la main gauche enfouie dans sa poche, l'autre s'élevant jusqu'à ses lèvres, avec une régularité de métronome, pour y accoler l'embout d'une cigarette. Deux de ses équipiers, Bricourt puis Traverse, étaient morts dans l'exercice de leurs fonctions, et il venait de fournir les armes au peloton qui s'apprêtait à tuer le troisième. Il ne savait plus trop si ce qu'il sauvait en valait la peine, si sa vie nécessitait tous ces accommodements. Perdu dans ses pensées, il ne se rendit pas compte qu'il s'engageait sur le boulevard Sébastopol. Le klaxon rageur d'un taxi le ramena soudain à la réalité. Il se figea à un mètre du trottoir, tourna la tête en direction du faisceau des phares alors que la voiture, les freins bloqués, glissait sur l'asphalte mouillé. Le phare proéminent accrocha le pan flottant de son manteau. Une main le saisit à l'épaule, le rejeta en arrière alors qu'il acceptait déjà d'être emporté sous les roues, et la moitié de son vêtement disparut dans la nuit, vers Strasbourg-Saint-Denis, accompagné par un bruit de tissu déchiré.

— Faut faire attention, vous avez failli y passer ! Ils ne font pas de cadeau dans le secteur, d'autant que le feu était au vert...

Duprest se tourna vers son protecteur, un géant au visage couperosé, le torse ceint d'un drap maculé de sang, qui se dressait devant la gueule béante d'une remorque de camion pleine de carcasses de moutons. Il parvint à bredouiller :

— Je n'ai rien vu avec cette pluie. Merci...

— Moi, c'est pas la flotte qui m'empêche de voir...

Duprest fut incapable de comprendre qu'il était redevable d'un verre, pour le geste. Il profita du passage du feu au rouge pour s'engager sur le boulevard apaisé, à hauteur du siège social des établissements Félix Potin. Il se débarrassa de son manteau déchiré dans la première poubelle venue, et attendit d'avoir disparu du champ de vision de son sauveur pour profiter de l'abri d'un café aux vitres obscurcies par la buée des respirations. En bout de bar, trois radeuses hors d'âge comparaient les effets de la mauvaise saison sur leurs rhumatismes respectifs, tout en se sachant observées, évaluées en coin par un quidam au strabisme convergent. Près du poêle, un groupe de porteurs reconnaissables à leur tablier bleu prenaient des forces pour charrier leurs diables emplis de cageots toute la nuit à venir. Il s'essuya le front avec son mouchoir à carreaux, s'accouda au coin du zinc sous l'affichette avertissant les pochards de ce qu'il en coûtait d'exprimer publiquement son ivresse. Deux types, assis autour d'une table ronde, dans son dos, l'invitèrent malgré lui dans leur conversation. Il aurait pu être question de femmes, là, c'était de politique.

— Et toi, pour qui tu vas voter dimanche ?

Tandis qu'on lui servait un cognac, Duprest jeta un œil par-dessus son épaule trempée pour voir la tête de celui qui était ainsi interpellé. Un regard lui suffit. La technique du portrait parlé s'imposa à son esprit : « Quarante ans, un mètre soixante-dix, efflanqué, visage osseux, lunettes cerclées, front dégagé, calvitie en couronne, gabardine crème, pantalon noir, souliers noirs, talons éculés », et comme on était à proximité de cette rue, il le baptisa Rambuteau.

— Je ne sais pas encore. Il n'y en a pas un pour relever l'autre. Si de Gaulle avait un parti, j'aurais voté pour le sien. Et toi, Roger, tu t'es décidé ?

Le Roger en question tournait le dos à l'inspecteur qui n'apercevait que les volutes de fumée s'élevant au-dessus d'un crâne parfaitement rasé mettant en valeur deux oreilles fortement décollées.

— Je les fourre tous dans le même sac. Communistes, socialistes, MRPistes... Ton général avec, pour faire bon poids !

— Tu as pourtant eu la carte avec les outils...

— J'ai failli, mais je me suis retenu à temps.

En 36, j'étais « Front populaire », pour la paix, le pain, la liberté, et ceux que j'ai élus n'ont rien trouvé de mieux que de faire appel au Maréchal ! Du coup, ça s'est transformé en Occupation, pain noir et chaînes aux chevilles. Résultat pour bibi, trois ans de travail forcé chez les cousins germains ! On était prévenus pourtant : tu sais comment on appelle ça le moment, au soir des élections, où on ouvre les bulletins ?

Rambuteau s'y connaissait.

— Oui, c'est le dépouillement, pourquoi ?

Roger le rasé leva son bock de bière.

— Le dépouillement ! Formidable, non ? Ils sont francs au moins, on ne peut pas leur enlever ça... Tu votes, et dès que tu as déposé ton enveloppe dans l'urne, c'est fini pour ta gueule, on te dépouille de tout droit de regard sur l'avenir. Ton député fait ce qu'il veut des promesses de la campagne électorale, il peut décider d'une guerre, d'un impôt supplémentaire et toi, il ne te reste plus que tes yeux pour pleurer.

Pour donner un semblant de but à sa dérive nocturne, Duprest attendit en sirotant son cognac que les deux amis se décident à partir pour les suivre. La pluie avait cessé quelques minutes après le début de cette filature sans objet. Quand ils se séparèrent au carrefour Turbigo, l'inspecteur mis ses pas dans ceux du déçu de 36 qui prit la rue Montorgueil puis des Petits-Carreaux pour se diriger vers l'immeuble à structure métallique de *France-Soir*, sur Réaumur. Il le vit entrer dans le hall, serrer la main du gardien, échanger les deux ou trois phrases habituelles, puis s'immobiliser au début d'un couloir, prendre une fiche dans un casier et l'introduire dans la pointeuse dont il abaissa le bras avant de disparaître vers l'imprimerie.

Duprest eut soudain froid. Il releva son col de veste pour filer vers la station Châtelet. La première chose qu'il aperçut en entrant dans l'appartement de la rue Joanès, ce fut la valise ouverte de Liliane posée sur la table de la salle à manger. La vie de couple reprenait.

CHAPITRE 5

L'année qui suivit fut marquée par une discrète promotion interne de Duprest, un avancement matérialisé non par un grade ou une augmentation de traitement, mais par son accès limité aux dossiers « Confido » de la 1re Section que le commissaire principal gardait très précieusement dans un coffre scellé au bas d'un mur de son bureau. La hiérarchie le considérait comme digne de confiance, et c'était comme un adoubement. Des milliers de bruits invérifiables couraient au sujet des fiches annotées quotidiennement à partir des confidences, des indiscrétions, des dénonciations, des interceptions de courrier, des écoutes et des filatures. Plus de la moitié du gouvernement du général de Gaulle y figurait, prétendait-on, André Malraux, ancien prix Goncourt et actuel ministre de l'Information en tête. On pouvait à l'occasion lui rappeler quelques trafics d'œuvres d'art ainsi que des libertés prises avec la vérité dans la rédaction de ses romans les plus célèbres. D'autres voyaient leur nom calligraphié sur le rose pâle d'une chemise souple pour autre chose que des peccadilles. On y consignait, paraît-il, les preuves des penchants pour l'extrême jeunesse d'une sommité socialiste promise aux plus hautes fonctions. La liste du personnel politique et ecclésiastique inverti était scrupuleusement mise à jour, ainsi que le compte exact des fruits adultérins des multiples passades parisiennes des députés et sénateurs. Les journalistes avaient droit aux mêmes égards, ce qui facilitait grandement les relations du service avec la presse.

Les choses s'étaient déroulées dans le non-dit, comme toujours. Le commissaire principal l'avait convoqué un matin pour lui remettre une invitation à une première théâtrale valable pour deux personnes. Cela lui permettrait, lui avait-il confié, d'approcher l'auteur de la pièce sur qui il était temps de recueillir quelques indiscrétions au cas où ses dispositions pour la polémique le conduiraient à embrasser une carrière politique. Duprest consacra une partie de la semaine à collationner les divers renseignements sur la cible déjà disponibles dans les différents services, procéda à une copieuse revue de presse, passa plusieurs coups de fil à des correspondants, obtint les révélations d'un des indicateurs portés sur la liste de Traverse. Cela le surprenait toujours autant, et c'était un bonheur, de voir se dessiner une personnalité à partir de tous ces éléments épars, de constater que la juxtaposition de ces multiples regards donnait naissance à une réalité palpable. Il savait déjà à quoi s'en tenir sur l'individu quand Liliane l'avait accompagné au théâtre Antoine, un soir neigeux de novembre 1946, enveloppée dans un manteau de fourrure loué pour l'occasion dans une boutique du quartier de l'Opéra. Elle se faisait une joie d'assister à ce que la presse annonçait comme un scandale mondain. Ils étaient ressortis consternés, abasourdis, incapables de résumer l'argument de *Morts sans sépulture*, la pièce qui s'était jouée devant leurs yeux, avec l'impression d'avoir vu des personnages sans consistance ni envergure humaine, des pantins, s'agiter sur un plateau. Après avoir pris soin de ramasser tout ce qui pouvait l'être, prospectus, présentation de l'auteur et des comédiens, du metteur en scène, de noter les noms des personnalités présentes, Duprest s'était déplacé jusqu'au fumoir, par acquit de conscience. Là, il avait pu côtoyer le dramaturge, un myope au cheveu rare accroché à sa cigarette comme à une bouée de sauvetage, étonné de constater l'attention soutenue que lui portaient les femmes et les jeunes filles dont il était entouré. Dès qu'ils furent de retour à Plaisance, après un arrêt intempestif du métro certainement imputable au rationnement de l'électricité, l'inspecteur s'isola dans les toilettes pour rédiger le premier jet de la notule concernant celui qu'il baptisa fautivement Jean Sartre, lui attribuant

Paul comme second prénom au lieu d'en faire le composé de Jean-Paul. Il relut tout d'abord la seule trace, référencée 340 233, en provenance de la section « presse », laissée par le sujet dans les archives de la maison. Cela concernait la création un an plus tôt, par un professeur de philosophie au lycée Condorcet (Paris), de la revue *Les Temps modernes*, tirée à cinq mille exemplaires et mise en vente au prix de soixante francs le numéro. Duprest mordilla la pointe du crayon pour dégager la mine, alluma une Élégante et se mit à écrire.

« JS né à Paris (XVIe), 21 juin 1905. Père, Jean-Baptiste, officier de marine, décédé en Indochine. Mère née Schweitzer (vérifier parenté avec le docteur alsacien). Service militaire à Tours, service météorologique de l'Armée (octobre 1929 à janvier 1931). Répond à la mobilisation générale en 1939 (70e division, Wissembourg). Fait prisonnier à Padoux, interné au Stalag XII D, parvient à s'évader (vérifier comment), présent à Paris en avril 1941. Pas de sympathies pétainistes connues. Participe à un groupe de résistance, Socialisme et Liberté (dresser liste des membres connus). JS dispose actuellement de deux adresses permanentes : l'hôtel La Louisiane, 60 rue de Seine (le plus souvent), et le domicile de la veuve Mancy (à creuser), 42, rue Bonaparte (tél. DANton 92.98). Multiples activités à côté de son métier d'enseignant. JS a connu une certaine reconnaissance en inventant une nouvelle philosophie, l'existentialisme, une méthode selon laquelle l'existence prend le pas sur la simple notion d'essence de la vie. Les spécialistes y voient un simple développement de la pensée du philosophe allemand Heideger (vérifier l'orthographe) auquel se référait le docteur Goebbels. D'autres considèrent que c'est surtout un prolongement des travaux du Danois Kirk Goard (vérifier l'orthographe).

« Auteur pour le théâtre, il doit sa première mise en scène (*Le tsar Lénine*, 1937) par Charles Dullin au fait que ce dernier a des relations intimes avec Simone Jollivet (vérifier l'orthographe), cousine de JS. Célibataire, il vit maritalement avec mademoiselle de Beauvoir, femme de lettres (exclusion Éducation nationale, voir dossier PJ n° F.78.478 au nom de Suzanne Defen, dénonciation calomnieuse mars 1942, sans suite). De nombreux cercles intellectuels évitent la compagnie de JS qui y est considéré comme un obsédé de l'ordure. Deux anecdotes rapportées par ses ennemis (à prendre avec prudence, vérification obligatoire), si elles sont confirmées, éclairent le personnage : JS composerait diverses collections dont une de camemberts pourris qu'il dévoilerait à ses conquêtes féminines (voir coupure de presse jointe *Samedi-Soir*). Il accumulerait également des papiers hygiéniques usagés dont les spécimens jugés les plus remarquables seraient reliés dans un classeur à couverture rouge... »

Liliane tambourina à la porte.

— Qu'est-ce que tu fabriques ! Tu as bientôt fini ?

— Laisse-moi un peu tranquille... J'arrive.

Duprest fit sauter un peu de bois, autour de la pointe du crayon afin de pouvoir tracer les dernières lignes de son pré-rapport.

« JS aurait adhéré au parti communiste au cours des mois ultimes de l'occupation allemande avant d'en être exclu pour "indiscipline" et "anarchisme littéraire" (conversation avec BJ). On ne dispose à ce jour d'aucun autre élément probant sur une nouvelle attache partisane particulière. Son nom apparaît dans une enquête approfondie de la Direction de la Surveillance du Territoire (au titre de la détermination de suspects) concernant l'assassinat de deux femmes à Nice, en février 1945. Sans suite. »

Il plia le papier en quatre, le glissa dans sa poche, jeta son mégot dans la cuvette, puis il tira la chasse pour laisser la place à sa femme. Les gouvernements ne tenant guère plus d'une saison, il apprit plus tard que sa note de synthèse (à laquelle il avait joint une critique assassine de *Morts sans sépulture* signée dans *Le Figaro* du lendemain par Jean-Jacques Gautier et qui reflétait exactement son avis) était parvenue au nouveau ministre de l'Intérieur, Édouard Depreux, alors que c'était son prédécesseur qui l'avait demandée.

À quelques semaines de là, plusieurs nouvelles bouleversèrent la vie intime de Duprest, son environnement professionnel ainsi que le climat politique dans lequel il exerçait ses talents. Liliane avait fini par le convaincre d'aller s'enfermer près de quatre heures d'affilée dans la salle de l'Atlantic, un dimanche de la fin d'avril, pour suivre les aventures de Rhett Butler et Scarlett O'Hara interprétées par Clark Gable et Vivien Leigh.

— Tout le monde a vu le film, on sera bientôt les deux seuls, à Paris, à être passés à côté... Si ça ne te plaît pas, on partira à l'entracte.

En fait, il y avait foule devant le cinéma, et ils durent se contenter d'un fauteuil d'orchestre au lieu de leur habituelle première rangée de balcon, celle depuis laquelle les garnements jetaient des boules de papier sur les chevelures alignées en contrebas. Il s'était laissé emporter par l'histoire dès les premières images. Elle lui avait tenu la main pendant toute la durée de la projection, rythmant les sursauts de l'intrigue par des pressions de ses doigts sur les siens, posant sa tête contre son épaule lors des retrouvailles ou des baisers fougueux. Ils avaient marché en silence vers le carrefour Alésia, en sortant, les yeux encore éblouis par les couleurs du Sud, le faste des décors, la beauté des acteurs, le tumulte des passions, le fracas des batailles et des cœurs. Elle s'était arrêtée devant la devanture d'un pâtissier à la recherche d'une table tranquille.

— Il n'y a pas grand-chose, mais je me laisserais bien tenter par une part de tarte aux pommes et un café... Pas toi ?

Ils avaient à peine eu le temps de commander qu'elle lui reprit les mains alors qu'il s'apprêtait à gratter une allumette contre le mur pour incendier le bout de son Élégante.

— Mais qu'est-ce que tu as aujourd'hui ? Si c'est le film qui te fait cet effet-là, j'aurais vraiment dû t'y emmener plus tôt !

Elle inclina son visage vers la nappe, baissa les paupières sur ses yeux embués.

— Clément, je suis heureuse et j'ai peur... Il faut que tu m'aides à le retenir en moi...

— De quoi tu parles ?

— Je suis enceinte...

Clément accusa le coup. Il dissimula son trouble en saupoudrant une cuillerée de saccharine dans son café.

— Tu es sûre ?

Un sourire éclaira ses traits.

— Oui, je me posais la question depuis deux mois... J'en ai eu la confirmation par le médecin hier après-midi. Qu'est-ce que tu préférerais, une fille ou un garçon ? Clark Gable ou Vivien Leigh ?

Il se pencha au-dessus de la table pour déposer un baiser furtif sur ses lèvres.

— Ce n'est pas à nous de choisir. Les dés sont déjà jetés. Même si la maison est un peu petite, on trouvera le moyen de faire la fête à celui ou à celle qui se présentera...

Liliane n'avait pas relevé la nuance de dépit dans les paroles de son mari, tout à son bonheur d'avoir pu lui parler, en plein jour, des conséquences des choses de la nuit. L'autre événement était survenu en mai, tandis qu'on pavoisait les Champs-Élysées pour commémorer le deuxième anniversaire de la capitulation allemande : la coalition contre-nature issue de la Résistance éclatait enfin. Les ministres communistes, après avoir avalé la couleuvre de la répression des émeutes de Sétif, en Algérie, venaient de voter comme un seul homme pour porter le socialiste Vincent Auriol à la présidence de la République. Depuis un mois, ils ne savaient comment se sortir du bourbier malgache où les révoltes se soldaient par des milliers de morts, et ils venaient de se désolidariser du gouvernement sur la politique salariale et les mesures pour combattre l'inflation. Paul Ramadier, président du Conseil, s'était jeté sur l'occasion pour se débarrasser de ces alliés encombrants imposés par l'Histoire. Tandis que les Maurice Thorez, Charles Tillon, Marcel Paul et autres Ambroise Croizat quittaient les ministères, tous ceux qu'ils avaient mis en place aux échelons inférieurs du pouvoir se demandaient à quelle sauce ils allaient être mangés. Duprest s'était aperçu du changement de climat dès le matin du 5 mai, en arrivant au bureau. Si Germain Labroux avait bien déplié son *Humanité* sur la table, près de la cafetière, il s'était abstenu de lancer la conversation sur les événements en cours, pressentant que son sort personnel était aussi noir que les caractères qui barraient la une du journal. La sonnerie du téléphone, en rompant le silence, lui avait offert une diversion. Il avait décroché et s'était tourné vers Clément.

— Tiens, c'est pour toi.

Quand il avait reconnu la voix de Frénault, l'inspecteur s'était éloigné en tirant au maximum sur le fil du combiné, puis il s'était borné à approuver d'une syllabe les directives de son correspondant qu'il avait retrouvé un quart d'heure plus tard à La Fauvette, un troquet minuscule situé dans un recoin de la place du Châtelet, près du quai de la Mégisserie. Son complet rayé de grande coupe détonnait dans le cadre fréquenté pour l'essentiel par les machinistes du théâtre ou les employés des graineteries établies le long du fleuve. Il commanda un verre de Vichy, ce qui fit sourire Duprest, trempa ses lèvres dans le liquide pétillant avant de s'adresser à l'inspecteur.

— Vous avez lu les journaux ?

— Survolé seulement, mais j'ai écouté les commentaires hier soir et ce matin, à la radio... Ce n'est pas trop tôt...

— La décision de Ramadier est courageuse, mais ils ne vont pas se laisser égorger sans réagir. Ils sont prêts à mettre le pays à feu et à sang. Ce que nous avons vécu avec la grève des rotativistes, puis des journalistes, des typographes, Paris privé de quotidiens pendant plus d'un mois, n'est qu'un avant-goût de ce qui nous attend. Ils tiennent le secteur de l'énergie depuis la nationalisation de l'électricité, sans compter le charbon et les barrages, les transports, la distribution du courrier, les docks... La métallurgie... Si on les laisse s'organiser à leur guise, aucun gouvernement ne tiendra une semaine sans hisser le drapeau blanc. Ramadier marche sur des œufs, et son problème, c'est que les œufs sont posés sur un fil ! La production ne décolle pas, les prix augmentent... Il va devoir annoncer l'interdiction de l'éclairage des bâtiments publics et des vitrines des commerces, des frontons des cinémas, par mesure d'économie, et très certainement le renforcement du rationnement du pain... La situation peut rapidement devenir explosive, incontrôlable...

Il baissa la voix en constatant que le patron tirait l'œil et tendait l'oreille vers eux tout en faisant semblant d'être absorbé par le nettoyage de ses tasses et de ses soucoupes.

— D'après nos estimations, un tiers des compagnies de CRS ne répondraient pas aux ordres de leur commandement en cas de coup de force communiste. Je n'ai pas contribué à effacer la moustache d'Hitler du paysage français pour voir, à sa place, pousser celle de Staline.

Duprest partageait ce point de vue bien qu'il

ne sache pas exactement à quelle chapelle Frénault était affilié. Il se rendait compte qu'une course de vitesse était engagée même s'il pensait que la solution à la crise pouvait résider dans une intervention extérieure.

— Les Américains n'accepteront jamais de voir une démocratie populaire s'installer sur leurs arrières ! Ils ont décidé, au contraire, de nous aider à reconstruire le pays. Ils vont nous verser un milliard de dollars. Ça résoudra tous les problèmes !

Frénault ruina ses espoirs.

— Sauf un : celui du temps. Il faut qu'ils en discutent, qu'ils se mettent d'accord, qu'ils le votent. Ce programme va leur demander au moins un an, alors qu'ici tout va se jouer au cours des six prochains mois. Si la démocratie est toujours en place à Noël, le plan Marshall viendra la consolider. La question c'est : comment faire pour tenir jusque-là ?

Il avança brusquement son visage vers celui de l'inspecteur, presque à l'effleurer.

— Je vais vous dire, Duprest... Nous n'avons qu'une seule carte à notre disposition : détruire l'adversaire avant qu'il ne nous détruise. Il faut le connaître de l'intérieur pour mieux l'intoxiquer, le forcer à la suspicion, puis à la scission. Diviser l'ennemi pour mieux le réduire. Tous les moyens sont bons, seul le résultat compte. Ce Labroux avec lequel vous travaillez, vous pensez pouvoir le retourner en notre faveur ?

Clément écarquilla les yeux.

— Ce n'est même pas la peine d'essayer.

— Toute cuirasse a son défaut...

— Là, il est bien caché. Il n'est pas marié, se satisfait de son salaire, aime les filles, boit modérément... Tous les matins, il lit son journal de classe comme si c'était un bréviaire. Le reste de la journée, il trouve le moyen de nous faire l'article sur tout ce qui y est développé, de l'éditorial du secrétaire général jusqu'à sa vision sociale des faits-divers en passant par *Les aventures de Pif le chien* ! Sa seule faiblesse, c'est le jazz américain, mais comme c'est joué par des Noirs opprimés, les cocos ferment les yeux... C'est sérieux, vous vous intéressez vraiment à Labroux ?

Frénault avait fait sonner quelques pièces de monnaie sur le zinc avant d'entraîner Duprest vers la place en le prenant par l'épaule. Des hommes en bleus sortaient des toiles peintes de l'arrière d'un camion, et ils se retrouvèrent soudain cernés par une jungle d'opérette. Duprest repoussa un lion de chiffon, enfonçant son bras dans la gueule béante, tandis que Frénault se baissait pour laisser passer un alligator ondulant.

— À lui comme à d'autres... Il faut tirer tous les fils. Notre survie dépend de notre capacité à anticiper les manœuvres de l'adversaire, à lire dans son jeu. Le rapport sur les Renseignements généraux qu'il a rédigé pour la direction de son parti, et que vous avez intercepté, montre qu'il occupe une place élevée dans l'appareil. On ne confie pas ce genre de mission à un subalterne. Plus nous disposerons d'informateurs de ce niveau, mieux ce sera. Sinon, s'il n'y a pas d'espoir avec Labroux, vous voyez d'autres pistes ?

— Je peux essayer de prendre quelques contacts, je ne vous promets rien.

Ils se séparèrent devant la bouche du métro Châtelet. Tandis que Frénault descendait les marches, Duprest contourna l'imposante fontaine de la Victoire sous le regard de pierre des statues représentant la Foi, la Vigilance, la Loi et la Force, avant de se diriger vers la Cité par le pont au Change.

CHAPITRE 6

Germain Labroux fut muté en juin au commissariat de Saint-Denis, rapidement surnommé « le Soviet des flics », où il avait été décidé de regrouper un maximum de policiers dont il fallait se défier, en attendant de trouver un motif de les révoquer. Dans le même temps, le nouveau préfet de Paris mettait en place une Commission consultative de révision des sanctions relatives à l'épuration, appelée à traiter plusieurs centaines de recours, principalement des agents municipaux, dans la sérénité que permettait le nouveau climat politique. Plusieurs inspecteurs de la 1re Brigade spéciale profitèrent de l'aubaine et purent ainsi faire leur retour rue de Lutèce. Duprest ne put masquer un certain désappointement quand on lui annonça le nom du remplaçant de l'amateur de jazz dont il portait, par hasard, les mêmes initiales. Gérard Loyon avait fait équipe avec Baldowsky, au début de la guerre, et Duprest craignait que l'écho de la fusillade ne résonne toujours en lui depuis ce matin blême, dans la cour de la prison de Fresnes. Loyon avait tenu à mettre les choses au clair dès son arrivée dans le bureau du deuxième étage.

— Je sais que tu ne pouvais pas faire autrement, pour Baldo. N'importe comment, il était cuit.

L'oraison était amplement suffisante. Son nom n'avait plus jamais été évoqué, ni par l'un ni par l'autre. Loyon avait, lui, écopé de cinq ans de suspension pour « arrestations et sévices », mais il était parvenu à réunir une série de témoignages qui éclairaient un aspect moins connu de sa personnalité. Selon ces nouvelles pièces, il serait venu en aide à des familles de suspects, de détenus, il aurait également prévenu plusieurs personnes de l'imminence de descentes de police, les sauvant de la déportation. Il avait suffi à Duprest de mettre en rapport les noms de ces témoins miracles avec les archives réservées du service auxquelles il avait accès, pour comprendre la manœuvre. Tous les garants de Loyon, sans exception, y figuraient. S'il s'agissait bien d'authentiques victimes, elles n'en avaient pas moins craqué lorsqu'elles s'étaient retrouvées à la merci de Loyon qui, d'évidence, était allé leur rappeler une faiblesse momentanée pour se remettre en selle, le tout avalisé et tamponné par les aveugles volontaires de la commission préfectorale. Duprest s'était arrangé pour faire comprendre à son subalterne qu'il n'était pas dupe sur les raisons de son retour en grâce. Pour pousser son avantage, il l'avait directement associé à une mission de confiance, imitant la méthode que Bricourt puis Baldowsky pratiquaient jadis à son égard.

— J'espère que tu n'as rien de prévu ce soir...

— C'est-à-dire que je suis invité à manger chez les beaux-parents... On devait justement fêter ma réintégration.

— Tu parles d'une corvée ! Passe un coup de téléphone à ta femme pour lui demander de laisser le champagne au frais. Je t'offre une excuse de première pour te défiler : un ordre de réquisition du chef de service...

Duprest profita du moment où il composait le numéro sur le cadran pour l'observer. Comme beaucoup d'inspecteurs, il correspondait bien plus à l'image qu'on se fait d'un comptable qu'à celle d'un flic. Pantalon gris, le pli impeccablement posé sur la pointe des souliers noirs, veste sombre, chemise blanche, large cravate sans motif, le tout enveloppant un homme qu'on pouvait croire chétif avant de se rendre compte qu'il n'était que muscles. Il avait un visage rond, du type de ceux dont on ne retient pas les traits, des yeux inexpressifs, des cheveux courts dont la couleur hésitait entre le blond foncé et le brun clair. La tête idéale pour s'adonner aux filatures.

Il reposa le combiné après s'être difficilement décommandé.

— Et qu'est-ce qu'on fait, si ce n'est pas un secret ?

— On mange au restaurant, mais ce qui est original, c'est que c'est un dirigeant du parti communiste qui se charge de régler l'addition.

Duprest expédia les affaires courantes en attendant que le taxi qu'il avait commandé pointe son nez dans la cour d'honneur de la Préfecture. Il étala sur son bureau les documents qu'on lui avait fait parvenir, extrait d'acte de naissance, fiches des garnis, formulaire de demande de nationalité française, articles de presse, photos, comptes rendus d'enquêtes de voisinage, pochettes de disques 78 tours, et se livra à l'un des exercices qu'il préférait, celui de la synthèse. Il engagea une feuille vierge entre les rouleaux de la machine, l'ajusta, poussa le curseur du ruban sur le rouge pour taper les six lettres majuscules de « SECRET ».

« Ivo Livi est né citoyen italien le 13 octobre 1921 à Monsumano. Son père (communiste, vérifier) s'est exilé pour raisons politiques après l'accession de Mussolini au pouvoir. Ivo Livi, installé à Marseille, a bénéficié d'une mesure de naturalisation (décret 20 janvier 1929). Il est porteur d'une carte d'identité numérotée 549, établie en septembre 1939 par la préfecture des Bouches-du-Rhône et prorogée en février 1944. Artiste de variété, il semble recueillir les faveurs d'un public principalement féminin sous le pseudonyme de Yves Montand. D'après nos informations, il n'y aurait pas de signification particulière à ce choix : il explique que lorsqu'il était enfant, sa mère, italienne, lui demandait de grimper à la maison par ces mots : "*Ivo, monta !*" et que c'est ce souvenir qui lui a donné son nom de scène. Tout d'abord interprète des succès fantaisistes de Fernandel ou Chevalier, Yves Montand s'oriente vers un répertoire personnel. Contrairement à son frère Livio Livi, communiste déclaré, on ne lui connaît pas d'engagement politique. »

Duprest recopia ensuite la liste des chansons figurant sur les deux disques enregistrés par le chanteur, sans omettre les noms des paroliers ou des compositeurs. Quand il eut terminé, il ajouta un souvenir personnel :

« L'une de ses premières apparitions parisiennes, sinon la première (vérifier), date du 17 février 1944, à l'ABC, où il assurait le rôle de vedette américaine d'André Dassary. »

Deux brefs coups de klaxon retentirent en contrebas. Il décrocha sa veste légère de la patère, tapotant l'épaule de Loyon au passage.

— On y va...

Ils longèrent la Seine vers les beaux quartiers où, par souci de discrétion, l'informateur de Duprest leur avait fixé rendez-vous. L'inspecteur profita du trajet pour fournir, à voix basse, les données de base à son collègue.

— Le type qu'on va rencontrer s'appelle Pierre Trancheur, c'est un ponte de la fédération Seine Nord-Est du PC. Jusqu'à maintenant, je ne l'ai eu qu'au téléphone. Il a débuté comme ouvrier à la raffinerie de sucre Lebaudy à la Villette, un an ou deux avant le Front populaire. Il a organisé la grève, l'occupation de l'usine. Il est parmi les premiers à partir en Espagne pour se battre contre Franco, et on le retrouve dans un des triangles de direction des francs-tireurs, en Seine-et-Marne, du côté de Villeparisis. Jamais arrêté, jamais inquiété... Il disposait d'une fausse identité à toute épreuve, sinon, on aurait fait des dégâts, je te prie de le croire...

Duprest se pencha pour apercevoir le dernier étage de la tour Eiffel.

— Et pourquoi il accepte maintenant de te parler ? Comment tu l'as coincé ?

— Par les couilles, comme souvent !

— C'est une tantouse ?

— Non, tout le contraire... Six ou sept cents filles bossaient chez Lebaudy à l'époque. Il paraît qu'il en a inscrit un paquet à son tableau de chasse... Au moment de partir pour l'Espagne, il vivait avec une de ces beautés sucrières, Isabelle Dubourg. Il a eu la faiblesse de lui confier la garde de son trésor de guerre, un petit matelas de billets provenant des collectes, sur les marchés, à la sortie des boîtes... Pendant son absence, la fille n'a pas pu résister à la tentation. Son nouveau train de vie a attiré l'attention des municipaux qui ont recueilli ses confidences... Le plus drôle de l'histoire, c'est qu'ils n'avaient rien à lui reprocher, rien n'interdit de s'acheter un manteau de fourrure avec l'argent des quêtes !

— Je ne comprends toujours pas... Ton Trancheur n'y est pour rien... Il lui suffisait d'expliquer simplement qu'il s'est fait rouler dans la farine...

Duprest prit son paquet d'Élégantes dans sa poche et en tapota le fond pour faire sortir le bout d'une cigarette.

— Jusque-là, oui, tu as raison... Son problème, c'est qu'il était vraiment accroché à cette môme. Il ne pouvait pas s'en passer. De retour d'Espagne, au lieu de mettre les choses sur la table, il a camouflé l'évaporation du pactole en déclarant au parti qu'il avait été victime d'un cambriolage, ce que la fille a scrupuleusement répété aux municipaux qui continuaient à la tenir en laisse, avant de prendre le large... Il suffirait qu'on souffle l'information à nos amis de *France-Soir* ou de *Samedi-Soir* pour que notre héros soit ravalé au rang de renégat... Il y a seulement trois ans, ses camarades l'auraient liquidé d'une balle dans la nuque.

Le taxi bifurqua vers la droite après le pont de Bir-Hakeim, pour se lancer à l'assaut des pentes du XVIe arrondissement. La rue de l'Assomption se cachait sous les frondaisons estivales de la colline de Passy, derrière l'usine à gaz d'Auteuil, la Compagnie d'éclairage de l'Ouest d'avant les nationalisations. Ils effectuèrent les derniers cent mètres à pied, dans l'odeur du chèvrefeuille et des roses dont les branches chargées de lourdes fleurs, jaunes, parme ou violettes, s'échappaient au travers des grilles, dépassaient des murs des pavillons. Le Belvalette, installé au rez-de-chaussée d'une maison bourgeoise, occupait l'angle d'avec la rue Davioud, à proximité du lycée Molière. Après une volée de marches, une courte terrasse carrelée menait à une salle façon auberge de campagne, poutres apparentes, mobilier rustique, aux murs décorés de photographies donnant à voir tous les modèles de voitures hippomobiles de la firme Belvalette dont le propriétaire du restaurant se disait l'héritier : calèches, berlines, coupés, cabriolets à quatre roues de type Mylord ou Victoria...Une demi-douzaine de couples et autant d'hommes seuls échappaient aux rigueurs du rationnement autour des deux plats du jour annoncés à la craie sur une ardoise posée au-dessus de la cheminée : pot-au-feu ou potée auvergnate. Duprest reconnut son contact dans le célibataire assis à l'écart, près du casier à bouteilles, un verre de Dubonnet à la main. Il s'était fortement empâté depuis que la photo qui figurait dans le dossier de Traverse avait été prise, une dizaine d'années plus tôt, le crâne s'était dégarni, les rides s'étaient accentuées, mais l'inspecteur, rompu aux identifications effectuées à la volée dans les rues, avait mentalement noté les caractéristiques permanentes : la mâchoire carrée, les yeux noirs et profonds, l'oreille droite plus décollée que sa jumelle, le méplat sur l'arête du nez... L'homme se leva quand les deux policiers se dirigèrent droit sur lui, les invita à prendre place, même s'il refusa ostensiblement de serrer la main que Duprest lui tendait. Ils s'accordèrent sur un menu commun, du jambon persillé en entrée, le pot-au-feu à la moelle pour suivre, le tout arrosé d'un pichet de mâcon rouge, garanti par la maison, que le patron faisait venir en tonneau de Solutré. L'inspecteur attendit que les assiettes et les verres soient pleins pour engager la conversation sur ce qui motivait la rencontre.

— On se tutoie ?

— C'est comme vous voulez....

— Tu t'occupes toujours des relations du parti avec les syndicats, et quand je dis les syndicats, je pense surtout à la CGT...

Il prit un croûton dans la panière, le brisa entre ses doigts.

— Toujours. Je n'oublie pas que j'ai eu d'importantes responsabilités à la fédération de l'alimentation. Pas plus tard que la semaine dernière, j'ai fait un rapport sur la situation économique et politique après l'éviction des ministres communistes. De larges extraits ont été publiés par *L'Humanité*, ce que vous ne pouvez ignorer, d'autant que *Le Monde* y a fait écho... La clandestinité, c'est une affaire terminée, je travaille en pleine lumière. Qu'est-ce que vous voulez que je vous apprenne de plus que ce que j'ai écrit dans ce document ?

Duprest piqua les pointes de sa fourchette dans la tranche de jambon de Bourgogne, approcha la lame du couteau.

— Le départ de Thorez n'a pas provoqué la moindre manifestation, les rues sont restées vides. Personne ne bouge. La seule carte dont dispose ton parti, c'est celle de la grève...

— Si vous croyez qu'il suffit d'appuyer sur un bouton...

L'inspecteur reposa ses couverts sur le bord de l'assiette.

— Tu es plus malin que tu veux bien le montrer, Trancheur ! Vous allez leur faire croire qu'ils se battent pour leur pouvoir d'achat alors que vous les enverrez dans le mur pour votre seul pouvoir ! Ton parti est prêt à faire exploser la CGT pour parvenir à ses fins... Ce que je veux savoir, c'est comment vous allez vous y prendre pour foutre le feu au pays, si ça va démarrer chez Renault ou dans les mines de charbon, si la première offensive concernera les chemins de fer ou l'électricité... Tu me suis ?

Tout au long de l'échange, Loyon avait fait tournoyer son vin sur les parois de son verre ballon. Il prit la parole.

— Tu es un peu au courant de ce qui va se passer, non ? C'est quand même toi qui es aux manettes...

Pierre Trancheur attendit que la serveuse se

soit éloignée après avoir posé une marmite fumante sur le dessous-de-plat en pierre. Il dissipa les vapeurs du pot-au-feu en agitant la main devant son visage.

— Je suis venu ici pour voir quelle gueule vous aviez, l'un et l'autre... La dernière fois où j'ai parlé avec un flic, ça remonte à l'avant-guerre, fin 38 ou début 39... Je me souviens encore de son nom, Traverse, Émile Traverse... Une crapule des Brigades spéciales qu'on n'a pas eu besoin de faire passer devant une commission d'épuration. J'ai appris qu'il avait été liquidé par des copains de la Résistance quelques jours avant la Libération. Je pensais naïvement que toute cette histoire était morte avec lui... La preuve que non : la Grande Maison a décidé de remettre le couvert.

L'inspecteur fit émerger un morceau de plat de côtes du bouillon, le servit à Trancheur bien que celui-ci n'ait rien demandé.

— De quoi tu te plains ? La soupe n'est pas trop mauvaise.

L'ancien ouvrier de chez Lebaudy prit la viande brûlante à pleines mains pour la jeter dans le faitout, éclaboussant la nappe.

— Ce n'est pas le goût qui fait la différence, mais l'appétit. Et vous tombez mal, ce soir, je n'ai pas faim, je m'arrête au hors-d'œuvre.

Il s'essuya les mains avec la serviette brodée aux initiales du restaurant, L.B., et s'apprêtait à quitter la table mais Duprest le retint vigoureusement par la manche, le forçant à se rasseoir.

— Il est marrant ton numéro, tu devrais aller le proposer à Medrano, ils cherchent de nouveaux talents ! Je ne crois pas que tu sois en position de jouer les mariolles. J'ai un dossier sur toi aussi épais qu'un matelas, et je connais pas mal de tireurs à la ligne qui seraient prêts à s'allonger dessus. Imagine la tête de tes camarades quand ils liront les aventures du beau Pierre dans la presse bourgeoise...

Il se dressa à nouveau, le dos contre les casiers.

— Je n'en suis pas aussi sûr. Votre problème, c'est que vous n'avez pas fait votre sale boulot jusqu'au bout. Je vais partir, et ne vous avisez pas de m'en empêcher, sinon vous prenez le pot-au-feu dans la gueule, et j'irais peut-être chercher un peu de potée auvergnate si vous avez encore un petit creux. D'accord ?

Duprest jeta un regard d'avertissement à un Loyon livide qui était prêt à en découdre. Il attendit que Trancheur claque la porte et disparaisse dans la rue de l'Assomption pour choisir un morceau de queue de bœuf.

— Mauvaise pioche ! Le plus emmerdant dans l'histoire, c'est qu'il va falloir s'appuyer l'addition !

CHAPITRE 7

Tous les militants repérés par Traverse n'étaient pas de cette trempe, loin de là. Duprest aurait pu s'éviter la déconvenue de Passy en ne dérogeant pas aux règles qui voulaient qu'on cerne la personnalité d'un contact non pas en se focalisant sur lui seul, mais en élargissant la connaissance de son univers selon le principe de l'étoile, en faisant un inventaire complet de tous ceux qui, dans les fichiers disponibles, avaient été, à un moment ou à un autre, en relation avec lui. Le fait d'avoir donné le spectacle de sa légèreté à Loyon, lors de leur première mission commune, avait également sonné comme un signal d'alerte. Il ne devait plus s'autoriser la moindre erreur de jugement, et bien qu'on soit officiellement en temps de paix, il était clair dans son esprit qu'une nouvelle guerre couvait, plus insidieuse que la précédente, et bien plus déterminante pour la sauvegarde de tout ce en quoi il croyait. Il était vital de ne pas sous-estimer l'adversaire, de ne pas se bercer de l'illusion que le combat était gagné avant même de l'avoir livré, comme il l'avait fait pour Trancheur. Avant de tenter une nouvelle approche, l'inspecteur s'était obligé à comprendre les raisons de son échec, relisant l'ensemble du dossier consacré à l'ancien ouvrier de la raffinerie de sucre, dressant la liste de tous ses comparses, ses obligés, fouillant leur vie avec la loupe grossissante du rapport de police. Il avait fini par débusquer son secret lorsqu'il avait pu consulter les notes de la Gestapo relatives au groupe de saboteurs que Trancheur dirigeait en Seine-et-Marne. L'un d'eux, arrêté après avoir fait sauter des réservoirs d'essence dans la zone industrielle de Mitry-Mory, s'était épanché à l'issue de deux jours d'interrogatoires, temps nécessaire à ses complices pour se mettre à l'abri. Il avait revendiqué son action ainsi que le meurtre, six mois plus tôt, d'une jeune femme, une ancienne camarade qui renseignait les services allemands. Duprest avait alors lu sans surprise le nom de l'ancienne maîtresse de Trancheur, Isabelle Dubourg.

La leçon avait été profitable. En s'entourant de toutes les garanties, Duprest s'était arrangé pour approcher deux autres personnages influents fragilisés par l'une ou l'autre de ces faiblesses inhérentes à la condition humaine. Le premier, un métallurgiste qui fréquentait les créatures équivoques des alentours de la place des Abbesses, lui avait livré les noms de tous les cadres de la CGT qui étaient prêts à suivre la minorité Force ouvrière dans l'aventure de la scission. Muni de ces informations, Frénault s'était activé pendant tout l'automne pour accentuer les dissensions à l'intérieur de la centrale syndicale, faisant éclater chaque jour une mine imprévue sous les pas de ses dirigeants, obligés de colmater les fuites alors qu'ils pensaient passer à l'offensive. Si la rupture du syndicat, consommée moins d'une semaine avant Noël, n'avait pas empêché le déclenchement de nombreuses grèves, tous les observateurs s'accordaient pour dire qu'elle les avait conduites à l'échec. Traverse tenait le deuxième militant par la fumée dont il s'emplissait le cerveau autant que les poumons. Né des amours furtives d'un administrateur civil français en Indochine et d'une Vietnamienne, Félix avait été élevé par cette dernière que le géniteur entretenait en secret, après l'avoir ramenée dans ses bagages à la fin de son détachement. Sa condition de bâtard aux yeux bridés ne comptait pas pour rien dans le basculement de Félix en faveur des indépendantistes. Profitant du fait qu'il pratiquait plusieurs langues du sous-continent, l'organisation communiste internationale l'avait dépêché en Cochinchine afin qu'il établisse le contact avec les divers mouvements révolutionnaires indochinois, qu'il détermine surtout celui qui se rapprochait le plus des options marxistes-léninistes de la Centrale. Son dossier aux Renseignements généraux figurait parmi les plus fournis, les plus documentés. Billets de train, de bateau, notes de restaurant, cartes d'état-major annotées, extraits de carnets de route, photographies, tracts, affiches... On savait donc qu'il était passé par Berlin, au cours du printemps 1930, pour rejoindre Moscou où l'attendait une place dans un compartiment du transsibérien. On ignorait comment ses pas s'étaient rapprochés de Pékin, mais une minuscule photo aux bords dentelés le montrait près de s'embarquer sur un bateau de pêcheur pour la traversée du fleuve Jaune. Un chemin de fer à vapeur passait à une centaine de kilomètres de l'autre rive. Les rails franchissaient des montagnes, des forêts, des marais pour aboutir dans la gare de Nankin. Félix avait continué son voyage à cheval, au travers de contrées hostiles aux mains de seigneurs de la guerre, de bandits, avant d'atteindre le Viêt Nam par sa frontière la plus fermée aux Occidentaux, la jungle tropicale de Cao Bang. Duprest s'était fait plaisir en assimilant les épisodes de la vie de celui qu'il était appelé à manipuler, suivant ses multiples périples sur une mappemonde, ayant l'impression grâce à lui de quitter pour de bon les murs gris de la Cité, de participer un peu à l'aventure par la seule magie de son doigt remontant les routes tracées sur les cartes.

L'envoyé du Komintern était à pied d'œuvre depuis deux mois quand éclata le soulèvement général du Tonkin que les militaires français ne parvinrent à juguler qu'en faisant massivement appel à l'aviation. Il échappa de justesse au coup de filet dans lequel tombèrent plusieurs dizaines de ceux qui devaient former l'ossature du mouvement révolutionnaire. Plus de cinquante de ses complices furent condamnés à mort par les tribunaux de Yen Bay et vingt-quatre sentences furent suivies d'effet. Félix était de retour en Chine, à la mi-juin 1930, quand la tête de Nguyen Thai Hoc fut séparée de ses épaules, à l'aube du 17, par la guillotine dressée sur la place de Yen Bay, mais il était parvenu à se procurer la dernière lettre du chef de l'insurrection, écrite en français :

« Je me rends personnellement responsable de tous les événements survenus dans mon pays depuis 1927 et organisés par moi. Je suis le seul et vrai coupable, ma mort doit donc suffire. Je demande grâce pour les autres. Ceci dit, je tiens à vous déclarer que si les Français veulent désormais occuper l'Indochine en toute tranquillité, sans être gênés par aucun mouvement révolutionnaire, ils doivent abandonner toute méthode brutale et inhumaine, se comporter en amis des Annamites, non plus en maîtres cruels, s'efforcer d'atténuer les misères morales et matérielles en restituant aux Annamites les droits élémentaires de l'individu : liberté de voyage, liberté d'instruction, liberté d'association, liberté de la presse ; ne plus favoriser la concussion des fonctionnaires, ni leurs mauvaises mœurs, donner l'instruction au peuple, développer le commerce et l'industrie indigènes. » La signature allait avec l'ensemble : « Votre ennemi, le révolutionnaire Thai Hoc. »

Félix était rentré en France, affaibli par les séquelles de la dysenterie et du paludisme, affections qu'il avait pris l'habitude de combattre à l'opium, usage toléré sinon encouragé dans les colonies mais sévèrement réprimé en métropole. Le jour où le manque s'était fait sentir, l'inspecteur Traverse s'était miraculeusement trouvé sur le chemin de l'aventurier. Quinze années plus tard, l'homme avait visiblement réussi à éloigner les démons de la drogue, même si pour un œil averti tout dans ses traits témoignait de son passage en enfer, et il s'apercevait à ses dépens que la police constituait une compagne bien plus accrocheuse encore. La rencontre autour d'un café, au Thermomètre de la place de la République, s'était soldée par un résultat moins productif, dans l'immédiat, qu'avec le métallurgiste du fait que, visiblement, ses camarades tenaient Félix à l'écart des décisions les plus importantes. On l'associait encore aux activités du deuxième cercle, comme la logistique, et il avait fourni à Duprest des explications à propos de faits vieux de plus d'une année dont la compréhension avait échappé aux investigations des annexes policières du ministère des Colonies, par exemple la disparition de

Hô Chi Minh. Lors de son séjour en France, en octobre 1946, pour mener les pourparlers de Fontainebleau sur l'accession du Viêt Nam à l'indépendance, le chef viêt-minh devait résider dans un palace parisien mis à sa disposition par le gouvernement français, mais dès que les négociations commencèrent à achopper, à se tendre, il s'était senti surveillé, épié, peut-être même écouté. Félix parlait en fixant le dépôt de marc au fond de sa tasse, comme s'il allait s'y noyer.

— Sous le prétexte d'une réception protocolaire à l'hôtel de ville de Montreuil, il a rencontré discrètement Jacques Duclos pour lui demander d'assurer sa sécurité. Il a été décidé de le mettre à l'abri chez d'anciens Résistants qui pourtant n'étaient pas membres du parti. Chaque soir, après les séances de travail, il fallait déjouer les projets de sa garde rapprochée, le transférer de voiture en voiture pour le conduire dans une propriété entourée de hauts murs, route d'Enghien. C'est moi qui constituais les équipes de chauffeurs, les équipages des voitures servant de leurres... Tout a marché à la perfection.

Malgré l'insistance de Duprest, il se refusa à citer clairement le nom de ces hôtes généreux, signalant simplement qu'à l'époque la femme était enceinte, et que leur fille née six mois plus tard eut Hô Chi Minh pour parrain officieux. Ce fut un jeu d'enfant, à partir de recoupements d'archives d'état civil, de dépouillement d'annuaires, de consultations d'actes de vente, de contrats de location, de localiser Lucie et Raymond Aubrac, et d'ajouter quelques lignes à leur abondant dossier de renseignements.

Une autre naissance lui compliqua singulièrement la vie à l'approche de l'hiver. Celle de son fils qu'il fallut baptiser Guy en mémoire du grand-père de Liliane, Guy Génin, dont l'invention générait encore assez de royalties pour tenir la famille à l'écart des contingences. Clément n'avait pas osé avancer le prénom de son propre père, Maurice, qui ne pouvait s'enorgueillir que d'une blessure mineure à la jambe dans la clairière tonkinoise de Tung Hia. L'argent de l'industrie avait eu raison de la médaille du courage. Il n'aurait jamais pensé qu'un aussi petit corps puisse prendre autant de place et provoquer autant de désagrément. Passe encore qu'il accaparât sa femme nuit et jour au point que Clément se trouvât relégué sur le canapé de la salle à manger. Mais ce n'était que braillements et odeurs, comme si, non content d'occuper le lit conjugal, les bras, le regard, l'esprit de Liliane, il fallait encore qu'il s'impose à tous les autres sens, qu'il agresse les oreilles ainsi que les yeux, que même le menu familial, passé la période d'allaitement au sein puis au biberon, soit une déclinaison du sien. Clément n'avait jamais ingurgité autant de soupes aux légumes, de potages, de veloutés, de purées de carottes, de viande moulinée, toutes choses auxquelles il aurait pu s'habituer s'il avait disposé d'un coin tranquille où se poser. Au lieu de cela, il vivait dans un espace traversé en permanence par une femme en robe de chambre berçant un paquet de linge humide d'où sortaient les cris perçants d'un pleurnichard insatiable. Les milliers de fiches qu'il accumulait pour son compte personnel, parallèlement à celles établies à la Cité, garnissaient l'intérieur de deux valises glissées sur les étagères de l'armoire, un refuge que leur disputaient les vêtements du petit, les réserves de lait Guigoz, les fioles de médications. Jusqu'au moment où, capitulant devant le nouveau venu, Clément s'était résolu à transférer ses trésors dans les sous-sols du bâtiment. L'appartement était couplé avec une cave de trois mètres de côté, murs cimentés, sol en terre battue, le tout éclairé par un soupirail où dévalait le charbon au moment de la livraison annuelle. Il avait tiré une ligne électrique depuis le compteur, dressé des morceaux de bois pour contingenter les boulets, installé une table, calfeutré les jours entre les planches de la porte, et finit par remplacer le simple verrou qui condamnait l'entrée par un cadenas. Il pouvait y travailler en manches de chemise, grâce à la douce chaleur dispensée, dans les couloirs enterrés, par les machines à vapeur alimentant l'usine de fabrication de glace. La solution, il le savait, ne pouvait être que provisoire, et il avait profité d'un repas dominical sur les berges de la Seine, dans le jardin d'hiver du pavillon de L'Île-Saint-Denis, pour évoquer la vente de l'appartement du quartier Plaisance en vue de l'acquisition d'une surface mieux adaptée à la nouvelle configuration de la famille. Augustin Génin s'était tourné vers sa femme, Florencie, alors occupée à enfourner de la bouillie entre les joues rebondies de son petit-fils sous le regard attendri de Liliane.

— Qu'est-ce que tu en penses ?

Elle avait soufflé sur la cuillère pour en refroidir le contenu.

— Je ne crois pas que ce soit le moment de se lancer dans ce genre de transactions.

Clément avait tourné la tête pour échapper aux effluves de lait caillé quand son fils s'était mis à régurgiter un liquide poisseux sur son bavoir.

— Et pourquoi, belle-maman ?

Un tic lui ferma l'œil en s'entendant désignée de la sorte.

— Vous ne lisez donc pas les journaux ? Je croyais pourtant que cela faisait partie de votre travail... Le gouvernement s'apprête à voter une loi de protection des locataires qui risque de ruiner les propriétaires. Il va devenir pratiquement impossible de donner congé. Les prix sont déjà en chute libre. Je suis certaine que nous ne récupérerons pas la moitié de ce que vaut réellement la rue Joanès si nous nous engageons dans une telle aventure ! Si vous ne supportez pas votre fils, nous pouvons l'accueillir à la maison, n'est-ce pas Augustin... ?

L'inspecteur se rendit compte, aux échanges de regards entre les trois membres du clan Génin, que cette éventualité avait déjà été largement abordée en dehors de sa présence, et que la proposition de Florencie scellait leur accord. Le mois suivant, le bébé prit la direction de Rueil-Malmaison où il disposerait d'une vaste chambre parquetée dont les fenêtres ouvraient l'une sur les arbres du mont Valérien, l'autre sur la vallée de la Seine puis la marée grise des toits parisiens. Un lit d'une personne accompagnait le berceau, et Liliane prit l'habitude de venir s'allonger là plus souvent qu'à Plaisance. Clément remonta une partie des archives de la cave, transformant la salle à manger en centre de documentation, ce qui ne fut pas sans incidence sur ses rapports avec son épouse, particulièrement le jour où elle se trouva confrontée à des agrandissements de photos de têtes sectionnées, de corps mutilés, de femmes éventrées, épinglées sur le mur, sous la nature morte aux faisans offerte par un cousin de Clément, à l'occasion de leur mariage. Son premier réflexe consista à tirer le drap du couffin sur le visage du petit Guy.

— Qu'est-ce que c'est que ces horreurs ! Décroche ça tout de suite, tu vas terroriser notre enfant, déjà qu'il a du mal à s'endormir...

L'inspecteur prit un coupe-papier pour retirer les punaises.

— Comme si, à huit mois, il y comprenait quelque chose ! Et si c'était le cas, il chialerait au moins pour quelque chose !

Contrairement à ce qu'il attendait, Liliane se garda d'envenimer la situation. Quand la ville se fut apaisée, elle se pressa contre lui, le cajola comme au début de leur histoire. D'abord surpris, il se laissa entraîner par ses sens, mais conserva assez de présence d'esprit pour interrompre leur étreinte au moment crucial, taraudé par l'idée qu'elle cherchait à offrir une petite sœur à celui qui avait fini par accepter le sommeil. Elle repartit dès le lendemain matin vers les contreforts, le laissant seul face à ses démons. Avant de se remettre au travail, il ouvrit un dossier sur ses rapports avec Liliane, leur fréquence, leur qualité, un autre consacré à Guy, sa santé, les médicaments qu'il ingurgitait, l'évolution de sa taille et de son poids.

Il posa la série de dix photos sur son bureau. Elles figuraient sur une brochure de huit pages distribuée clandestinement dans les principales villes françaises, sans mention d'éditeur ni d'organisation de parrainage. Le commissaire principal l'avait agitée à l'issue de la réunion hebdomadaire des chefs de section, puis il s'était tourné vers Clément pour lui donner l'ordre d'en débusquer les diffuseurs, de reconstituer par le détail le chemin que les clichés avaient emprunté, depuis l'Indochine jusqu'en métropole.

— Ce ne sont pas les Viets qui nous ont fait ce coup-là. Ça vient de chez nous !

Il écarta la photo agrandie représentant une douzaine de têtes fichées sur les bouts de bois clôturant un champ, celle où l'on voyait un soldat au visage masqué éventrer un blessé à la pointe de sa baïonnette et fut étrangement fasciné, une fois encore, par l'image d'une jeune femme nue empalée au-dessus d'une énorme fourmilière. Duprest s'était mis en rapport avec tous les correspondants du service dans les imprimeries du pays, mais ces investigations n'avaient donné aucun résultat. Il fallait en conclure que le matériel était sorti de presses aux mains de groupes particuliers, parti politique, syndicat ou association. Le texte ne donnait aucune indication sur le lieu où les clichés avaient pu être pris, et la prose était celle, ordinaire, des tracts de dénonciation de la guerre lointaine avec leurs habituelles comparaisons entre les méthodes de l'armée française et celles de la Gestapo. Il piétinait depuis une bonne semaine quand l'idée lui était venue de faire procéder à des agrandissements de chacune des pages par le département de l'identité judiciaire de la préfecture. Il s'était alors aperçu de la présence d'un fragment d'information invisible sur la photo de la femme empalée, à son format d'origine. Un camion militaire stationnait au second plan, dans l'ombre portée d'une rangée de palmiers et de fougères arborescentes. La calandre était celle, reconnaissable entre toutes, d'un Berliet, et il était possible de deviner les derniers éléments du numéro d'immatriculation : 98 533. Ce fut ensuite un jeu d'enfant d'obtenir auprès des services de renseignements militaires l'affectation du véhicule. Il s'agissait du 23e régiment d'infanterie coloniale. Gandolfo, un agent de la Sûreté de Saigon alerté par Duprest, parvint à établir que le reportage concernait une opération de représailles menée contre le village de Lang Phuoc Hai, près du cap Saint-Jacques, et qu'il avait été réalisé par le sergent Gérard Fontana. Cet ancien membre des Forces françaises de l'intérieur avait choisi de rester dans l'armée après la libération du pays. L'inspecteur apprit quelques semaines plus tard que le sergent était mort au champ d'honneur, une grenade ayant malencontreusement roulé à ses pieds au cours de l'attaque d'une position ennemie, dans le secteur de Xa Muong Man.

CHAPITRE 8

Les relations nouées à cette occasion par Duprest avec ses homologues de la galaxie militaire connurent des prolongements, même si la culture de la Cité, tout comme celle de la Grande Muette d'ailleurs, ne favorisait pas de tels rapprochements. Julien Frénault pilotait la manœuvre depuis les divers cabinets ministériels auxquels il participait, que ce soit dans les gouvernements de René Pleven, d'Edgar Faure ou d'Antoine Pinay. L'opération la plus importante à laquelle Clément fut associé, à partir du mois de décembre 1952, lui permit de s'affranchir des frontières européennes pour la première fois de sa vie. Liliane et lui venaient enfin d'acquérir la résidence de leurs rêves, un vaste appartement de cinq pièces situé au rez-de-chaussée d'un immeuble bourgeois du XVe arrondissement, place Cambronne, à deux pas des jardins du Champ-de-Mars, payé pour partie par la vente de la rue Joanès et pour le reste grâce à un emprunt sur vingt ans garanti par le salaire de l'inspecteur. Le gamin fréquentait l'école maternelle proche, mais il gardait de l'éducation donnée par ses grands-parents une difficulté à se lier aux autres enfants du quartier. Liliane, pour tenter d'y remédier, avait essayé d'organiser un goûter pour fêter ses cinq ans, ce qui avait provoqué la seule dispute d'importance dont les murs de leur nouveau logis avaient été les témoins. Pas d'inconnus dans la maison ! Les bougies du gâteau d'anniversaire s'étaient contentées d'éclairer le visage des trois convives, et soucieux de se faire pardonner son excès d'humeur, Clément s'était arrangé pour confier son fils, le samedi suivant. Il avait appelé un taxi qui les avait déposés devant la façade illuminée d'un cinéma du quartier Opéra où l'on projetait *Casque d'or*, le succès du moment. Liliane s'était abandonnée contre son épaule, tressaillant dès que luisaient les couteaux des Apaches alors que Duprest n'avait d'yeux que pour ceux de Simone Signoret, pour son regard mouillé, ses poses de femme enfant, ses formes pleines qu'il observait à la dérobée quand il lui arrivait de croiser la comédienne près de son domicile du 52-54 quai des Orfèvres. Le soir, en rentrant, il s'isola quelques instants dans la pièce qui lui servait de bureau pour compléter les fiches des époux Livi.

« Henriette, Charlotte, Simone Kaminker dite Simone Signoret (nom de jeune fille de sa mère) née en Allemagne en 1921 (Wiesbaden), a acquis la nationalité française par filiation. Père speaker à Radio Londres. A travaillé comme secrétaire aux Nouveaux temps de Luchaire (1940/1941). Figurante dans *Le Prince charmant*, *Les Visiteurs du soir*, *Boléro*, rôles ensuite dans *Comment vaincre sa timidité* (court-métrage), *Le Voyageur de la Toussaint*, *Adieu Léonard*. Divorcée d'avec Yves Allégret (cinéaste, voir fiche André Gide), une fille. Remariée avec Ivo Livi dit Yves Montand, artiste de music-hall. »

Il trempa sa plume dans l'encrier pour ajouter :

« A également tourné *Dédée d'Anvers*, *Le Couple idéal*, *Les Démons de l'aube*, films dans lesquels elle défend des rôles de femmes légères voire de prostituées, ce qui serait un écho de son comportement peu farouche dans la vie. Son interprétation récente de la pierreuse Marie dans *Casque d'or* ne fait que le confirmer. Pas de dossier à la PJ. »

Il sortit ensuite le casier qui portait la référence « M » afin de compléter le carton consacré à Yves Montand à partir des notes prises à la volée sur des tickets de métro, des marges de journaux :

« Au programme de la tournée qu'il effectue à travers le pays, Yves Montand insère une nouvelle chanson, *Quand un soldat*, dont les paroles ont été écrites par Francis Lemarque (voir Korb et Frères Marc). Il s'agit d'une critique voilée de la guerre menée contre les insurgés communistes en Indochine. Les deux strophes les plus applaudies par le public sont celles-ci :

Quand un soldat s'en va-t-en guerre il a
Dans sa musette son bâton d'maréchal
Quand un soldat revient de guerre il a
Dans sa musette un peu de linge sale.
Partir pour mourir un peu
À la guerre, à la guerre,
C'est un drôle de petit jeu
Qui n'va guère aux amoureux.

« On nous signale également qu'Yves Montand ajoute quelquefois un couplet violemment antimilitariste qui ne figure pas dans le texte déposé à la SACEM par Francis Lemarque. Selon les renseignements venus d'Orléans, Lyon et Bordeaux, ces phrases séditieuses seraient approximativement celles-ci :

Que les casernes se ferment pour toujours
Que les canons se rouillent dans les cours
Que l'on apprenne aux enfants à chanter
La joie de vivre l'amour et l'amitié.

« Bien que proche du Parti communiste (il a signé l'Appel de Stockholm, ainsi que sa femme), Yves Montand a entretenu des relations avec l'entourage d'André Dewavrin, alias Colonel Passy, organisateur du SDECE (voir Simone Guinoiseau). »

Il ne recopiait qu'une partie de ces informations sur les fiches du service, soucieux de disposer de quelques bases de négociations en cas de retournement de conjoncture. C'est d'ailleurs au moment où il procédait à ce travail d'ajustement, en fin de matinée, que Loyon avait passé la tête par la porte entrouverte du bureau.

— Je sors de chez le patron. Il voudrait que tu passes le voir dès que tu auras un moment... Il a une surprise pour toi...

Il s'y rendit aussitôt. Le commissaire principal Lapides et son adjoint l'associèrent au rituel quotidien en lui servant un apéritif, d'autorité.

— J'espère que vous aimez ça, c'est du vin cuit, j'en ai récupéré une caisse...

Soudain, Lapides agita la bouteille devant les yeux de Duprest.

— Du Matho, vous connaissez ?

— Pas au goût, je n'en ai jamais bu... J'ai entendu les réclames à la radio, comme tout le monde...

Lapides esquissa des pas de danse exotique tout en levant son verre.

— Matho, Matho par-ci, Matho, Matho par-là, demandez un Matho par-ci, s'il y en a... C'était ça, hein ? Il faudrait faire une petite enquête sur cette marque, je crois qu'on aurait des surprises...

L'inspecteur approcha le liquide vermeil de son nez.

— Une enquête ? Et pour quelle raison ? Des problèmes financiers...

— Non... J'ai entendu dire que ce vin était produit par une coopérative rouge, que le nom de marque était un clin d'œil à Maurice Thorez. MA comme les premières lettres de Maurice, THO pour celles de Thorez... Mais ce n'est pas pour ça que je vous ai demandé de venir. Vous êtes déjà allé en Afrique du Nord ?

— Je n'ai pratiquement jamais quitté la métropole, sauf un voyage d'une journée en Belgique, par le train...

Le commissaire ne l'écoutait pas, occupé à couper des rondelles de saucisson à l'aide de son cran d'arrêt sur un journal plié, pour ne pas abîmer le bois du bureau.

— Il faudrait vous préparer rapidement. On vous détache pour deux mois dans le Protectorat. Vous partez dans trois jours. Loyon prend un avion pour Tunis. Le vôtre va à Casablanca, au Maroc. Ça ne marche pas comme ici, là-bas. L'armée tient tout entre ses mains, mais ils s'aperçoivent un peu tard qu'on peut éviter les catastrophes en écoutant aux portes. Ils sont enfin disposés à faire un peu de place au renseignement civil. Vous êtes chargé d'expliquer les bases du travail à des équipes locales, de leur apprendre les ficelles du métier... Mangez du saucisson. Vous pouvez avoir confiance, il arrive directement d'Auvergne et je connaissais le cochon qui est dans les boyaux... Profitez-en, ce n'est pas à Casa que vous aurez l'occasion d'en trouver ! Makache ralouf !

Liliane l'avait traîné place de la République, aux 100 000 Chemises où elle était sûre de lui dégoter une saharienne, ainsi que dans les magasins des alentours à la recherche de Pataugas et d'un chapeau de toile muni d'un protège-nuque puis, son enfant dans les bras, elle l'avait accompagné gare de Lyon d'où partait le train de nuit pour Marseille. Il les avait embrassés, l'une et l'autre sous les verrières balayées par un vent humide. Vingt-quatre heures plus tard, après avoir aperçu la Bonne Mère et la Canebière depuis la vitre embuée d'une Traction de la base aérienne, il décollait de l'étang de Berre à bord d'un quadrimoteur Latécoère. La première image du continent africain, tandis que l'hydravion se posait sur le Sebou entre deux immenses gerbes d'eau, fut la façade blanche élancée des silos à grains de Port-Lyautey qu'il prit pour une mosquée. Incapable de dormir en plein jour, il promena sa fatigue dans les rues baignées par un soleil printanier, déguisé en colonial, s'extasiant d'être survolé par des cigognes craquetantes occupées à bâtir leur nid sur les édifices les plus élevés de l'ancienne Kenitra. L'adjudant Lamoni qui le pilotait ressemblait à Fernandel, le sourire en moins. Il se refaisait une santé après trois années passées à barboter dans les boues piégées du Mékong. En début de soirée, Lamoni le conduisit à La Chénaie, un restaurant européen surmonté d'un pigeonnier, caché près de l'hippodrome et de la piste de patins à roulettes. Le chef proposait sa spécialité, une paëlla aux fruits de mer dont l'originalité consistait dans le fait que l'eau de cuisson du riz était remplacée par du cognac. Duprest se jeta sur les supions, les calamars, les moules, les langoustines, mais négligea de se méfier du vin de pays, un cépage Othello américain acclimaté, bourré d'alcool éthylique, et c'est d'une démarche chaloupée qu'il mit le cap sur l'hôtel du Touring Club, rue Albert-1er.

Au petit matin, les tempes bourdonnantes, l'estomac nauséeux, il prit place dans la jeep bâchée qui l'emmenait vers sa destination finale. L'adjudant Lamoni, l'injure aux lèvres, conduisait autant avec le klaxon qu'avec son volant. La route, qui reprenait ses allures de piste dès la sortie des bourgades, était envahie par les ânes, les carrioles, les maigres troupeaux de chèvres ou de moutons qu'il fallait disperser à coups de trompe. Il leur fallut près de quatre heures pour couvrir les deux cents kilomètres séparant Port-Lyautey de Casablanca. Ils traversèrent la ville indigène dont les baraquements mêlés aux toiles de tentes en lambeaux, emplis d'une population dans le même état de délabrement que son habitat, se pressaient aux abords des quartiers européens. Duprest demanda à Lamoni de s'arrêter à la pharmacie du Serpent, la première qu'ils trouvèrent sur leur chemin, pour acheter un remède destiné à desserrer l'étau douloureux qui lui emprisonnait le crâne. Il en ressortit avec une petite fiole emplie d'un liquide verdâtre dont il suivit la chaude progression dans son organisme, avant de constater comme un évanouissement de la souffrance que remplaçait progressivement une agréable euphorie. Il déposa ses affaires à l'hôtel Britanico, sur l'avenue du Général-Moinier, dans une suite dont les fenêtres ouvraient sur les deux flèches de la cathédrale, semblables à des minarets parallèles. L'inspecteur disposait d'une semaine avant de rencontrer ses homologues casablancais. Il la passa en errances dans les rues de l'agglomération, en balades dans la médina accolée au port, et surtout en arpentant les zones déshéritées d'où, de toute évidence, sourdait la menace contre les intérêts métropolitains. Des dizaines de milliers de musulmans croupissaient dans un amoncellement de bois, de tôles, de matériaux récupérés sur les quais, se pressant autour de rares fontaines pour remplir des seaux, des marmites. Des vendeurs à la sauvette proposaient des cigarettes à l'unité, des allumettes, des brochettes maigrichonnes faites avec des viandes improbables. Il ne pouvait avancer sans être suivi par une meute de mendiants, de gosses des rues qui se disputaient l'honneur de cirer ses chaussures. Il s'approcha d'un type qui cuisinait à même le sol, au-dessus d'un feu de charbon de bois, et recula écœuré en découvrant que le menu du jour consistait en d'énormes sauterelles grillées. La réunion de présentation eut pour cadre une discrète salle désaffectée du musée des Beaux-Arts, impasse de l'Avenir. On était le 6 décembre, et l'annonce en pages intérieures du *Petit Marocain* de l'assassinat de Ferhat Hached, un dirigeant syndicaliste tunisien, avait échappé à Duprest qui s'était contenté de regarder les gros titres puis de lire les déclarations du ministre français chargé de la recherche scientifique selon lequel un « effort d'épuration » devait être entrepris au Commissariat à l'énergie atomique, afin de le purger de ses trop nombreux éléments communistes. Duprest prit la parole après les mots de bienvenue du représentant du Résident, le général Guillaume. Il déplia le discours d'introduction composé la veille dans sa chambre du Britanico.

— J'étais venu ici avec un programme bien précis sur l'établissement et la gestion des fichiers, l'organisation des filatures, la collecte puis le traitement des informations de toutes provenances, les recoupements, le fichage, le portrait parlé... Tout était basé sur mon expérience au sein de la préfecture de police de Paris, et ne connaissant pas la France d'au-delà des frontières, je pensais que les leçons de cette expérience étaient directement applicables ici comme ailleurs. Une semaine d'observation de la vie quotidienne à Casablanca m'a dissuadé de poursuivre dans cette voie. Si la ville européenne bâtie par Lyautey est d'un abord facile, les bidonvilles de Ben M'sik et des Carrières centrales sont une véritable jungle. Je m'y suis perdu dix fois. Aucune ruelle n'est identifiable, pas un seul numéro sur les baraquements, et j'ai cru comprendre qu'une bonne partie de ceux qui y trouvent refuge ne figurent sur aucun registre d'état civil. Tout notre travail repose sur notre capacité à suivre un individu pas à pas. Encore faut-il que nous disposions de repères pour marquer sa présence dans tel ou tel lieu. Je crois qu'il serait illusoire de vous former aux techniques parisiennes avant que cette ville ressemble à la capitale. Je crois qu'il faudra rapidement tracer des rues principales dans les bidonvilles, attribuer des noms aux ruelles, aux passages, numéroter le moindre gourbi. À partir de là, il sera plus facile de traquer ceux qui s'attaquent à l'ordre établi...

Dans la soirée, l'adjudant Lamoni insista pour lui faire découvrir une spécialité de Saigon, la coupe de cheveux à la serviette, qu'il avait ramenée de ses bordées vietnamiennes et qu'un coiffeur du boulevard de la gare offrait à ses clients de marque. Duprest s'installa dans un fauteuil surélevé face à une glace encadrée par des portraits rehaussés de couleurs de Lauren Bacall et d'Humphrey Bogart. L'homme de l'art l'enveloppa dans un linge blanc avant de poser une large serviette sur les cuisses de l'inspecteur qui rejeta la tête en arrière tandis qu'une très jeune femme dont il n'apercevait que le haut du visage lui massait les cheveux. Le coiffeur la remplaça. Il fit claquer ses ciseaux près de l'oreille de son client qui se rendit compte, à cet instant seulement, que la shampooineuse venait de s'accroupir pour se faufiler entre ses jambes. Il déglutit en réalisant qu'elle ouvrait sa braguette, baissait son slip pour s'emparer de son sexe qu'elle introduisit immédiatement dans sa bouche. Il tenta de se maîtriser, de retenir son souffle, incapable de prononcer le moindre mot, évitant les regards du figaro qui coupait les poils du haut en sifflotant. À un moment, il ne parvint plus à se contrôler. Un râle franchit ses lèvres alors qu'il se déversait entre celles de l'inconnue. Elle l'essuya minutieusement dans le même temps où le coiffeur posait son sèche-cheveux et faisait jaillir un doigt de Gomina dans sa paume.

La deuxième conférence prévue le lendemain, après une visite des commissariats de l'agglomération, fut annulée en catastrophe quand des milliers de yaouleds, les enfants des rues, envahirent les quartiers européens de la ville blanche. Lamoni vint le prévenir en fin de matinée. Il avait failli être lynché par un groupe d'émeutiers, près de la gare, en sortant de la caserne.

— Ils se dirigent vers la place Lyautey, ils vont attaquer l'hôtel de ville, le palais de justice, la Résidence... Vous êtes armé ?

Duprest se dirigea vers l'armoire et sortit son pistolet de sous une pile de vêtements.

— J'ai récupéré un Mauser après la guerre... Qu'est-ce qui se passe avec ces gamins ? C'est à cause de la brigade des rafles ?

L'adjudant balaya l'explication d'un geste de la main.

— Non, ils sont habitués à se faire ramasser... Il paraît que c'est à cause du flingage du bras droit de Bourguiba, à Tunis... Ferhat Hached. Il essayait de monter un syndicat qui regroupait aussi bien les Tunisiens que les Algériens ou les Marocains... Les ouvriers des phosphates se sont mis en grève, ça bouge sur les docks, à la gare maritime. Je les connais tous ces salopards, ils ont envoyé les mômes en première ligne pour tester notre réaction... Il faut tirer dans le tas, sinon, ils emporteront le morceau... On n'a pas le choix. N'importe comment, ce sont tous des dégénérés... À votre place, je libérerais le cran de sûreté...

La jeep garée devant le Britanico témoignait de la violence de la rencontre, bâche déchirée, phares cassés, portières embouties, fauteuils parsemés de caillasses. Duprest prit place sur le siège du passager après avoir dégagé les projectiles.

— On sait qui l'a flingué, ce Ferhat ?

— Oui, il est question d'un communiqué publié par un groupe de patriotes, La Main rouge... Ils disent que tous ceux qui veulent la rupture avec la France subiront le même sort...

Ils débouchèrent sur la place Mermoz envahie par les éléments motorisés et les troupes dépêchées depuis le parc d'artillerie et tous les casernements entourant la ville. Les colonnes de jeunes manifestants encadrées par les dockers du bassin Lalande et du môle aux phosphates venaient d'être refoulées vers Karyan Central ainsi qu'on appelait ici, en l'arabisant, le quartier des Carrières centrales. La troupe avait reçu l'ordre d'y rétablir la légalité par tous les moyens. L'objectif prioritaire consistait à libérer les quinze policiers de permanence assiégés dans leur commissariat dont plusieurs assistaient, la veille, à la conférence de Duprest. La voiture conduite par Lamoni longea les façades dévastées du café National, du Roi de la Bière, évitant les briques, les parpaings, prélevés sur un chantier de construction, et qui jonchaient la chaussée. Ils franchissaient les limites de la ville européenne quand l'écho des fusillades leur arriva de l'ouest. Déflagrations des grenades, claquements hachurés des mitraillettes, détonations espacées des obusiers. Un quart d'heure avait suffi à l'infanterie pour dégager le bâtiment public, et des dizaines de corps d'adolescents parsemaient les chemins défoncés du bidonville. Des soldats commencèrent à les entasser dans un autobus Panhard délesté de ses sièges, et la macabre cargaison fut dirigée vers l'infirmerie indigène qui jouxtait le parc des expositions ainsi que l'Institut océanographique. Dès le début de l'après-midi, Duprest organisa l'interrogatoire des suspects dans un des fondouks des marchands de meubles du port, réquisitionné pour l'occasion. Il s'était adjoint les services d'un photographe de la place de France qui avait fait déplacer les deux cabines Photomaton qu'il exploitait dans le hall des cinémas Apollo et Monte-Carlo. L'inspecteur établissait un portrait psychologique de chacun des individus qu'il joignait aux clichés de face et de profil sortis de l'appareil automatique.

« Mokrane, dix-sept ans. Cireur de chaussures. Visage marqué par l'entêtement obtus. Menton carré, front proéminent. Bouche large, lèvres épaisses, presque négroïdes. Le tout dénote une propension à la sensualité primaire. Tendance à la dépression, de par le regard souvent oblique. »

« Abdelbari, quinze ans. Mécanicien vélo. Mâchoire large, charnue et arrondie. La courte distance entre l'œil et les sourcils indique un manque flagrant d'intelligence. Lèvre supérieure saillante et menton arrondi, signe évident de lâcheté. »

« Miloudi, quatorze ans. Gardien de voitures. Dort au passage Simca. Visage anguleux, nez étroit, regard suspicieux et fuyant. Bouche étroite, lèvres peu marquées. Insensible à la pitié. »

« Ouardia, quatorze ans. Vendeuse de gâteaux.

Regard accrocheur, effronté. Cheveux en paillasse. Langue toujours en mouvement entre les lèvres charnues. Femelle provocante. »

Sa tâche la plus importante consista à rédiger, depuis la coulisse, les confidences destinées à être distillées dans les oreilles des correspondants de la presse locale, afin que les articles attribuent la totale responsabilité des troubles aux yaouleds, « ces voyous, sans foi ni loi, venus de partout, et que la police avait en partie refoulés grâce à des rafles régulières et efficaces, et qui constituent les équipes de choc des partis extrémistes. Les autres suivent le mouvement sans savoir ou bien par peur. Ils sont ainsi souvent les victimes des premiers, lorsque, pour maintenir l'ordre, il n'est plus possible de choisir entre les incendiaires, les assassins et les imprudents moutons », ainsi que l'écrivait le directeur de *La Vigie marocaine*. Personne ne soupçonna jamais que trois cents corps avaient été dispersés, enterrés en secret, brûlés, recouverts de chaux vive ou jetés à la mer et le bilan modéré de cinq victimes officielles permit de juguler la vague de contestation qui s'emparait du pays.

Avant de reprendre le Latécoère, sur le plan d'eau du Sebou, l'inspecteur se rendit à la poste de l'avenue de Paris pour expédier un assortiment de confiseries marocaines à son fils, en guise de cadeau de Noël. Il avait passé près d'une heure à choisir des briouats au miel, des kaab el ghzal, des loukoums, des kaak et des zlebias chez La Princière, une boutique conseillée par l'adjudant Lamoni dont l'embonpoint témoignait d'une certaine familiarité avec les bonnes choses. Duprest était arrivé une bonne semaine avant la boîte, bloquée dans un centre de tri par une grève, et dont le contenu, à l'ouverture, disparaissait sous un voile verdâtre. Pour consoler le gamin, il lui avait donné le poignard courbe passé dans un étui de cuir serti de pierres bleues avec lequel il ouvrait son courrier, et dont il avait offert une réplique à son chef.

CHAPITRE 9

L'inspecteur passa les premiers jours de janvier à rattraper son retard en découpant tous les articles consacrés aux personnages qu'il avait en fiches. Il sortit le dossier 470.109 pour en relire le contenu :

« Georges Brassens, né le 21 octobre 1921 à Sète (Hérault). Nationalité française, mais italien par sa mère. Condamné à un an de prison avec sursis pour vol en 1939. Travail obligatoire en Allemagne (usine BMW). Ouvrier aux usines Renault-Billancourt en 1945. Liaison avec une certaine Jeanne Le Bonnier (pas de fiche) habitant impasse Florimont (Paris XIVe). Auteur, compositeur, interprète, sans réel public, ses écrits prônent l'anarchie. Donne régulièrement des articles au journal *Le Libertaire* en usant du pseudonyme de "Jo la cédille". Sous le coup d'une enquête pour complicité d'adultère. »

Il compléta la brève notule d'une phrase : « S'apprête à publier un roman pornographique aux éditions JAR sous le titre de *La tour des miracles.* » Puis il se mit en devoir de mettre à jour le papier qui concernait sa propre famille, prenant un soin extrême à décrire l'évolution physique et psychique de son jeune fils.

De son côté, Loyon s'était attardé en Tunisie, sans donner de nouvelles, pour ne réapparaître dans les couloirs de la Cité qu'au tout début de février, amaigri, un bras en bandoulière. Il entraîna Duprest dans un restaurant de la rue de la Huchette tenu par un ancien de la section anti-juive des Brigades spéciales qui n'avait pu être réintégré dans la maison, malgré les efforts du commissaire Lapides. Il commanda le plat du jour, du hachis parmentier, ce qui lui évitait de se servir des deux couverts à la fois. Le choix de l'inspecteur se porta sur le petit salé aux lentilles, et ils s'accordèrent sur une bouteille de Gaillac qui, d'après le patron, valait mieux que la plupart des bordeaux.

— Qu'est-ce qui t'est arrivé au bras ? Un mari jaloux ?

— Non, un coup de couteau... Pas très profond, une estafilade, mais ça handicape sérieusement. Je me promenais tranquillement dans le souk de Tunis. Je suis rentré dans une boutique pour regarder des tapis, et un vendeur, ou ce que je croyais être un vendeur, m'a demandé de le suivre pour aller voir les merveilles réservées aux hôtes de marque... On est passés dans des couloirs faits de tissages, de linges tendus pour déboucher sur une terrasse d'où l'on apercevait la mer... Un autre type habillé d'une gandoura marron nous attendait, et dès qu'il m'a vu, il s'est jeté sur moi en hurlant, une lame à la main. J'ai eu le réflexe de me laisser tomber sur le côté, ce qui l'a déséquilibré et au lieu de me retrouver avec un poignard dans le bide, je me suis contenté d'un charcutage de biceps... Je me suis certainement fait repérer, après le coup contre le syndicaliste, sur la route de Radès.

Duprest prenait un peu de moutarde sur le bord de son assiette à l'aide d'une tranche de saucisse de Morteau. Il suspendit son geste.

— Le syndicaliste assassiné... Attends... Tu ne parles quand même pas de ce Ferhat Hached ? C'est sa mort qui a mis le feu à Casablanca... On m'a dit, là-bas, qu'il avait été zigouillé par un groupe de colons incontrôlables, La Main rouge...

— Si, c'est bien lui.

L'inspecteur reposa sa fourchette sans même avoir avalé la rondelle imbibée. Il se mit à rire.

— Je dois comprendre que tu fais partie de La Main rouge, c'est ça ? Allez, crache le morceau !

Un sourire satisfait éclaira la face de Loyon.

— Un peu de retenue, on est à table... La Main rouge, c'est la légende qu'on a servie sur un plateau à tous les correspondants de presse. Je dois te dire que le journaliste du *Figaro* en poste à Tunis nous a bien aidés à faire passer le message. Le Ferhat en question dirigeait le syndicat de gauche, l'Union générale des travailleurs tunisiens. Il s'était mis en tête de faire une sorte d'Internationale des fellaghas avec ses potes d'Algérie et du Maroc, avant d'aller pousser des pions en Libye, au Tchad, en Mauritanie... La sauce commençait à prendre, on n'avait pas le choix, il fallait réagir. J'étais chargé de le suivre, de relever tous ses déplacements pour déterminer le lieu et le moment les plus favorables au succès de la mission. Je m'étais installé dans un petit cabaret de Radès, le Robinson, rue de la Goulette, à deux minutes de la plage. Dommage qu'il faisait trop froid pour se baigner... Les parachutistes en civil l'attendaient sous la flotte, près du pont du chemin de fer où il passait tous les matins en voiture. Ils ne l'ont pas loupé.

— Vous auriez pu vous contenter de maquiller sa mort en accident... Avec un peu de chance, ça aurait évité tous les débordements d'Alger, de Casablanca...

Loyon avait saisi la bouteille de sa main valide pour remplir les verres.

— Je me suis fait la même réflexion, au départ. Le but de la manœuvre ne consistait pas seulement à se débarrasser d'un gêneur. Il fallait également envoyer un message à tous ceux qui croient que la France est devenue une puissance de second ordre depuis que les politiciens sont incapables de faire durer un gouvernement plus d'un trimestre. On les a matés, comme à Sétif, comme à Madagascar, et cela sans avoir besoin d'apparaître en première ligne puisque le monde entier est persuadé que la liquidation de Ferhat est le fait d'un groupe d'excités baptisé La Main rouge ! On peut même se payer le luxe d'annoncer notre détermination à rechercher les coupables, c'est pas beau, ça !

— Oui. Je suis tombé en plein dans le panneau alors qu'on ne peut pas dire que je sois né de la dernière pluie.

Bien des années plus tard, cette longue conversation avec Loyon lui était revenue en mémoire. Les deux pays dans lesquels ils étaient intervenus avaient obtenu leur indépendance, et des bandes de rebelles ravageaient le troisième. Les services français s'étaient décidés à ressusciter la combine de La Main rouge pour couvrir quelques dizaines d'assassinats ciblés de chefs insurgés, de leurs complices européens comme des trafiquants d'armes, des avocats ou des intellectuels passeurs de valises. Il se souvenait précisément de la rencontre avec le commissaire Lapides, dans le couloir encombré d'archives du deuxième étage, alors que les flocons de la première neige de l'hiver dansaient derrière les fenêtres hautes. Une empreinte vivace, pas seulement pour ce qui s'était dit mais surtout en raison du moment où cela s'était déroulé. La veille au soir, le drame qui couvait depuis plusieurs semaines dans l'appartement de la place Cambronne avait choisi, pour éclater, le moment où Liliane posait le gâteau d'anniversaire de Guy sur la table de la salle de séjour. Le garçon avait soufflé les treize bougies plantées dans la génoise au chocolat, plongeant la pièce dans une obscurité atténuée par les proches illuminations de fin d'année, sur la tour Eiffel, puis il avait ouvert les paquets grossièrement dissimulés sous sa serviette dépliée. Il avait exulté en voyant le petit poste transistor Radiola devant lequel il s'arrêtait, à la devanture du revendeur Frigeco du boulevard de Grenelle. Il avait aussitôt tourné la molette à la recherche d'une émission. La voix de Pierre Bellemare s'était superposée à la musique obsédante de l'indicatif, la marche de *L'Amour des trois oranges* de Prokofiev :

— Mes chers amis, ce soir encore, je sais que la France entière pourra dire : « Vous êtes formidables ! » Le standard de SVP attend vos appels...

Ils écoutèrent pendant plusieurs minutes le bateleur des ondes mettre son émission en place. Ce mardi-là, le défi lancé aux auditeurs d'Europe N° 1 consistait à transformer le train de vingt et une heures quarante-six au départ de Paris pour Charleville-Mézières en traîneau du Père Noël ! À mi-chemin de Reims et Rethel, quand le chemin de fer enjambe le cours tranquille de la Retourne, le conducteur de la locomotive, Robert Ferret, avait pris l'habitude de lancer trois coups de sifflet à l'adresse d'une petite habitante d'une maison de garde-barrière, clouée dans son lit par une paralysie irréversible. Dans la nuit du 24 au 25 décembre, grâce à la générosité des fidèles du programme, le convoi s'arrêterait enfin à ce passage à niveau sans nom pour offrir à une gamine les cadeaux envoyés par tout un pays. Guy se mit à déchirer le papier du deuxième paquet tandis que résonnaient les notes guillerettes de la première page de publicité :

— C'est Volvic, Volvic, Volvic, c'est Volvic qui s'ra votre eau. Oh, Oh, Oh, Oh, C'est Volvic, Volvic, Volvic, c'est Volvic qu'il vous faut !

Le jeune garçon se mit soudain debout tout en dépliant le pantalon en toile bleue qu'il venait de découvrir dans l'emballage. Il se précipita vers sa mère pour l'embrasser.

— C'est exactement celui-là que je voulais...

Duprest tendit la main pour saisir l'étiquette en cuir apposée sur la poche postérieure droite du vêtement aux surpiqûres apparentes. Il l'arracha d'un coup sec avant de la brandir devant les yeux de Liliane en hurlant :

— Tu aurais pu m'en parler ! Pourquoi tu lui as acheté ça ? Tu sais bien ce que j'en pense ! C'est des habits de voyou, je ne veux pas que mon fils se déguise en blouson noir !

— Mais Clément...

— Il n'y a pas de Clément qui tienne ! En plus, tu as vu ce qu'il y a écrit dessus ? Levi ! Levi Strauss and Co ! Ce n'est pas parce qu'ils sont partout qu'ils doivent aussi s'afficher sur mon fils ! Non mais tu réfléchis, des fois ?

Elle eut le tort de s'approcher en levant la main pour tenter de reprendre le rectangle imprimé, ce que l'inspecteur interpréta comme une menace. Son bras se détendit, et la claque, d'une incroyable violence, atteignit Liliane sur le front, la projetant contre la table qui vacilla avant de se renverser dans un fracas de vaisselle brisée. Dans un mouvement désespéré, elle essaya de protéger le gâteau, mais il vint s'écraser avec un peu de retard sur le parquet qui se constellait d'éclats de verre et des débris colorés du transistor. Aveuglé par la colère, Clément rejetait les chaises retournées à coups de pied pour s'approcher de sa femme. Il se retrouva soudain face à son fils qui brandissait le poignard courbe ramené des souks de Casablanca.

— Qu'est-ce que tu fais avec ça ? Tu menaces ton père maintenant ?

Il s'avança, un sourire mauvais aux lèvres, capta l'attention du gamin sur son visage puis d'un geste vif lui emprisonna le poignet de ses doigts, l'obligeant à lâcher son arme dérisoire. Liliane, toujours à terre, ravala ses sanglots pour lancer :

— Ne le frappe pas, il n'a rien fait, il voulait juste défendre sa mère...

Duprest se figea, contempla le désastre et quitta l'appartement après avoir ramassé le jean qu'il jeta dans la première poubelle. Il se mit à marcher vers les boulevards extérieurs, observé par le regard de bronze des deux taureaux gardant l'entrée des abattoirs de Vaugirard, dans l'odeur fade des conserveries de viande de cheval. Plus loin, il s'assit sur les marches de la fabrique des Boules Quies pour fumer une cigarette dont les volutes de fumée se dispersaient devant l'aigle aux ailes déployées et les hiéroglyphes de la marque assourdissante. Il parcourut les Maréchaux qu'il s'abstint de franchir puis, après des heures d'errance dans l'humidité froide du petit matin, ses pas le portèrent vers les murs sans fin des usines Citroën. Il prit une chambre au premier et seul étage de l'hôtel restaurant Au pont Mirabeau dont les fenêtres à claire-voie donnaient sur le fleuve encombré de péniches chargées de sable, de gravier, de charbon. Soudain pris par le sommeil, il se jeta sur le lit sans même se débarrasser de ses vêtements. Réveillé par le grincement des poulies, le crissement des grues en mouvement, il s'aspergea le visage d'eau froide au robinet avant de descendre boire un café, accoudé au zinc, entouré par les mariniers et les ouvriers du port.

Deux heures plus tard, il tentait d'accrocher son regard aux lignes dansantes d'un compte rendu de filature quand le commissaire Lapides avait passé la tête par la porte entrouverte du bureau. Il lui avait demandé de le suivre jusqu'au couloir du deuxième étage encombré par les archives qu'on ne réussissait plus à caser dans l'espace qui leur était dévolu.

— Vous vous souvenez de Ferhat Hached ?

Duprest revit en un éclair la scène de la veille, sa femme à terre, le couteau de pacotille pointé sur lui par Guy au milieu du désastre de son anniversaire. Il ne parvint qu'à sortir un « oui » presque inaudible, se demandant un instant comment l'information avait pu arriver aux oreilles de son chef.

— On nous demande de reprendre du service, mais nous ne sommes pas à la manœuvre. On est juste là pour apporter notre expérience, faire profiter les services de nos réflexions en matière de connaissance du milieu, du terrain, puis d'approche discrète des objectifs. J'ai pensé à vous, en équipe avec Loyon... Il faudrait être opérationnel dès demain. Vous connaissez la Belgique ?

CHAPITRE 10

Liliane avait fait comme s'il ne s'était rien passé, le soir, quand il était rentré. Pas la moindre récrimination, pas de plainte ni de larmes malgré la plaque bleuie qu'elle dissimulait au front, derrière une mèche. Il en avait profité pour annoncer son départ vers l'étranger, pour une durée indéterminée, laissant entendre qu'il s'agissait là d'une décision de sa part. Le gamin avait déjà mangé, et il ne se montra pas. Duprest n'osa pas ouvrir la porte de sa chambre, il se contenta de déposer la réplique exacte du transistor Radiola sur le parquet, dans son emballage d'origine. Elle y était toujours quand il quitta le domicile conjugal, tôt le matin, avec à la main une valise contenant des vêtements pour une semaine.

Un agent de liaison de la Préfecture vint remettre aux deux inspecteurs les papiers spécialement confectionnés par les services officiels pour leur mission officieuse. La carte d'identité, la carte grise, l'attestation d'assurance et le permis de conduire de Loyon portaient le nom d'un militant clandestin de l'Organisation de l'armée secrète opérant dans la région parisienne, Robert Guardany, quant aux documents destinés à Duprest, ils avaient été établis au nom d'un responsable de second ordre du groupe d'extrême droite Jeune Nation en fuite après une sérieuse bagarre avec la police à l'issue d'une manifestation, Xavier Ludex. Ils héritaient également d'une enveloppe généreusement emplie de francs belges. La Peugeot de service les conduisit dans une forêt de l'Orléanais qui abritait les discrètes activités d'une sorte d'université du maintien de l'ordre. Ils passèrent deux barrières de contrôle, empruntèrent un chemin de ronde entre deux rangées de barbelés pour aboutir à une vaste étendue de sable en forme de polygone sur laquelle des hommes des forces spéciales prenaient pied après avoir glissé le long des filins qui pendaient sous un hélicoptère en sustentation. Des voitures calcinées, des masures aux ruines disséminées témoignaient de l'efficacité des produits utilisés pour l'entraînement. Un homme râblé vêtu d'une tenue chamarrée de parachutiste surmontée du béret rouge incliné vint à leur rencontre. Ils remarquèrent tout autant son impressionnante musculature que l'ouverture de ses yeux réduite à une fente, ce qui lui donnait l'air d'un Asiatique. Il s'immobilisa à un mètre d'eux pour un impeccable salut avant de leur tendre la main.

— Capitaine Lahut. Si vous voulez me suivre...

Ils pénétrèrent dans un bunker protégé par des sacs de sable, s'enfoncèrent dans des entrailles de béton brut jusqu'à une pièce aux murs couverts de modes d'emploi, de schémas. Lahut souleva un objet de la taille d'une petite boîte de cigares.

— Voilà notre produit de base. Deux cents grammes d'explosif stable, un détonateur, un système de commande à distance. Le plus compliqué, c'est d'arriver à le placer sous le châssis de la voiture de la cible, à cinquante centimètres des fesses du conducteur. Effet garanti...

Duprest prit la bombe à son tour, l'examina.

— J'ai des instructions précises, capitaine... Nous ne nous attaquons pas à un trafiquant d'armes allemand cette fois, mais à un médecin de quartier qui centralise l'argent collecté par le FLN dans la région bruxelloise. Lui seul est visé. On ne peut pas prendre le risque de faire sauter sa femme, ses enfants, un patient ou un passant en même temps que lui. Je pense qu'il faut trouver le moyen de lui faire remettre un objet, personnellement, un colis par exemple ou une lettre piégée...

Le spécialiste disposa côte à côte sur la table une dizaine d'engins explosifs dissimulés sous les apparences les plus anodines : cafetière, fer à repasser, boîte à musique, conserves, bouteille de champagne. L'attention de l'inspecteur Loyon fut attirée par un exemplaire relié cuir de *Crime et Châtiment*. Il l'ouvrit pour découvrir que les pages avaient été évidées et que la cavité ainsi ménagée abritait un dispositif meurtrier.

— Ce n'est pas mal comme idée... Les gens ne se méfient pas des livres...

Ils rentrèrent à Paris en début d'après-midi, après avoir partagé le repas des officiers dans le mess de Cercottes. Pour laisser le maximum de traces, ils ne prirent pas la 403 banalisée, mais le train de dix-sept heures dix-neuf qui atteignait la gare de Bruxelles-Midi un peu avant vingt et une heures. Sous prétexte qu'il n'en avait jamais conduit, Loyon insista pour louer une Volvo Amazon équipée d'un pare-soleil en forme de visière de casquette posé au-dessus du pare-brise. Ils s'installèrent pour la nuit dans un hôtel proche, place du Jeu de Balle, que les plaques de rue sous-titraient en Vossenplein, à mi-chemin entre leur gare d'arrivée, Zuidstation, et le palais de justice qu'on trouvait également en suivant les indications « Justitiepaleis ». Quand ils voulurent repartir, quelques heures plus tard, après avoir avalé leur petit déjeuner, il n'y avait pas que la rosée qui s'était déposée sur la carrosserie blanche du bolide. Les lignes effilées disparaissaient sous un amoncellement de vêtements, de dentelles, de coupons de tissus. Toute la place et les rues environnantes s'étaient transformées en un marché à la vieillerie qui prenait appui sur les façades, les trottoirs, les rares véhicules stationnés, les piles de pavés et les barrières d'un chantier de la voirie. Duprest écarta un lampadaire bancal installé devant la calandre, repoussa du pied un carton de livres d'occasion, faisant tomber une plaque émaillée vantant les mérites des cigarettes Boule d'Or. Un colosse dissimulé par les éléments d'une armoire à moitié démontée émergea sur sa droite.

— Oh, tu ne peux pas faire attention !

Duprest le toisa.

— Je ne crois pas vous avoir donné l'autorisation de me tutoyer... J'ai ma voiture là-dessous. Vous pouvez faire le ménage, qu'on puisse démarrer... Nous sommes attendus...

Le vendeur se baissa pour ramasser la publicité colorée.

— Il faudra leur dire d'attendre cet après-midi. Moi aussi, je travaille. Tout le monde sait, ici, que le marché s'installe dans la nuit et qu'on se gare ailleurs...

Pendant ce temps, Loyon avait fait le tour de la Volvo dont il avait ouvert la portière. Il se glissa sur le siège du conducteur et mit le moteur en marche. La voiture fit un bond en avant, éparpillant presque tout ce qui avait été posé sur les ailes, le capot, le toit. Duprest courut en évitant la vaisselle brisée, les pieds de lampes à pétrole, pour aller s'engouffrer dans l'habitacle. L'automobile accéléra, fila le long de la rue Blaes, vers la porte de Hal. Une nappe de dentelle accrochée au rétroviseur flottait à son flanc comme un étendard. Ils mirent le cap sur le nord-ouest, Duprest indiquant les voies à emprunter à l'aide de la carte dépliée sur ses genoux. L'appartement du docteur Dréchelle se situait au rez-de-chaussée d'un immeuble de trois étages, début de siècle, à une centaine de mètres de la chapelle Marie-la-Misérable dans le quartier Woluwe-Saint-Lambert. Ils n'étaient qu'à quelques kilomètres du centre, mais la ville semblait avoir accepté la présence de quelques parcs urbains avant de s'effacer devant les prés et les forêts de la vallée proche, et ils choisirent de venir stationner près d'un square entouré de bosquets d'où il leur était facile d'observer les allées et venues à la jumelle. Leur cible vivait normalement, sans se préoccuper des menaces éventuelles qui pouvaient peser sur elle. Ils n'eurent besoin que de trois jours pour répertorier les habitudes du médecin, de sa femme, les départs pour les courses, minuter le passage du facteur. C'est ce dernier qui les intéressait au plus haut point. Il arrivait entre dix heures et dix heures un quart, juste avant le début des consultations, franchissait les trois marches du perron pour sonner à la porte qu'ouvrait immanquablement le docteur avec qui il échangeait quelques mots tout en lui remettant un abondant courrier composé de lettres et de paquets d'échantillons. La nuit, Duprest récupérait les enveloppes décachetées et les emballages des colis dans la poubelle que le concierge de l'immeuble déposait sur un carré de pelouse, au coin de la rue. Il songea tout d'abord à faire confectionner un annuaire des médicaments, ouvrage dont le format comme l'épaisseur convenaient à l'usage auquel il était promis, mais il s'aperçut que le compostage de la poste indiquait une date vieille de plus d'une semaine, ce qui pouvait vouloir dire que le docteur Dréchelle ne manifestait pas de hâte particulière à prendre connaissance de son courrier professionnel. Le lendemain, la pêche dans le monceau d'ordures domestiques fut bien meilleure avec la découverte d'une feuille de papier kraft sur laquelle figurait le tampon d'un expéditeur installé à Lausanne, les Éditions de la Cité. Une rapide vérification téléphonique permit à l'inspecteur d'apprendre qu'il s'agissait là d'une structure militante suisse qui possédait à son catalogue plusieurs bouquins favorables à la cause indépendantiste algérienne. Elle diffusait aussi *La Question*, le livre de Henri Alleg interdit en France et malheureusement trop mince pour cacher une bombe. Un volume récent, *La Pacification*, de Hafid Keramane, s'y prêtait admirablement avec ses presque six cents pages de texte. Leur mission approchait de son terme. Il suffisait maintenant d'aller acheter quelques exemplaires du pavé, dans une librairie militante parisienne, puis de les remettre au « Chinois » afin qu'il les transforme en cadeau explosif dans son bunker de Cercottes. L'inspecteur refit seul cette fois le voyage jusqu'à la forêt proche d'Orléans, sans même prendre le temps de faire un crochet par chez lui, trois *Pacification* gonflant le cuir de sa sacoche. On lui fit une place dans un dortoir, le « Chinois » préférant officier la nuit, et à la fin de la matinée suivante, le capitaine lui présenta le résultat de son travail d'horlogerie.

— Il va avoir une drôle de surprise, le docteur...

— Vous êtes sûr que c'est stable ? Il n'y a pas de risque que tout explose pendant le trajet ? Ils ne sont pas très soigneux, au tri postal...

Le capitaine Lahut souleva la couverture du volume, découvrant le mécanisme.

— La charge est inerte. Quand les trois sécurités que j'ai placées là seront activées, seule l'ouverture du livre actionnera la mise à feu. On ne fait pas mieux. Un gamin peut jouer au foot avec, il n'y a pas de danger.

Duprest supervisa l'emballage du livre avec un papier kraft de même qualité que celui qu'il avait récupéré dans la poubelle bruxelloise, ainsi que l'apposition du tampon d'origine fabriqué par le service des faux, des timbres suisses et la calligraphie du nom du destinataire à l'identique de celle du modèle. À midi, la 403 prenait la direction de Lyon où l'inspecteur avait prévu de dormir avant une incursion en Suisse qui se limiterait à une visite à la poste de

Lausanne. Il prit simplement le temps d'acheter une boîte de chocolats qu'il offrit à son fils, en gage de réconciliation, tandis que Liliane gloussait en découvrant le Manneken Piss plaqué or qu'il avait échangé quatre jours plus tôt contre ses derniers francs belges dans une boutique à touristes de la gare du Midi, avant de prendre le train pour Paris.

Ce n'est que le mardi suivant, par un bref coup de fil du « Chinois », qu'il fut averti de la réussite de leur entreprise commune.

— La *Pacification* a explosé !

La presse belge consacra une série d'articles prudents à l'attentat qui venait de coûter la vie à un sujet de Sa Majesté le roi Baudoin. C'est tout juste si l'éventualité du rôle des services secrets du puissant voisin fut évoquée. La confusion remplaça les sous-entendus, déchiffrables par les seuls initiés, quand la police se mit sur la trace de deux militants de l'extrême droite française, Robert Guardany et Xavier Ludex, activement recherchés dans leur propre pays. La piste privilégiée devenait celle d'un groupe informel d'activistes. L'inspecteur s'offrit une cigarette en reposant le téléphone ; ses efforts étaient récompensés, l'ombre de La Main rouge planait enfin sur le crime. La rosette de la Légion d'honneur dont on le gratifia sur le contingent du ministère de l'Intérieur aurait pu, si on la lui avait accrochée quelques semaines plus tôt au revers, symboliser sa réussite exceptionnelle aux yeux des deux familles réunies au premier étage d'une brasserie proche de la République, pour son quarante-deuxième anniversaire. La cérémonie avait été expédiée en moins d'un quart d'heure, dans un salon secondaire du domaine préfectoral, avec le commissaire principal Lapides en grand ordonnateur. À l'issue des embrassades traditionnelles, des discours et de l'ingestion des petits fours, il lui avait remis une enveloppe contenant un message du préfet, Maurice Papon. Duprest s'était délesté de sa coupe de champagne pour ouvrir le pli, les mains tremblantes, debout devant l'une des fenêtres hautes qui surplombaient la cour de la Cité. Une phrase très brève, tracée d'une écriture ferme et penchée, précédait la signature : « Vos chefs savent ce qu'ils vous doivent. » L'inspecteur la relut plusieurs fois, ne parvenant pas à se débarrasser de la désagréable impression que le compliment sonnait aussi comme une menace. Le soir, il avait emmené Liliane et Guy dans un cinéma du boulevard de Grenelle voir un film comique, *Le travail c'est la liberté*, l'histoire de trois prisonniers devenus éboueurs à leur retour de détention. Liliane était immédiatement tombée sous le charme d'un brun ténébreux du nom de Sami Frey, alors qu'il avait été plus sensible au bagout de Raymond Devos. Guy, lui, s'était endormi.

La distinction avait rapidement été suivie d'une promotion au rang de commissaire principal, ce qui signifiait pour beaucoup, outre le gonflement des émoluments, un repli dans un bureau protégé par une secrétaire et une participation intensive aux multiples réceptions organisées à la Préfecture, à l'Hôtel de Ville voire au ministère de l'Intérieur. La planque. Duprest ne se vivait pas en intrigant de couloir, il avait pris goût à l'action, aux enquêtes de terrain, et le souvenir de ses mois de travail végétatif à la Compagnie du métro suffisait à lui redonner le courage d'affronter la difficulté lors de ses rares moments de vague à l'âme. Il occupait un bureau personnel, au deuxième étage, à quelques mètres de celui de Lapides, avec Loyon comme assistant. Il s'était vu octroyer une voiture de service, alimentée en carburant par les pompes du garage, et qu'il pouvait discrètement utiliser en fin de semaine en paraphant le carnet de mission. C'est au volant de cette DS 19 noire qu'il avait rallié Chartres où se cachait l'un des dispositifs les plus secrets de la guerre psychologique menée par le gouvernement contre les rebelles algériens. Le centre Kléber était abrité dans un pavillon anonyme, au cœur d'une propriété cernée de murs et de grilles, protégée par un épais rideau d'arbres, à dix kilomètres à vol d'oiseau de la pointe de la cathédrale, au lieu dit La Chintraie. Pour tous les habitants du village proche de Jouy-sur-Eure, il s'agissait là de la résidence d'un Parisien fortuné qui venait s'y reposer des fatigues des affaires et ils comprenaient qu'il ne cherche pas à se lier avec les autochtones. Les seuls contacts entre les deux mondes consistaient dans les achats de victuailles effectués dans les commerces de la place, au marché hebdomadaire, par un majordome mutique chargé de nourrir les dizaines de personnes qui passaient chaque mois l'imposante porte d'entrée du domaine. Clément avait eu connaissance de ce dispositif par l'entourage du « Chinois ». Leur département assurait tout ce qui concernait la logistique, c'est-à-dire le matériel, le personnel, la réflexion sur les angles d'attaque, le contenu des projets. Il leur était également nécessaire d'évaluer les retombées de leur action, de lui garantir une totale discrétion et de contrôler la probité de tous ceux qui étaient employés, à un titre ou à un autre, à La Chintraie. C'est ce dernier volet de l'opération qui incombait au commissaire principal Duprest. Après avoir quitté la nationale à hauteur d'une imposante ferme beauceronne, il fallait longer d'interminables champs de blé prêts à être moissonnés puis retrouver une petite vallée traversée par une route tellement bombée qu'il mit la suspension de la voiture en position haute. Arrivé à destination, il avança lentement le museau courbe de la Citroën, se pencha vers le pare-brise constellé d'insectes aplatis pour essayer de détecter la cellule photoélectrique impeccablement dissimulée dans la ferronnerie de la grille en mouvement. Les pneus crissèrent sur le gravier de l'allée menant à une maison de maître élevée sur trois étages. Quand il posa le pied sur la pelouse jaunie par le soleil d'été, une sorte de mélopée égyptienne s'échappa d'une fenêtre ouverte sur le parc. Lorsque la cithare, le luth, les guitares, les tambourins et les violons s'effacèrent, une voix d'homme, volontairement haut perchée, prit le relais en arabe.

Aujourd'hui, ce n'est plus comme avant.
À présent nous sommes instruits de la réalité,
Inutile de nous conseiller,
Nous avons compris où est l'avenir,
Jamais nous ne nous séparerons de la France,
C'est de là que nous vient la solution.

Intrigué, Duprest demeura un instant immobile avant de s'avancer vers le perron. Il fut accueilli par le commandant Pilastre, un ancien d'Indochine qui s'était attaché à disséquer les relations de terreur et de persuasion grâce auxquelles le Viêt-minh avait mis en échec une incomparable machine de conquête civilisatrice. Théoricien de la guerre révolutionnaire, ce colosse au visage d'ange avait appliqué ses méthodes en Algérie, couvert par le général Massu, copié par le colonel Bigeard, jusqu'à ce qu'une grenade artisanale lancée par un gamin, dans une rue de Bône que ses hommes ratissaient, le prive à tout jamais de l'usage de son pied droit. La prothèse articulée arrimée sur le moignon, un peu au-dessus de la cheville, lui interdisait de sauter seul en parachute, mais il ne pouvait s'empêcher, à la première occasion, de grimper dans le ventre d'acier d'un Nord-Atlas ou d'un Breguet pour ressentir l'étrange tension faite de peur et de plaisir, de désir de mort aussi, qui étreignait les jeunes soldats avant le premier saut. Il se contentait de regarder, de vivre par procuration, atterrissant sur la piste avec ceux qui n'avaient pas eu le courage de se jeter hors d'eux-mêmes et pour lesquels il se prenait, quelquefois, à éprouver une sorte de commisération. Après avoir refusé une retraite dorée d'invalide, il menait ses ultimes combats depuis l'arrière, déguisé en hobereau, entouré de civils qui n'avaient jamais pris le moindre risque physique et qui se contentaient de combattre les rebelles avec la langue. Il ne fallait pas être un as de l'observation pour s'apercevoir que l'habit du gentleman-farmer craquait de toute part sous la pression des habitudes militaires, que la rigueur du pas, le saccadé des gestes feraient barrage à jamais à cette fausse nonchalance inhérente à ceux qui depuis l'enfance se fondent dans la nature. Pilastre tendit la main à Duprest.

— Bienvenue à Radio-Paris.

CHAPITRE 11

Ils s'installèrent à l'extrémité d'une grande table dressée sous une tonnelle, derrière la bâtisse, à quelques mètres d'un feu sur lequel un cuisinier algérien faisait griller des côtelettes. La musique se désaccorda, dans la pièce voisine, puis les musiciens sortirent un à un pour prendre place sur les bancs de bois, après avoir adressé un mouvement de tête au nouveau venu. Duprest ne s'était jamais trouvé en présence d'autant d'étrangers dans lesquels il lui était impossible de voir autre chose que des ennemis. Il se surprit à faire mentalement le compte des convives européens, quatre, et à le comparer à celui des Arabes, quinze. Sa main droite glissa le long de son corps pour s'immobiliser sur le renflement rassurant de son arme.

— Attaquez, commissaire ! C'est de la viande de premier choix. On élève quelques moutons sur le domaine. Celui-là, je l'ai égorgé pas plus tard qu'avant-hier.

Le commandant Pilastre fit en sorte de ne pas

avoir à présenter son hôte, et à contingenter la conversation sur le travail en cours ce qui permit à Clément de situer quelques-unes des personnes partageant le repas.

— Alors, Abchiche... Je te voyais sucer ton crayon tout à l'heure, comme un écolier qui sèche sur son devoir de fin d'année ! Pas facile, l'écriture... Tu as fini par en venir à bout ?

L'homme, un Kabyle blond au visage constellé de taches de rousseur, portait de grosses lunettes aux verres épais qui produisaient un effet de loupe, grossissant démesurément le blanc de l'œil et les pupilles. Il arracha du bout des dents un morceau de viande à l'os d'agneau qu'il tenait dans son poing serré.

— Oui, commandant, je vous remercie...

— C'est bien pour l'émission « Kabylie mon beau pays », hein, je ne me trompe pas ? Tu vas nous parler de quoi, cette fois ? Des merveilles de Tigzirt, de la montagne aux Singes, de la cuisine de Tizi Ouzou, des femmes de Tigali ?

— Si ça ne tenait qu'à moi, commandant, je ne ferais que des émissions spéciales sur Tizi. Je la connais par cœur, chaque rue mérite une heure d'antenne et chaque habitant connaît une chanson différente... Cette fois, ce sera sur Cherchell, l'ancienne Césarée, le jardin des bougainvillées. C'était une capitale romaine, mais malheureusement, les trois quarts des vestiges se trouvent maintenant sous la mer... Une des plus belles sculptures sauvées du désastre, l'*Apollon de Cherchell*, est conservée dans une salle du musée du Louvre...

Tout en l'écoutant, Pilastre se servit deux louches de semoule, creusa un puits à l'aide de sa cuillère et le remplit de soupe, de légumes, de harissa, puis il se tourna vers un vieil homme aux traits impassibles. Les gencives orphelines, il détachait des lambeaux de viande grillée du bout des doigts avant de les porter à sa bouche pour les mastiquer lentement.

— Et toi, Mihdin, tu as prévu quoi pour accompagner la légende de Césarée revue et corrigée par Abchiche ? Tu ne vas pas encore nous repasser *Cwingum*, hein ? on l'entend presque chaque semaine...

Il y eut des rires étouffés dont le sens échappa au commissaire. Le vieux musicien prit le temps d'avaler avant de répondre au militaire.

— C'est un des plus grands succès de la chanson kabyle, et il dure depuis plus de dix ans... Tout le monde le connaît par cœur. Regardez dans le courrier, commandant. On nous le demande plus de cent fois chaque semaine... Il arrive même devant les chansons de Slimane Azem ou de Mustapha Alo-el-Hanka, ce qui n'enlève rien à leurs mérites.

Duprest profita d'une accalmie dans les échanges pour se pencher vers Pilastre.

— C'est quoi ce *Cwingum*, un texte comique ?

— Pas vraiment, c'est plutôt une défense de

la tradition... Une mise en garde contre le modernisme qui pénètre dans les villages, dans les mechtas les plus reculées. Ce qui les fait rire, c'est que la chanson préférée de Mihdin l'édenté est une critique de l'habitude que prennent les jeunes de mâchonner du chewing-gum, ce qui les fait ressembler à des troupeaux de vaches...

Il se mit à fredonner en touillant son café :

Cwingum inventé par l'Amérique,
Cwingum qui plonge les gens dans la misère,
Cwingum, le jeune comme le vieux,
Cwingum, ruminent hum ! hum !

Quelques minutes plus tard, l'orchestre au grand complet rejoignit la salle de répétition. Le commandant prit Duprest par l'épaule pour l'entraîner en claudiquant vers un bâtiment hérissé d'antennes que dissimulaient deux rangées de peupliers.

— L'émetteur est là et sa puissance nous permet d'arroser tout le Maghreb six heures par jour, rien qu'en kabyle, sur ondes moyennes... On intervient aussi en arabe littéraire, en arabe dialectal ou en chleuh vers le Maroc...

Avant d'effectuer le déplacement jusqu'à Chartres, le commissaire s'était entretenu de sa nouvelle mission avec Julien Frénault qui occupait maintenant d'importantes fonctions au ministère de l'Information. Le haut fonctionnaire, grâce auquel il était passé au travers des mailles de l'épuration, lui avait expliqué que France II avait mis à la disposition de l'armée une fréquence, malencontreusement baptisée Radio-Paris. L'objectif assigné à cette station clandestine financée par les services spéciaux et dirigée par des spécialistes de la « guerre révolutionnaire », consistait à combattre, sur le terrain, l'influence des puissantes radios du FLN diffusées depuis les capitales arabes comme Tunis ou Le Caire. Accessoirement, le centre Kléber servait de refuge à des artistes algériens engagés aux côtés de la France et dont la vie était menacée à Alger, à Oran... Pilastre continuait à parler en se soulageant contre un arbre.

— Le problème auquel nous sommes confrontés est assez banal : nous pouvons compter sur nos propres forces pour tout ce qui est directement politique, pour l'élaboration des journaux parlés, des émissions à vocation historique, de tout ce qui souligne les liens indéfectibles entre la France et l'Algérie... Mais si ce n'est que de la parlote, les auditeurs tournent la molette à la recherche d'un autre poste plus divertissant... Vous avez déjà écouté les radios du FLN, commissaire ?

— À la maison, quand ce n'est pas ma femme qui est sur Luxembourg, c'est mon fils qui cherche de la musique de sauvages sur Europe N° 1... Alors le FLN...

Le commandant se retourna vers son interlocuteur tout en se rebraguettant.

— C'est pourtant instructif. On pourrait croire qu'ils ne pensent qu'au bourrage de crâne, mais en fait, ils diffusent de la musique les trois quarts du temps... Ils sont plus malins que ce qu'on veut bien dire. Leur discours passe dans les paroles, en contrebande. Je fais exactement la même chose qu'eux, sauf que moi, je dois faire appel à des compositeurs, à des interprètes dont j'ignore complètement les opinions réelles... Il y a trois ans, nos collègues de Radio-Alger se sont aperçus que le principal auteur des chansons antifrançaises qui passaient sur Radio-Tunis était un technicien de chez eux, Ali Mâachi ! Les paras ont vérifié l'information avant de le faire pendre, en public, sur la place principale de Tiaret. On a les mêmes problèmes mais on aurait du mal à s'inspirer de leurs méthodes, en métropole. Ici l'armée n'est pas équipée pour ce travail de police...

— Vous pouvez compter sur moi.

À force de triturer le bouton cranté de l'autoradio de la DS, sur le chemin du retour, alors que des rafales de vent annonciatrices d'un orage faisaient se courber l'océan de blé beauceron, Duprest avait fini par accrocher la fréquence de Radio-Paris. Il s'était mis à pleuvoir d'un coup, sous un ciel noir traversé de fulgurances. La musique arrivait par vagues avant de disparaître dans le lointain des ondes bousculées par le tonnerre, pour revenir au premier plan comme poussée par les bourrasques qui soulevaient les essuie-glaces, les faisant patiner sur le pare-brise. Il ralentit et vint se garer près d'immenses silos à grains accouplés à une gare fantôme dont les rails se perdaient dans la végétation. Les éclairs électrisaient le paysage. Le speaker annonça une nouveauté gravée spécialement pour la station par les disques Festival, le *Mustapha* de Bob Azzam.

Chéri je t'aime, chéri je t'adore,
Como la salsa de pomodoro
Y' a Mustapha, y' a Mustapha,
Anavaé badia Mustapha,
Ça va chérim faila atha harim,
Éronquérim matché éma hatchim....
Tu m'as allumé avec une allumette
Et tu m'as fait perdre la tête...
Chéri je t'aime, chéri je t'adore,
Como la salsa de pomodoro.

La pluie qui tambourinait sur la carrosserie semblait se plier au rythme lancinant de la chanson, et Clément se surprit à pianoter sur le volant tout en se dandinant contre le dossier de son siège.

Au cours de la semaine suivante, Loyon lui avait déniché un interprète qui, tout en se débrouillant en arabe, parlait le kabyle à la perfection. L'inspecteur avait tiré son polyglotte d'un cul-de-basse-fosse, une vaste cave du quartier de la Goutte d'Or dont les murs avaient été doublés d'acier. Un système de remplissage branché sur les canalisations du commissariat attenant la transformait en piscine. Les suspects ramassés au cours de la nuit par les rondes de supplétifs, les calots bleus, devaient s'y tenir debout, de l'eau glacée jusqu'au menton. Les plus chanceux s'adossaient aux parois. D'après son dossier, Farid Wahab, qui habitait l'hôtel d'Orient, un meublé de la rue de la Charbonnière, exerçait la profession de musicien. Guitariste, il fréquentait les cabarets orientaux de Paris comme le Tam-Tam, El-Koutoubia, Les Nuits du Liban ou le café d'Amar Kaouane, rue de Cambronne. Des fiches de paie établissaient qu'il conseillait également la firme Teppaz pour son catalogue de musique orientale. Une patrouille l'avait interpellé quelques minutes après le mitraillage d'un restaurant algérien de la rue Myrha dont il se murmurait que le patron refusait de payer l'impôt révolutionnaire exigé par le FLN. La 203 du commando avait été, à son tour, prise sous le feu d'un barrage en dévalant la rue des Poissonniers. Le chauffeur s'était pris une balle dans la gorge et la Peugeot aux vitres opacifiées par le geyser sanglant était venue s'encastrer dans la grille d'une boucherie chevaline. Les policiers avaient arrosé de plomb les ténèbres peuplées des ombres des fuyards, sans autre résultat que les dommages causés aux façades. C'est en ratissant le quartier qu'ils étaient tombés sur Wahab, planqué dans les chiottes sur cour d'un immeuble chancelant. Il avait prétendu sortir d'un des appartements, mais personne dans les étages ne s'était aventuré à revendiquer quelque lien avec lui. Il avait, contre toute évidence, refusé d'admettre que la guitare marquée à ses initiales, retrouvée dans le coffre de la voiture accidentée, lui appartenait. Loyon avait rhabillé le type de la tête aux pieds à sa sortie des bains clandestins de la Goutte d'Or, avant de le conduire vers les bureaux du deuxième étage de la préfecture de police. Dépourvu de ceinture, Farid Wahab en était réduit à retenir un pantalon trop large de deux tailles qui tombait malgré tout en accordéon sur des chaussures effilées qui l'obligeaient à marcher à petits pas. Duprest comprit tout l'avantage qu'il pouvait tirer de la situation, et se garda bien d'autoriser le musicien à faire usage d'un des sièges de la salle des interrogatoires. Il vint se planter devant lui, alluma posément une cigarette, emplit ses poumons d'une fumée âcre qu'il rejeta longuement au visage du guitariste.

— Je vais te dire une chose pour que tu comprennes bien le problème qui t'est posé... Je suis certain que tu étais dans la 203, et ça va sûrement te surprendre, je tiens à t'en féliciter. Avec tes potes, vous en avez tué trois, plus quatre blessés. C'est autant de boulot que vous nous avez épargné, nous on s'est contentés du conducteur. Mon intérêt consiste à compter les points en faisant en sorte que le massacre continue. Tu sais comment ?

Farid Wahab remua la tête en silence sans effacer la moue de mépris qui tordait ses lèvres.

— C'est pourtant simple... On va aller te chercher un costume de bonne coupe, des chaussures à ta pointure, mais avant de te remettre en circulation, on va s'arranger pour que ta nouvelle réputation te précède. Farid la Balance, le musicien qui a plus d'une corde à sa guitare... Tu penses que tu tiendras combien de temps avant qu'un de tes frères vérifie le tranchant de son rasoir sur ta gorge ? Un jour... En tout cas, je ne te vois pas dépasser la semaine ?

— Salaud...

Duprest reçut l'injure comme un compliment.

— On est deux... Ce que je te demande, en fait, c'est de faire équipe...

Une semaine plus tard, le reflet du génie se mêlait aux néons sur la carrosserie impeccable de la DS garée devant la façade du cinéma Bastille. Le commissaire leva la tête vers les visages de Gabin et de Blier qui ondulaient sur la toile peinte chahutée par le vent, au fronton de la salle de spectacle. Il avait vu le film quinze jours plus tôt, avec Liliane et Guy. Le gamin y était retourné deux ou trois fois. Depuis, il saisissait la moindre occasion pour larder la conversation de répliques sorties de la bande-son du *Cave se rebiffe*. Il s'était pris une gifle quand, en graissant sa voix, il avait lancé à son père qui ramenait à la maison un gigot généreusement offert par un boucher de la rue de Buci :

— Le Bon Dieu aurait pu te faire honnête. Tu as de la chance, il t'a épargné.

La taloche n'avait pas eu les conséquences espérées. Le lendemain, alors que le commissaire expliquait à sa femme, tout en coupant des tranches d'agneau fumant, qu'il faudrait attendre encore quelques mois avant d'engager les travaux de rénovation de la cuisine, Guy s'était permis d'ajouter son grain de sel :

— Dans un ménage, quand l'homme ne ramène pas un certain volume d'oseille, l'autorité devient ni plus, ni moins, que de la tyrannie !

Deprest avait levé son bras, celui qui tenait le couteau à viande, mais l'éclat de rire de Liliane l'avait désarmé. Il avait regardé sa femme, comme si la joie qui la transfigurait en faisait une étrangère, avant de se rendre compte qu'elle avait, dans cet instant, retrouvé l'insouciance de ses vingt ans. Il comprit également que ce rire scellait une alliance domestique que rien ne parviendrait à briser, et qu'il lui fallait désormais en tirer les conclusions. Il avait approché la pointe du couteau de la souris aillée pour l'écarter de l'os avant de la sectionner.

La voix de Farid Wahab l'avait tiré de sa rêverie.

— On se paye une séance de cinoche ?

Le commissaire contourna la voiture pour le prendre par l'épaule, faussement amical.

— On fait un bout de chemin ensemble, d'accord, mais ça n'autorise pas les familiarités... Il est où ton troquet ?

Le musicien avait soulevé son étui à guitare pour montrer la direction.

— Un peu plus haut, en remontant sur la Roquette...

— En route. Tu te rappelles comment je m'appelle ?

— Oui : Martineau... Le beau Christian pour les dames...

Duprest vérifia la présence de son arme à travers la poche de sa veste. Il avait l'impression de pénétrer dans la médina d'une ville marocaine, avec ces échos de mélopées égyptiennes traînant dans les rues, ces silhouettes nonchalantes déambulant dans les venelles, ces groupes inquiétants sous les porches. Il marchait en fixant le vernis de ses chaussures, les pavés éclaboussés par la lumière crue des gargotes, saisissant, au passage, les sons gutturaux d'une langue inconnue. Ils dépassèrent l'échoppe débordante d'un ferrailleur puis obliquèrent pour s'engager dans une rue encaissée dans laquelle flottaient des odeurs de sciure et de grillade.

— C'est là...

Farid poussa la porte du café qui faisait l'angle. Il leur fallut jouer des coudes pour avancer dans la vaste salle envahie de fumée où se pressaient une bonne centaine de clients. Quelques anciens, indifférents au tumulte, continuaient à jouer aux dominos en sirotant du thé à la menthe versé dans de minuscules verres aux parois dorées. Ils atteignirent le bar derrière lequel trônait le patron, Ali Aami. Il jeta un regard méfiant à l'inconnu, profita de la main tendue de Farid pour entraîner le musicien à l'écart. Il se mit à lui parler le plus bas possible, en berbère.

— C'est qui le type que tu nous as amené ? Tu es sûr de lui ?

— Sers-moi un café au lieu de raconter n'importe quoi ! Je crois que j'ai fait mes preuves... Pas plus tard que la semaine dernière, à Barbès...

Ali Aami se tourna pour abaisser la manette du percolateur avant de revenir s'accouder au zinc.

— Il se prépare des choses importantes, il faut redoubler de prudence... Tu es ici chez moi, je dois rendre des comptes. Tu comprends ?

— Son nom, c'est Martineau mais, dans le métier, tout le monde préfère l'appeler Chris... Il bosse pour les disques Ducretet-Thomson, et il cherche à enregistrer des artistes algériens ou orientaux. D'après ce qui se dit, il paraît qu'on est à la mode... Qui est-ce qui passe, ce soir ?

— On a Youcef Abdjaoui, Mohand Rachid, et si tout se passe bien, on finira la nuit avec une bonne surprise...

Le calme se propagea dans la salle quand un

homme d'une trentaine d'années, habillé d'une chemise noire, d'une veste blanche, se dirigea vers la minuscule scène aménagée dans un angle du café. Il ajusta son énorme nœud papillon crème, se lissa la moustache avant de se baisser pour saisir le luth posé sur la table basse, près d'un magnétophone à bande. Il accorda l'instrument tandis que les spectateurs finissaient de se caser sur les chaises, les bancs, les tables. Farid Wahab ne parvint pas à réprimer un frisson quand le chanteur prit la parole après une longue introduction musicale :

— *Euhhdey-k a leebd ur k-ummnay, d'ahbib yeqqw'l-iyi-d- d azrem*

« *Xdeen-iyi wid hemmlay, yedda-d eg ma garasen*[1]...

Le commissaire se pencha vers lui.

— Ça n'a pas l'air d'aller... Qu'est-ce qu'il raconte ?

— Rien d'important... Une histoire de famille. Des frangins qui ne s'aiment pas...

Une heure plus tard, c'est lui qui se rapprocha du commissaire pour traduire les paroles d'une chanson qui avait immédiatement enflammé la salle.

— C'est un des textes les plus populaires en ce moment... Les paroles disent à peu près : « Je

1. Je ne ferai plus confiance à l'Homme, un ami s'étant révélé serpent / Ceux que j'aime m'ont trahi, même mon frère est parmi eux.

possédais un jardin clos où tout poussait à merveille. Des pêches, des grenades. Je le travaillais sous le soleil, j'y plantais même du basilic qui fleurissait et qu'on pouvait voir de loin. Les sauterelles sont venues à la hâte, pour tout ravager. S'en prenant jusqu'aux racines... » Pas besoin de faire un dessin, tout le monde comprend que les sauterelles, ce sont les Français... D'ailleurs, à Radio-Paris, elle est sur la liste des chansons interdites.

Alors qu'il venait de quitter la scène, Youcef Abdjaoui se ravisa. Il fit quelques pas en arrière, s'approcha du micro pour égrener quelques notes. Les visages se tendirent, les yeux s'écarquillèrent, et le silence se fit immédiatement.

— Qu'est-ce qui se passe ?

— Non, c'est pas possible...

Les doigts de Duprest enserrèrent l'avant-bras de son informateur. Il se mit à parler, dans un souffle, sans remuer les lèvres.

— Je t'ai posé une question.

— C'est la surprise que le patron annonçait tout à l'heure... Ce qu'il a joué, ce sont les premières notes de *Oh mère chérie, ne te lamente pas*, de Farid Ali. C'est un miracle ! Il est là, c'est lui !

Un homme aux yeux enfiévrés venait de sortir des coulisses aménagées dans la cuisine du restaurant pour se glisser au centre de l'orchestre composé d'un tambourin à cymbalettes, d'une cithare, de derboukas, d'un violon. L'émotion était à son comble, et le commissaire repéra aussitôt, à leurs poches gonflées, les quatre Algériens chargés de veiller sur la sécurité de la vedette. S'il avait l'impression d'entendre les mêmes mélodies sans fin que celles qui se succédaient depuis le début de la soirée, il sentait bien aux réactions du public que la personnalité de l'interprète leur donnait une incomparable gravité. Une sorte de *Marseillaise* à la sauce orientale. Il y était question de combattants montant la garde, de résistance et de mémoire, de la victoire sur le joug des Français, là, en plein Paris, à deux pas de la colonne de la Bastille !

— Il vit en France, ce Farid Ali ?

L'autre Farid remua la tête.

— Si l'Algérie c'est la France, je te réponds oui... D'après ce qui se dit, il passe pas mal de temps en Allemagne, le climat est meilleur pour sa santé.

Ils quittèrent le passage Thiéré au petit matin pour reprendre la DS dont le commissaire ne se lassait pas d'actionner la suspension hydropneumatique. Il traîna le musicien dans un bar minuscule du quartier des Halles, à un jet de pierre de la Fontaine des Innocents, et lui tira assez d'informations pour bâtir la fiche de Farid Ali. Il s'était installé dans son bureau, la seule pièce qu'il habitait vraiment, celle avec laquelle il faisait corps depuis que celui de Liliane s'était éloigné de ses pensées.

« Né le 9 janvier 1919 à Ikhlefounen, dans la commune de Bounouh, région de Tizi Ouzou. Vrai nom, Khelifi Ali ou Khedour Aïcha (lancer une recherche). Élevé chez les Pères blancs, certificat d'études professionnelles. Cordonnier rue Randon, à Alger, de 1935 à 1936, passe en métropole l'année suivante. Tient un café à Boulogne-Billancourt puis à Paris, boulevard Gallieni. S'engage dans les Brigades internationales. Plusieurs mois en Espagne où il croise d'autres musulmans ralliés à la cause anarchiste ou communiste comme l'Algérien Saïl Mohamed, le Marocain Ahmed Ben Thami (voir fiche), ou le Kabyle Rabbah Oussid'Houm (mort le 25 mars 1937 à Miraflores). Musicien et danseur de claquettes. Impliqué dans un attentat contre une radio française en 1951. Prend le maquis à Ikaânanen, près de son village natal de Bounouh. Arrêté en 1956 par l'armée française. Incarcéré à Draâ El Mizan. Libéré en 1957. Fait partie, en 1958, de la troupe de propagande artistique du FLN qui se produit en Tunisie puis en Yougoslavie. Auteur de chansons séditieuses (*Oh mère chérie ne te lamente pas, Main dans la main, Prends le chemin que tu veux*). Enregistre pour Radio-Paris. Serait aujourd'hui basé en Allemagne (secteur à préciser). »

CHAPITRE 12

Au cours de l'été, Farid avait piloté le faux Chris Martineau de chez Ducretet-Thomson dans tout ce que Paris, comme sa banlieue, comptait de cafés musicaux, de cinémas orientaux offrant des premières parties artistiques à leur public. Les amateurs devaient jongler avec le couvre-feu, à destination des seuls Français d'origine algérienne, décrété par la préfecture de police de la Seine, et il n'était pas rare que les plus exposés restent à dormir sur les banquettes ou les tables, dans les odeurs de semoule, de sueur, de tabac froid. Une nuit, à l'automne, le guitariste lui avait demandé de s'arrêter près du pont de Stains, après avoir traversé un quartier d'entrepôts aux façades crénelées, sillonné par des bennes à ordures, des remorques débordantes d'anthracite, de suie, d'os, de déchets de boucherie, des camions brinquebalants aux essieux fatigués chargés de marchandises douteuses. En contrebas, les eaux du canal Saint-Denis faisaient comme un fleuve de cirage liquide dans lequel se reflétaient les alignements parallèles du bidonville posé sur les berges étroites. Quinze mètres plus loin, c'était les murailles sans fin des entreprises de stockage sidérurgique, d'approvisionnement en soufre, en gravier, en béton, en bois de construction, sur lesquelles les grues projetaient leurs ombres creuses de sentinelles métalliques. Un escalier aux joints colonisés par les herbes folles conduisait aux baraquements. Des silhouettes traversaient ce décor de planches, de tôle ondulée, de carton, dans la lumière mouvante des feux de cagettes et des lampes à pétrole. Duprest s'immobilisa. Il releva le col de sa veste pour allumer une cigarette.

— Où est-ce que tu m'emmènes ? C'est un vrai coupe-gorge...

— On va aux Mariniers, c'est à deux pas, dans le passage Moglia. Le café est tenu par des Espagnols, mais ils laissent jouer les Algériens, les Gitans... Au printemps, j'ai accompagné un jeune de chez eux à la guitare, Paco Ibáñez...

Ils longèrent le flanc, haut sur l'eau, d'une péniche en attente de chargement, firent un détour pour éviter les mares d'huile de vidange suintant d'un enclos où s'entassaient des carcasses de voitures, et c'est au moment de dépasser la bicoque de l'éclusier flanquée de son potager que les coups de feu retentirent. Une cavalcade, des cris. Ils virent passer des ombres grises qui s'évanouirent dans le labyrinthe du campement. Un des hommes, peut-être était-il étranger au secteur, n'avait pas eu le réflexe de filer droit sur le refuge du bidonville. Il avait eu l'intention de plonger dans le canal, près de l'étrave de l'*Arlésienne*, avec l'espoir de rejoindre la berge opposée, mais il s'était ravisé au dernier moment. Il levait les bras en se retournant pour faire face au trois policiers quand une balle lui arracha une partie du visage. Son corps vacilla avant de s'incliner puis de tomber sur les cordages qui le maintinrent une fraction de seconde entre le sol et l'immensité du ciel. L'eau noire finit par l'engloutir. Les policiers avançaient, précédés par le faisceau de leurs lampes torches. Farid fut pris dans l'un des triangles de lumière jaune, comme un lapin imprudent sur une route de campagne. Le commissaire n'eut pas le temps de s'approcher que déjà les crosses s'abattaient sur lui, les coups de brodequins prirent le relais quand il fut à terre. Duprest s'interposa à temps pour empêcher qu'il ne soit exécuté.

— Arrêtez ! Attendez... Je suis le commissaire principal Duprest... des Renseignements généraux... C'est un de mes hommes... Ma carte est là, dans ma poche intérieure...

— Laisse tes mains où elles sont... Écarte les doigts ! Fais pas le malin...

Le rayon lumineux braqué sur son visage l'obligea à fermer les yeux. Il sentit qu'une main s'immisçait entre sa chemise et sa veste, s'emparait de son portefeuille.

— Oh excusez-nous, commissaire... On ne pouvait pas savoir...

Il souleva lentement les paupières, récupéra ses papiers tandis que Farid, le visage ravagé par la peur, demeurait les genoux plantés dans la terre huileuse, incapable de se remettre debout. Le guitariste avait compris qu'il était en sursis, même s'il ignorait qu'il ne lui restait plus qu'une semaine à vivre. C'est le commissaire qui était tombé, presque par hasard, sur son corps ensanglanté mêlé aux dépouilles d'une dizaine d'autres Algériens, au petit matin du 18 octobre 1961. La nuit précédente, une démonstration du FLN avait dégénéré, et les éléments les plus fidèles de la Préfecture avaient été requis pour effacer les traces les plus visibles des événements. Duprest s'était vu confier par le commissaire Lapides la dispersion d'un lot de cinquante victimes : des manifestants morts dans une bousculade alors qu'ils tentaient de s'enfuir de la cour d'isolement de la Cité où ils étaient incarcérés. Il avait commencé par ordonner à des gardiens d'aller en jeter quelques-uns dans le fleuve, puis il s'était dit qu'il fallait diversifier le mode opératoire des disparitions. Les trois véhicules dont il disposait, un fourgon HY, une Ariane et une Panhard PL17, effectuèrent plusieurs incursions en lointaine banlieue. On se débarrassa de cadavres dans le bois de

Meudon, après avoir vidé le contenu de leurs poches, dans des carrières abandonnées près de Gagny ou de Livry-Gargan, dans des marais ou des bras morts vers la confluence de l'Oise et de la Seine, à Conflans-Sainte-Honorine. Il en restait donc une dizaine, entassés, au petit matin, quand Duprest était descendu de son bureau pour donner ses dernières directives.

— Il commence à y avoir trop de monde dans les rues. Dès que les voitures reviennent, vous dites aux chauffeurs de filer au cimetière de Thiais. Tout est prévu, des collègues les attendent pour balancer les bougnoules dans la fosse commune...

Il allait quitter la cour lorsqu'un policier s'était penché sur les cadavres pour les aligner contre le mur en les tirant par les pieds. Le cache-col qui masquait le visage d'un des morts avait glissé, et Clément avait reconnu Farid Wahab, le guitariste. Il s'était abstenu de parler de la mort de son informateur, le lendemain midi, dans la petite salle située au premier étage du Royal-Montrond, un restaurant discret de la rue de Buci où le commissaire Lapides l'avait invité en compagnie de Loyon. Les trois hommes s'étaient silencieusement recueillis autour d'un plateau de pousses de Marennes, chair iodée ferme, parfum de noisette, d'amande, souligné par un mâcon calcaire des environs de Solutré.

— Vous voyez bien, Duprest, que vos inquiétudes n'étaient pas fondées ! Les journaux sont bien sagement restés dans les limites que nous leur avions assignées. Ils parlent d'émeutes musulmanes, de raids fellaghas sur Paris, s'en tiennent aux chiffres que nous leur avons fournis. Trois morts dont un Européen ! On mésestime toujours les journalistes. Le ministère s'est contenté, par simple routine, de couper dans les papiers des excités de *L'Humanité* et du *Canard*, ce qui ne fera pleurer personne...

— Vous aviez raison, mais il faut rester vigilants... La presse quotidienne est plus facile à tenir que les hebdomadaires. Loyon me faisait part, pas plus tard que ce matin, des difficultés rencontrées par nos agents pour contrôler les gens de *L'Express* et de *L'Observateur*. Il y en a quelques-uns sur lesquels on n'a rien...

Le commissaire Lapides planta sa fourchette dans le tournedos que le serveur venait de poser devant lui.

— Ils se coucheront, comme leurs petits camarades, faites-moi confiance ! Leurs directeurs ne sont pas des idiots, ils ont lu attentivement la loi sur le couvre-feu qui habilite les autorités à prendre la presse en main dès lors que le besoin s'en fait sentir. Non, ne perdez pas votre temps de ce côté-là, ils sont dressés. Par contre...

Il reposa ses couverts sur le bord de son assiette après avoir ingurgité un morceau de viande gorgée de sang, puis fouilla dans la poche droite de sa veste à la recherche d'un papier qu'il tendit à Duprest.

— Ça, c'est beaucoup plus inquiétant...

Duprest déplia en grimaçant la feuille maculée de colle, de poussière de plâtre.

— C'est quoi ?

— Un tract anonyme intercepté ce matin par un huissier dans les chiottes du Palais de Justice. Placardé au-dessus du dévidoir...

L'inspecteur Loyon se rapprocha du commissaire pour lire par-dessus son épaule :

« La petite cour, dite d'isolement, qui sépare la caserne de la Cité de l'hôtel préfectoral était transformée en un véritable charnier. Les tortionnaires jetèrent des dizaines de leurs victimes dans la Seine qui coule à quelques mètres pour les soustraire à l'examen des médecins légistes. Non sans les avoir délestés, au préalable, de leurs montres et de leur argent. M. Papon, préfet de police, et M. Legay, directeur général de la police municipale, assistaient à ces horribles scènes. »

Duprest pointa le doigt sur la signature : « Un groupe de policiers républicains... »

— Ce n'est pas le langage d'un flic. C'est de l'intox, ils veulent nous emmener dans le mur...

— Non. Ce type est trop bien informé. Je suis à peu près sûr qu'il est de chez nous... Il faudrait me le retrouver. Je compte sur vous.

L'enquête n'avait pas abouti. Un faisceau de présomptions dirigeait les soupçons sur une

« amicale de fonctionnaires patriotes » affiliée clandestinement au Syndicat général de la police sans qu'il ait été possible de déterminer les identités de ses membres. Selon une source de seconde main, le texte avait été tapé dans une permanence du PCF sur un stencil, à l'aide d'une machine de marque Underwood, puis reproduit par un duplicateur Gestetner sur du papier Arjomari-Prioux. Le matériel aurait été rapidement détruit au marteau, pièce après pièce, avant d'être jeté dans la Seine. L'analyse des caractères par le laboratoire de la préfecture avait infirmé cette version trop précise pour être prise au sérieux : ils appartenaient non à une Underwood mais à une Japy du type de celles utilisées dans les commissariats. Le seul espoir d'aboutir résidait maintenant dans le fastidieux inventaire du matériel de dactylographie équipant les commissariats du département de la Seine. C'est à peu près à cette époque que Duprest avait été contacté par le ministère de l'Information. On lui demandait d'apporter l'aide du service à un journaliste chargé de rédiger le numéro spécial que sa publication, *Le Nouveau Candide*, consacrait aux négociations en cours avec les insurgés algériens. Le commissaire n'ignorait pas que ce journal assurait sa trésorerie grâce aux prélèvements effectués sur les fonds secrets, le principe de la ligne éditoriale étant de contrer l'influence de ses concurrents directs, *L'Express* et *L'Ob-*

servateur gagnés aux thèses indépendantistes algériennes. Il avait minutieusement préparé le rendez-vous, comme à son habitude, ce qui lui avait permis de comprendre que *Le Nouveau Candide* avait également pour objectif de troubler les secteurs de l'opinion favorables aux idées de l'Organisation de l'armée secrète, aux desesperados de l'Algérie française, en reprenant leurs thèmes, leurs thèses, pour mieux conforter le gouvernement en place. Une grande partie de la rédaction, dont des écrivains de renom, ne se posait pas la question de savoir d'où venait l'argent des piges mirifiques payées rubis sur l'ongle. Des cyniques, plus quelques idiots utiles. Seuls les rédacteurs des papiers sensibles connaissaient les règles de ce jeu subtil. Paul Barjon était de ceux-là. Blond, élancé, des lunettes noires sur le nez malgré le temps maussade, il attendait sur la place du Trocadéro, devant la façade minérale du Théâtre national populaire barrée d'un calicot annonçant le spectacle en cours, l'*Antigone* de Sophocle. La DS était venue se ranger le long du trottoir alors qu'un timide rayon de soleil profitait d'une trouée pour réchauffer la tour Eiffel. Le journaliste s'était baissé pour prendre le sac de voyage posé à ses pieds, l'avait balancé sur la banquette arrière avant de s'asseoir près du commissaire. Il avait ôté ses lunettes, découvrant des yeux d'un bleu limpide, avait tendu la main.

— Enchanté, commissaire. On m'a dit le plus grand bien de vous...

— Merci...

Duprest se contenta du contact. Il en savait bien assez sur son compagnon d'un jour : après des études littéraires, Barjon s'était lancé dans l'import-export. Ses camions d'occasion traversaient la Méditerranée, en échange de tout ce que pouvaient produire les terres du Maghreb, vin, dattes, coprah, phosphate, manganèse... À vingt-cinq ans, malgré une position bien assurée, il s'était engagé dans les parachutistes, pour ne pas manquer la seule guerre qui passait à portée de sa jeunesse. Le colonel Bigeard, conquis par ses dons de meneur d'hommes, lui avait confié la responsabilité de son service d'action psychologique. De retour à la vie civile, en 1958, il s'était logiquement reconverti dans le journalisme ainsi que dans l'écriture de scénarios de films d'espionnage. Pressé par son fils qui s'était pris de passion pour les romans de Paul Kenny et de Jean Bruce, le commissaire avait vu en compagnie de Liliane plusieurs histoires concoctées par Barjon. *OSS 117 n'est pas mort, Le Bal des espions...* Il jeta un coup d'œil furtif vers son passager en remontant l'avenue Paul-Doumer, et la voix off qui présentait le personnage principal, pendant le générique, lui revint en mémoire, tant le journaliste ressemblait au portrait : « Hubert Bonisseur de La Bath était un solide gaillard à la carrure athlétique de sportif en pleine possession de ses moyens, au visage énergique et buriné de prince pirate. Son regard clair, à l'ironie tranquille, se posait sur les êtres et les choses avec cette assurance née d'une vie riche en aventures. » Il prit la nationale 7 au Kremlin-Bicêtre, et bien qu'on soit en novembre, il se montra sensible à l'azur de carte postale évoqué par le panneau « Marseille 839 km ». Ils firent une halte en début d'après-midi à La Cour des Adieux, un routier des environs de Nevers qui proposait des alouettes en sauce, une sorte de paupiette niçoise à base de rumsteck, farcie avec du porc fumé, du veau et servies sur un lit de ratatouille. La nuit masquait les contreforts du Jura quand ils arrivèrent à Bourg-en-Bresse où la secrétaire du service avait retenu des chambres. Au matin, c'était la brume. Le camp de Thol ressemblait à n'importe quel camp de concentration, ainsi que l'avait écrit Barjon, la semaine suivante, en ouverture de son article du *Nouveau Candide*. Les manifestants algériens dont on avait pu déterminer un degré d'implication élevé dans la structure du FLN, après les arrestations massives d'octobre, avaient été dirigés vers ce centre de rétention de cinq cents places géré par l'armée. Un mur d'enceinte rehaussé de barbelés, ponctué de miradors équipés de projecteurs, de fusils-mitrailleurs, dissimulait une vingtaine de baraques disposées autour du pavillon massif de l'administration. L'Ain coulait en contrebas, derrière un rideau transparent de peupliers. La seule note d'optimisme sortait de l'auto-radio. Bob Azzam, après sa *salsa de pomodoro*, persévérait dans les chansons roboratives.

J'ai une jolie femme, dont je suis épris
Mais voilà le drame, elle se lève la nuit
Sortant de sa chambre, à peine vêtue
Elle se frotte le ventre et dit d'une voix menue :
Fais-moi du couscous chéri
Fais-moi du couscous...

Barjon s'approcha d'une sentinelle recouverte d'une capote et d'un passe-montagne, qu'il salua militairement alors que le commandant auquel les hasards de la généalogie avaient attribué le patronyme de Ducamp longeait le chemin de ronde, de l'autre côté du grillage. Il leur fit visiter ses installations tout au long de la matinée. Ils arpentèrent les dortoirs, traversèrent les cuisines, les salles de cours, le terrain de sport, l'infirmerie. Tout était propre, humide, lugubre. En fin de repas, Barjon s'isola pour interroger deux détenus sélectionnés à son intention par le directeur. Il ne fit pas de confidences au commissaire sur ces entretiens particuliers, au cours du voyage de retour. Duprest, lorsqu'il en prit connaissance dans le journal, se fit la réflexion qu'il avait côtoyé un grand professionnel. Rien de ce qu'il lisait ne correspondait à la réalité du terrain, mais le style, la verve rendaient plausibles les affirmations les plus hasardeuses. Ducamp revu et corrigé par Barjon prétendait ainsi :

« Vous n'imaginez pas comme les détenus sont exigeants ! Ils refusent la margarine, tout doit se faire au beurre. Le pain vient des meilleures boulangeries du pays, nous devons leur fournir des fruits, des tomates, alors que je n'en mange même pas chez moi ! La semaine dernière, ils ont exigé des haricots verts, en précisant qu'ils refuseraient les conserves. Je n'ai pas pensé à vous faire visiter le salon de coiffure... Un vrai salon, avec des fauteuils dernier cri. Il nous a coûté les yeux de la tête, mais j'ai été obligé d'en passer par là... »

La conclusion n'en était que plus forte :

« Exemplaires, ces relégués d'un camp de concentration ordinaire qui se préparent à la lutte révolutionnaire en s'empiffrant chez nous (et pourquoi auraient-ils eu scrupule à le faire, je vous le demande ?), comme des marins qui jouissent d'une grasse escale avant que de partir pour un voyage qu'ils ont décidé d'effectuer sans nous. »

CHAPITRE 13

Duprest s'était rendu compte qu'il n'avait pas vu grandir son fils le jour où Liliane lui avait annoncé que Guy venait de résilier son sursis et qu'il partait faire son service militaire en Allemagne.

— Et ses études ? Il vient tout juste de commencer son droit !

— Ça ne l'a jamais intéressé, il a essayé de te le dire plusieurs fois mais il n'y est pas arrivé. Tu lui fais peur... Il n'ose pas venir t'annoncer sa décision.

Le commissaire s'était dirigé vers son bureau en bougonnant.

— À vingt ans, j'étais autrement décidé ! Lui, il n'y a que la musique et les copains qui comptent.

Il se cala dans son fauteuil, parcourut sans s'y absorber les notes rassemblées pour une synthèse consacrée à un dirigeant socialiste dont il se murmurait qu'il pouvait jouer un rôle de premier plan, après le succès de la gauche aux élections législatives du mois de mars.

« Gaston Prigenet, 1907 à Saint-Jean-de-Braye. Collège Stanislas, lycée Janson-de-Sailly, Polytechnique. Membre du cabinet de Pierre Cot au ministère de l'Air puis à celui du Commerce, 1936-1938. Prisonnier de guerre en Thuringe (39-45). Député d'Indre-et-Loire (1951, réélu 1956). Cabinet de François Mitterrand dans les gouvernements Mendès France (Intérieur) et Guy Mollet (Justice). Partisan de l'Algérie française. Membre du Club du Siècle. Franc-maçon, loge Danton du Grand Orient de France. Marié (Isabelle née Dehautebourg, fille du président du conseil général de l'Yonne). Deux enfants (Roland, administrateur Air France, Maryvonne, directrice adjointe SOFRES). Fréquentait l'établissement de Suzy, rue Notre-Dame-de-Nazareth. Client de La Nonne, cornette et chapelet (Photos). Habitudes rue Sainte-Appoline également, dans l'ancien Bureau des Nourrices. »

Son regard s'attarda sur le cliché pris derrière une glace sans tain où l'on voyait le représentant du peuple allongé, nu, sur un lit surmonté d'un tableau représentant la Vierge donnant le sein à l'enfant Jésus. Une sœur, en habit de clarisse capucine, dont la robe retroussée jusqu'au nombril découvrait un porte-jarretelles noir et une toison luisante, approchait ses lèvres de l'offrande de son sexe dressé. Le commissaire referma le classeur, saisit le dossier de son fils, libéra les languettes pour en renverser le contenu sur le plateau de son secrétaire. Il y avait là toutes les photos d'école de Guy, au dos, les noms de ses camarades de classe, ceux des enseignants, du directeur, des graphiques sur l'évolution de ses notes, matière par matière, la liste des maladies, des absences autorisées, le double des certificats médicaux... Il feuilleta les factures d'achat des cadeaux de Noël, d'anniversaire, Martin l'ours en peluche, un garage Caltex avec ascenseur à voitures, un vélo, un train électrique, la maquette du paquebot *Normandie*, une boîte de Meccano... Il avait noté le jour où pour la première fois Liliane lui avait signalé la découverte d'une « carte de France » poissant le drap, entre les dessins de Pluto, des trois petits cochons, de Mickey et de l'Oncle Picsou.

Au cours des deux semaines suivantes il était intervenu en haut lieu, sans le lui dire, pour éviter à son fils les rigueurs des hivers germains, une mission accomplie avec le sentiment d'avoir effacé le poids cumulé de l'indifférence. Julien Frénault, qui l'avait sorti de la prison de Fresnes en 1944, œuvrait maintenant dans l'ombre du ministre des Armées, Pierre Mesmer, et un seul coup de fil avait suffi pour obtenir une affectation au fort de Romainville, dans un service stratégique lié au programme nucléaire.

— On n'y place que du personnel de toute confiance...

Guy pourrait mener de pair vie civile et vie militaire, revenir à la maison tous les soirs, continuer à faire honneur à la cuisine de sa mère. Clément pensait que les compteurs filiaux étaient revenus à zéro, alors que l'éloignement réel aurait pu, sinon cicatriser les blessures de l'insidieux éloignement quotidien, du moins les rendre supportables. En fait, Guy lui en avait voulu de ce maintien dans l'orbite familiale, de cette adolescence prolongée par une vie de planqué. Il n'avait pas osé le formuler, se contentant de baisser la tête, de s'enfermer dans ses rancœurs. Il regrettait que la guerre d'Algérie se soit terminée quelques années plus tôt, le privant d'un engagement dans les parachutistes avec l'espoir de mourir au combat. Si l'Amérique se battait au Viêt Nam, il savait qu'aucun conflit ne passerait à portée de la jeunesse du Vieux Monde. En lieu et place de l'héroïsme, chaque matin pendant dix-huit mois, il s'était déguisé en fantassin pour rejoindre la mairie des Lilas par la ligne 11, avant de prendre un bus vers les collines où son père, un quart de siècle plus tôt, accompagnait le faux prêtre Baldowsky venu arracher des confessions aux condamnés à mort. À défaut de combats décisifs, le destin lui offrit l'illusion des escarmouches. Depuis une dizaine de jours, les émeutes qui secouaient la France du tiercé, des week-ends en automobile, du pastis et de Jean Nohain, obligeaient le commissaire Duprest à doubler ses horaires de travail. Lorsqu'il lui arrivait de croiser son fils, c'était pour regretter que l'armée ne vienne pas prêter main-forte aux policiers, aux CRS harcelés dans le périmètre du Quartier latin. Pour lui, la manipulation étrangère ne faisait aucun doute, et si la nationalité allemande du meneur, Cohn-Bendit, rendait la preuve évidente, d'autres éléments en sa possession lui permettaient d'affirmer que les tireurs de ficelles n'appartenaient pas qu'à l'espace européen. Il se flattait d'avoir fourni une note de synthèse à Loupias, le directeur des Renseignements généraux, prouvant que des puissances ennemies, ou faussement amies, alimentaient les caisses noires des organisations gauchistes.

— Les gens s'imaginent que ça se passe comme au cinéma, genre *Tontons flingueurs*, avec des échanges de mallettes, la nuit, entre des types en costume noir... Les pro-Chinois du Parti communiste marxiste léniniste de France ont reçu une librairie, clefs en main, le Phénix du boulevard Sébastopol, sans avoir à verser un centime ! C'est l'ambassade de Chine qui a tout arrangé... J'ai les doubles des titres de propriété. Tout ce qu'ils vendent arrive en droite ligne de Pékin, et personne ne leur demande jamais de payer la marchandise. Tout bénef pour la cause ! Moscou pratique de même avec ses honorables correspondants. Ce qu'il y a de nouveau, c'est que les Américains sont entrés dans la danse...

— Les Américains ? Tu es sûr ? On est du même côté pourtant...

Il prit un paquet de Troupe dans la cartouche de Gauloises offertes par l'armée que Guy avait posée sur la table.

— En politique, il ne faut pas se fier aux apparences, c'est le meilleur moyen d'aller à la catastrophe, tu apprendras ça ! Les États-Unis ont des vieux comptes à régler avec de Gaulle à cause de l'OTAN, du Viêt Nam, de l'Amérique du Sud... Mais leur problème principal, aux Ricains, ça reste les Russes. Ça ne leur déplaît pas de voir le parti communiste français, l'un des principaux soutiens de Moscou, se faire tondre par les groupes trotskistes. Ils se contentent d'accélérer le mouvement en mettant des dollars dans la balance.

Guy avait eu confirmation des confidences paternelles une semaine plus tard alors qu'il s'était aventuré sur le boulevard Saint-Michel attiré tout autant par le hamburger à cheval du Wimpy-Bar que par l'envie d'être au cœur de l'événement. Plus personne ne glissait de pièce dans les mini-juke-boxes disposés près des tables, on mangeait l'oreille collée au transistor pour ne rien manquer de l'histoire en gestation. Chaque minute apportait son lot de surprise : les étudiants reprenaient possession de la Sorbonne rebaptisée Université autonome populaire, la police se voyait contrainte de remettre en liberté les manifestants arrêtés les jours précédents, les ouvriers venaient de décider l'occupation des usines Renault de Cléon, de Flins... Chaque nouvelle était saluée par les hurlements de joie, les applaudissements des clients du fast-food. Il y eut une pause musicale avec *Il est cinq heures Paris s'éveille*, puis des sifflets retentirent lorsque le présentateur d'Europe 1 annonça, en ouverture du flash de vingt-trois heures trente, la diffusion d'une intervention du Premier ministre prononcée l'après-midi même à l'Assemblée nationale. Guy se leva pour se rapprocher d'un gros poste à lampes visiblement amené là par le personnel. Georges Pompidou toussa, en différé, pour s'éclaircir la voix.

— Il y avait — et ceci est plus grave — des individus déterminés, munis de moyens financiers importants, d'un matériel adapté aux combats de rue, dépendant à l'évidence d'une organisation internationale et dont je crois qu'elle vise non seulement à créer la subversion dans les pays occidentaux, mais à troubler Paris au moment même où notre capitale est devenue le rendez-vous de la paix en Extrême-Orient. Nous aurons à nous préoccuper de cette organisation pour veiller à ce qu'elle ne puisse nuire à la nation et à la République.

On riait tout autour, mais pour Guy c'était comme si le chef du gouvernement lui parlait en privé. Mieux, son père s'exprimait par sa bouche. Il sortit sur le boulevard, le reste de son hamburger à la main, envahi par la fierté d'appartenir au clan des initiés. Des manifestants, drapeaux noirs déployés, passaient au même instant. Ils l'entourèrent en scandant :

— L'armée avec nous ! L'armée avec nous !

Une jeune fille aux cheveux aussi emmêlés qu'une toison de mouton le prit par le bras.

— Comment tu t'appelles ?

Il huma l'odeur de patchouli dans laquelle elle baignait, hésita à donner son nom, lança le premier qui lui passait par la tête.

— Guy... Guy Dutront...

— Comme le chanteur ?

— Non, moi c'est avec un « t » à la fin... En plus, il paraît que ce n'est pas son vrai nom, que c'est un pseudonyme... Moi non...

Ils longèrent les murs du lycée Saint-Louis où s'étalait une inscription interminable : « Le système d'enseignement, c'est l'enseignement du système », puis le groupe traversa le boulevard pour s'engouffrer dans la rue Racine encombrée par les reliefs des combats des heures précédentes, pavés, étuis de grenades lacrymogènes, branches d'arbres, morceaux de carrosseries noircies, verre pilé. Richard Widmark posait un regard étonné sur le désastre depuis la toile peinte de *Police sur la ville* arrachée au fronton d'un cinéma du quartier. Plus ils progressaient, plus la foule devenait compacte, et c'est près de deux mille personnes qui se pressaient maintenant aux abords du théâtre de l'Odéon. Un audacieux qu'éclairait un projecteur tentait d'arrimer une banderole au-dessus des colonnes de l'édifice. Quand elle fut déployée, une ovation salua l'exploit sportif et l'effort intellectuel : « Cité Unie vers Cythère. » En moins de cinq minutes, le hall est investi, les quelques gardiens bousculés puis c'est la ruée vers la salle de spectacle dont les deux mille sièges s'offrent aux envahisseurs. Jean-Louis Barrault, que Guy se souvenait avoir vu dans *Les Enfants du paradis*, tentait de contenir le flot depuis la scène de son théâtre alors que la frêle silhouette de Madeleine Renaud se tenait en retrait.

— Vous êtes les bienvenus dans ce lieu, mais je dois vous dire que je ne comprends pas pourquoi vous avez choisi l'Odéon pour faire cette démonstration... Cette salle est au service des idées de la Révolution, il suffit de voir la liste des pièces qui y sont jouées depuis des années : Brecht, Genet, Ionesco, Beckett... Aujourd'hui, je peux vous proposer de jouer gratuitement pour les étudiants, les travailleurs... Nous ne sommes pas vos ennemis... Au contraire ! Pourquoi n'allez-vous pas occuper un théâtre privé, un théâtre bourgeois ?

Son intervention fut accueillie par des protestations, des rires forcés, puis un slogan fit l'unanimité :

— Barrault fayot, Barrault fayot !

Un escogriffe sauta d'un bond sur les planches, bouscula le comédien d'un coup d'épaule. Il avait gagné la partie avant d'avoir prononcé le premier mot. Chaque syllabe ajoutait à son triomphe.

— On préparait donc la Révolution, et personne n'en savait rien ! Mais qui est-ce qui venait voir les pièces de Brecht, les pièces de Genet ? Qui se mettait ainsi en état de bouleverser le monde ? L'ouvrier spécialisé de chez Citroën, le travailleur immigré des chantiers de la Défense, la mécanographe de chez Bull ? Non... Je vais vous le dire. Sur ces sièges repris par le peuple, s'épanouissaient des derrières bien nourris ! Ici, sur scène, on mimait la contestation sans troubler la digestion d'un public de banquiers, de directeurs d'entreprises, de marchands de canons. L'acteur versait une larme sur l'inhumanité de la condition des prolétaires pour absoudre les spectateurs payants de leurs problèmes de conscience. On purgeait les passions. L'Odéon, c'était le cœur à gauche et le portefeuille au chaud, bien à droite ! C'est pour cette raison qu'on y a nommé à la tête Madeleine Renaud, comme le bagne usinier, et Jean-Louis Barrault, comme la prison !

Guy Duprest éjecta une Gauloise d'une pichenette sur le cul du paquet, la ficha entre ses lèvres. Il joua des coudes pour traverser les rangs de curieux qui bloquaient toutes les issues et parvint à sortir vers la rue Casimir-Delavigne où il alluma sa cigarette. La flamme illumina son visage. Il se hâta vers le boulevard Saint-

Germain pour attraper le dernier métro, sans remarquer les deux hommes en civil tapis dans l'ombre épaisse du porche d'une agence immobilière.

Son père se tenait en embuscade, au matin, alors qu'il tartinait sa tranche de pain.

— Tu es rentré tard, d'après ce que m'a dit ta mère... Il y a des exercices de nuit, à Romainville ?

Guy reposa le couteau près du beurrier. Il haussa les épaules.

— Je ne me sentais pas fatigué, j'ai mangé un morceau dans un café, sur le chemin du retour, ensuite je suis allé au cinéma... *Police sur la ville* de Don Siegel, avec Henry Fonda. Tu devrais te débrouiller pour le voir, ce n'est pas mal du tout...

— Au lieu de *Police sur la ville*, tu ne veux pas ma main sur la gueule ? Tu ne te serais pas plutôt payé une soirée au théâtre ? Je t'ai vu sortir de l'Odéon un peu après minuit avec ton calot sur la tête... Qu'est-ce que tu foutais avec ces énergumènes ? Tu crois que c'est la place d'un militaire en tenue ? Et en plus à trois jours de ta démobilisation !

Guy laissa échapper sa tartine qui tomba dans le café en éclaboussant la toile cirée et la chemise kaki.

— Regarde un peu dans quel état tu te mets ! Tu es d'accord avec ce que racontent ces excités, toutes ces conneries sur l'État bourgeois, l'impérialisme, les avant-gardes révolutionnaires en gestation ! Tu es d'accord avec le rouquin, ce juif allemand qui nous crache dessus ! Je l'ai entendu dire qu'il fallait déchirer le drapeau français et n'en garder que le rouge. Rien que ça ! Leur « interdit d'interdire », ça nous mène où ? À l'anarchie ! Si c'est ça, tu peux faire ta valise et quitter cette maison. Définitivement. Personne ne te regrettera. Ni ta mère, ni moi.

Le jeune homme, apeuré, se redressa lentement tout en s'essuyant à l'aide de sa serviette.

— Je voulais simplement voir ce qui se passait...

— Tu me prends pour une bille ou quoi ? Ton explication, c'est que tu as vu de la lumière et que tu es entré...

— Non... Je me suis contenté de suivre le mouvement... J'ai réalisé quand j'étais à l'intérieur, pas avant... Je n'ai vraiment pas aimé la manière dont ils ont traité l'acteur qui jouait le rôle du mime dans *Les Enfants du Paradis*...

— Jean-Louis Barrault... Il était là ? Ils l'ont insulté ? Je m'en doutais, après ce qu'ils ont fait à Arletty, au moment de la Libération... Raconte-moi...

Guy fit l'impasse sur le hamburger au Wimpy, la fille aux cheveux frisés. Il décrivit en détail les scènes auxquelles il avait assisté, l'ambiance qui régnait dans la salle, les halls, les sous-sols, les coulisses de l'Odéon occupé.

— Il n'y a pas d'organisation apparente.

N'importe qui peut monter sur scène et intervenir dès lors que le public veut bien l'entendre... Sinon, ça hurle, ça siffle et le type est obligé de s'interrompre...

— C'est curieux, on n'avait pas ce genre d'échos. Ça ressemble à ce qu'on appelait le radio crochet, avant-guerre...

— Oui, sauf que ceux-là ils ne chantent pas, ils parlent...

Le commissaire prit insensiblement le pas sur le père.

— Tu as l'intention d'y retourner ?

— Pourquoi tu me demandes ça ?

— Je ne te l'ai jamais dit, mais tu es doué pour l'observation. Si, si, je t'assure... Tu as le sens des situations, une sorte d'intuition pour retenir l'essentiel d'une scène alors que les trois quarts des témoins ne s'intéressent qu'à la surface des choses... J'avais deux hommes à l'intérieur, de faux étudiants, ils n'ont pas vu le dixième de ce que tu viens de me raconter. On peut faire un bout de chemin ensemble, essayer au moins... Qu'est-ce que tu en penses ?

C'était la première fois que son père lui parlait d'égal à égal. Pour la première fois, il lui tendait un miroir dans lequel il était prêt à se reconnaître, et les larmes lui montèrent aux yeux. Il balbutia, en courant vers sa chambre, avec le prétexte d'une chemise à changer :

— On verra, papa... Il faut que je réfléchisse...

CHAPITRE 14

C'est sur le théâtre des opérations de l'Odéon qu'un mois durant Guy Duprest fit ses classes, après avoir rendu son paquetage au fourrier du fort de Romainville. Il s'était débrouillé pour faire partie de la centaine d'occupants permanents chargés de maintenir la liaison avec le quartier général de la Sorbonne, de veiller à la sécurité des lieux, leur protection contre les attaques policières, leur alimentation en eau, en électricité. Ce poste d'observation privilégié lui permettait de côtoyer toutes les têtes pensantes du mouvement, Geismar, Cohn-Bendit, Sauvageot, ainsi que tous ceux qui, venus faire un pèlerinage au Quartier latin, y prenaient la parole à leurs risques et périls comme Olivier Giscard d'Estaing qui s'en était bien sorti ou Michel de Saint-Pierre qui s'était fait éjecter. Il avait le sentiment de vivre dans une sorte d'asile peuplé de fous débonnaires, une impression renforcée par le fait que chaque matin les premiers arrivants allaient se servir dans le local des costumes, que toute la journée on ne cessait de croiser des légionnaires romains accompagnés de comtesses, des spadassins, des soubrettes au bras de cardinaux, des maréchaux d'Empire, des Apaches de barrière, des alguazils... Le commissaire Duprest s'en tenait à ses principes de vie. Depuis l'abrupte conversation du 16 mai, il n'était plus question de parler de travail à la maison. Guy adressait son rapport sur ses séances de veille à la Préfecture, par écrit, et cela nourrissait les synthèses dont s'abreuvaient les directeurs avant de rédiger à leur tour les notes à destination de la plus haute hiérarchie. Le préfet de police, le directeur des Renseignements généraux, le ministre de l'Intérieur n'ignoraient rien des agissements de Paul l'Anar, l'un des responsables du Comité d'action révolutionnaire, surnommé le Che Guevara du VIe, dont l'activité principale se résumait à la recherche du tunnel mythique partant du théâtre vers la Sorbonne et qu'auraient utilisé les Résistants insurgés, en août 1944. C'est lui qui faisait régner un semblant d'ordre, à la tête d'un groupe d'une trentaine de gros bras. On apprit en haut lieu, grâce à Guy, comment cet inconnu avait protégé la République, la nuit du 24 au 25 mai, alors qu'un commando situationniste venait de mettre le feu au symbole de l'oppression capitaliste, la Bourse de Paris. Les manifestants chassés de la rive droite refluaient sur le Quartier latin, se massaient sur la place de l'Odéon cible des tirs tendus de grenades lacrymogènes. Les troupes de Paul l'Anar, disposées sur les toits du bâtiment, parvenaient à dissiper le brouillard offensif en arrosant les rues alentour à l'aide des puissantes lances à incendie du théâtre. C'est à ce moment qu'un homme avait fait irruption depuis les coulisses, une mitraillette à la main, en hurlant que Paris était à feu et à sang, que les cadavres jonchaient les rues, que l'assaut des CRS était imminent. La panique commençait à s'emparer de la salle quand Paul l'Anar s'était approché de l'excité, qu'il s'était saisi de la mitraillette et l'avait brisée sur son genou. Une arme aussi factice que les propos étaient alarmistes.

Les éléments d'information dont l'utilité immédiate s'avérait peu productive venaient grossir les fiches du Panthéon secret de Clément. Il se délectait à la lecture des interventions du poète Isidore Isou, « né Goldstein en Roumanie », de l'activisme culinaire de l'actrice Delphine Seyrig, « née au Liban » et cantinière de luxe des révolutionnaires retranchés... Le commissaire était présent sur les marches du théâtre, dans le groupe qui entourait le préfet Grimaud assailli par les photographes de presse, le 15 juin à l'aube, alors que les négociations sur l'évacuation venaient de débuter. Les renseignements dix fois recoupés, dix fois validés, démontraient la rapide décomposition du mouvement insurrectionnel après l'immense manifestation gaulliste sur les Champs-Élysées, prélude à la reprise en main du pays. Jobard, le directeur adjoint de la police judiciaire, un petit rondouillard souriant au crâne luisant, s'était approché de Duprest.

— Vous êtes sûr qu'ils ne vont pas tenter une manœuvre désespérée ? Cette troupe de blousons noirs, les Katangais de la bande à Jackie, il paraît qu'ils sont armés...

— Ils ne pèsent plus rien, et ils savent surtout que la fête est finie. Leurs propres amis les ont chassés de la Sorbonne la nuit dernière. J'ai un informateur de première qualité, à l'intérieur. Il me certifie que leur armement se compose en tout et pour tout d'une demi-douzaine de carabines à air comprimé, de couteaux, de matraques prises à des policiers lors des affrontements, sans compter quelques dizaines de mètres de chaîne à vélo...

— D'accord Duprest, je dis au préfet qu'on peut y aller... S'il y a du grabuge, vous savez ce qui vous attend.

Le commissaire comprit que Jobard n'y croyait qu'à moitié, et qu'il allait conseiller à son supérieur de poursuivre les tractations avec les représentants autoproclamés du Comité d'intervention rapide. Après un mois entier d'atermoiements, on n'en était plus à deux ou trois heures près... À midi, les cent cinquante derniers occupants quittaient enfin le théâtre, entre deux rangées de CRS, après avoir obtenu la promesse de n'être soumis qu'à un contrôle d'identité superficiel accompagné d'une fouille au corps symbolique. Guy s'y prêta de bonne grâce sous le regard amusé de son père qu'il rejoignit un quart d'heure plus tard au comptoir du Buci, de l'autre côté du boulevard Saint-Germain. Le commissaire lui offrit un hot dog arrosé d'un demi de bière belge. Ce fut la seule récompense qu'il reçut en plus de la somme forfaitaire versée en numéraire par le Service de traitement du renseignement.

À l'automne, le calme revenu, le ministre ouvrit son parapluie en faisant en sorte que l'abri ne profite pas à son subordonné qui, à la première goutte, ouvrit le sien en s'arrangeant pour que le ruissellement n'épargne pas son inférieur, si bien que ce fut une véritable trombe qui déferla sur les bureaux du deuxième étage de la Préfecture occupés par les Renseignements généraux. Duprest érigea un modeste barrage en exhumant un rapport au titre prémonitoire rédigé en janvier 1968, sous sa direction : « Les étudiants sur le chemin de la violence ; les éléments sont réunis pour créer une situation révolutionnaire », mais cela ne fit pas longtemps illusion. Il suffisait de le feuilleter pour constater qu'aucun des noms qui avaient fait l'actualité ne figurait dans ces pages, pas plus que les sigles des principaux groupes responsables des troubles. Si on y évoquait le campus de Nanterre, c'était pour rapporter une anecdote relative à la visite de François Missoffe, le ministre de la Jeunesse et des Sports. Alors qu'il inaugurait une piscine, il avait été interpellé par un étudiant qui lui avait lancé : « la construction d'un centre sportif est une méthode hitlérienne, destinée à entraîner la jeunesse vers le sport, pour la détourner des problèmes réels, alors qu'il faut avant tout assurer l'équilibre sexuel de l'étudiant », sans que le service soit capable de spécifier qu'il s'agissait là d'une des premières apparitions publiques de Daniel Cohn-Bendit. Cette fois, le commissaire principal Lapides ne lui fit pas l'honneur des salons réservés du Royal-Montrond. Il s'arrangea pour le coincer devant la machine à café nouvellement installée dans un recoin, sous l'escalier.

— Je sors de chez Marcellin, le nouveau ministre de l'Intérieur, et ça a tout été, sauf une visite de courtoisie. Je sais ce que cela a d'injuste après tous les sacrifices consentis, mais on nous fait porter le chapeau de l'impréparation des services de l'État au cataclysme que nous venons de vivre !

Duprest glissa une pièce de vingt centimes dans le monnayeur de l'appareil.

— Il fallait s'en douter...

— D'après ses conseillers, nous n'aurions pas su analyser les nouvelles formes que prenait la contestation, ni la manière dont les groupuscules se structuraient. De là, les réponses inappropriées en matière de maintien et de restauration de l'ordre public... Marcellin veut étouffer dans l'œuf toute nouvelle tentative. Nous avons été chargés de dresser rapidement un répertoire des militants gauchistes permanents, une liste précise de tous les étrangers susceptibles d'être expulsés, ainsi que l'inventaire des quelques centaines de Français qui sont allés faire du tourisme idéologique à Cuba à partir des deux seuls aéroports qui assurent la liaison, Bruxelles et Prague. N'oubliez pas de faire retranscrire les discours enregistrés par nos agents, on en aura besoin devant la justice. Il faudrait aussi constituer une collection complète des tracts distribués ces six dernières semaines, des affiches collées sur les murs... Ensuite, il sera temps de penser à la formation de nos inspecteurs. C'est sur eux que tout repose. Je compte sur vous.

Avant de pousser la porte de son bureau, il se retourna.

— Alors, il est comment ce café ?

Duprest souleva son gobelet en plastique, incrédule.

— Pas mauvais...

L'immensité de la tâche l'obligea à renoncer aux vacances prévues dans le Pays basque, à Kerbec-les-Thermes. Liliane avait pris l'habitude de soigner ses articulations au bord de la Nivelle, tandis qu'il tuait le temps en jouant aux cartes dans l'arrière-salle du Trinquet. Paris s'était vidé de ses fièvres et de ses habitants dès que le carburant était revenu dans les stations-service. À l'essence de la vie succédait celle de la mécanique, résumait *Le Monde*. Des perquisitions effectuées dans les ateliers populaires désertés des Beaux-Arts, de Vincennes, de la faculté des sciences, de médecine, à la Halle aux vins, permirent de collecter plusieurs centaines d'affiches différentes, un ensemble complété par des spécimens décollés des murs de la capitale par des employés de la voirie parisienne qui arrondissaient leurs fins de mois en donnant un coup de main au service, à la demande. Plusieurs de ces placards avaient échappé à la vigilance du commissaire, comme celui qui ornait maintenant son bureau et qui proclamait : « Les CRS sont des policiers comme les autres. La preuve ? Ils violent les filles dans les commissariats. » Le travail sur le recensement des tracts s'était révélé plus ardu ; une première estimation en dénombrait une dizaine de milliers pour Paris et sa banlieue. Loyon s'en était sorti en dressant la liste de toutes les organisations politiques ayant pris part aux événements, des plus connues comme les Jeunesses communistes révolutionnaires de Krivine, jusqu'aux plus éphémères comme Insurgent Rabble, un collectif de déserteurs américains conduits par Kenneth Rayan. Il avait ouvert un dossier pour chacune dans lequel il classait les libelles au gré de ses découvertes. Pour se décontracter, en fin de journée, il ouvrait la pochette qu'il préférait, celle du CRAC, le Comité révolutionnaire d'action culturelle chargé de centraliser les poèmes inspirés par la situation. Il entrait dans les bureaux pour déclamer quelques strophes avant de retourner à sa routine.

— Écoutez ça... On dirait qu'il a été écrit par un flic !

Il faut savoir marcher longtemps dans un Paris inquiet,
Pour le comprendre être entré partout,
Avoir avalé tous les mots dans les amphithéâtres,
Lu tous les graffitis, les professions de foi, les proclamations,
Avoir parlé à n'importe qui dans la rue,
Dormi à peine, pas le temps, prié dans les cortèges,
Manqué d'argent avec les autres,
Partagé une demi-baguette de pain, du chocolat...

Clément consacrait toute son énergie à l'établissement d'un fichier politique central nominatif comprenant près de trois mille entrées relatives aux militants les plus en vue dont un sur dix allait bénéficier d'une surveillance systématique : filature permanente, ouverture du courrier, écoute des communications téléphoniques. La confrontation des éléments personnalisés recueillis à chaud avec ce qui figurait déjà dans les différents registres policiers ou judiciaires permit de recruter quelques volontés. Aucun dirigeant d'envergure, malheureusement, ne s'était laissé prendre dans les filets. Que du poisson de second choix... Il en convoqua plusieurs à la Cité pour jouir du plaisir rare d'assister à la remise à plat d'une personnalité. Ceux qui traînaient des condamnations classiques de droit commun, vol, violence acceptaient immédiatement la nouvelle donne, tandis que les abonnés aux paradis artificiels tentaient d'adoucir leur responsabilité en entonnant le couplet sur les drogues culturelles, alcool, médicaments, plus facilement admissibles, moralement, que le cannabis. Les homosexuels souscrivaient au marché, la mort dans l'âme. Seul Labin, le fondateur d'une revue autonome, amateur de chair particulièrement fraîche, s'était drapé dans sa dignité offensée.

— Je ne comprends pas ce que je fais ici !

Duprest avait fait planer au-dessus de la table une photo où l'on voyait l'homme mûr enlacer un adolescent aux cheveux bouclés.

— La pédérastie est réprimée par la loi, et la majorité est fixée à vingt et un ans... J'ai contacté les parents du petit frisé, à Marseille. Il en a tout juste quinze... Sa mère pensait que vous lui donniez des cours...

— C'est ce que je faisais. Je lui enseigne la philosophie.

— De la philosophie pratique ! Vous avez des antécédents. Trois condamnations pour des délits de même nature. C'était aussi des cours ?

Labin l'avait pris de haut.

— À moins de renoncer à tout rapport avec les enfants, les adultes ne peuvent s'aveugler sur le fait qu'ils exercent vis-à-vis d'eux une fonction pédagogique ! Même sur le plan amoureux ! Je dirais même, surtout sur le plan amoureux...

Le commissaire leva les yeux au ciel.

— Tu es vraiment une ordure, mais tu finiras par me manger dans la main, comme tes petits camarades... Il n'y a rien qui me dégoûte davantage que les types qui s'attaquent aux mômes...

Labin se redressa.

— Vous n'y comprenez rien. Le supplément de misère de la pédophilie est le fruit de sa répression sociale ! L'existence d'institutions qui prétendent régenter les caleçons m'est aussi insupportable que toute autre autorité morale. Pour moi, il n'est pas plus nocif d'apprendre à un gosse à se branler que de lui enseigner le catéchisme.

Le poing du policier en s'écrasant sur ses lèvres lui ôta l'envie de développer plus avant son point de vue. La douleur l'irradia, des larmes jaillirent de ses yeux, ses gencives se mirent à saigner. Le commissaire s'approcha.

— Ferme ta gueule, et écoute-moi bien : j'ai assez de biscuits pour t'envoyer coucher en taule dès ce soir. Avant que tu arrives, je prendrai soin de t'organiser un comité d'accueil bien musclé. Tu vois de quel muscle je veux parler, en particulier... À moins que tu ne préfères t'éviter le passage par la case prison... Un coup de fil par semaine, c'est tout ce que je te demande... On peut même te le rembourser.

Il sortit un pan de chemise de son pantalon pour s'essuyer la bouche.

— Le problème, je vous connais, c'est que ça va se savoir...

Duprest le désarçonna au moyen d'un sourire avant de lui fermer l'œil avec un second direct aussi appuyé que le premier. Labin se mit à hurler.

— Au secours ! Mais vous êtes dingue !

— Au contraire, je te rends service... On va te garder ici cette nuit. Ce que je t'ai mis là, c'est comme des tampons sur un passeport... Des visas de première ! Quand tu sortiras, personne ne te contestera le titre de héros.

Ce fut une de ses meilleures recrues. L'état d'impréparation de la police révélé par la facilité avec laquelle des organisations embryonnaires s'étaient emparées du Quartier latin pour le transformer en base retranchée tenait pour une grande part dans le manque de moyens attribués à l'exploitation des masses d'informations recueillies sur le terrain. Cela ne servait en effet pas à grand-chose d'empiler des milliers de fiches d'une précision microscopique si les outils manquaient pour les mettre en relation, pour effectuer des recoupements productifs de sens. Les crédits obtenus après le grand chamboulement permirent à Duprest d'engager le codage mécanographique des données en sa possession. Une salle du sous-sol fut consacrée à la frappe des cartes perforées. Deux équipes d'une dizaine d'opératrices chacune tapaient les informations rassemblées sur les bordereaux de saisie, puis les cartes étaient ventilées par la trieuse-interclasseuse qui détectait les rapprochements de manière automatique. Une imprimante fournissait des listings à la demande : organigrammes des mouvements, diagrammes indiquant la fréquentation des divers groupes, les questions abordées, les objectifs fixés, les actions entreprises, les résultats obtenus. Il suffisait ensuite de faire une synthèse des différents diagrammes pour obtenir une courbe hebdomadaire de l'activité révolutionnaire, courbe que le commissaire, ravi par le sous-entendu graveleux, avait immédiatement baptisée « le thermomètre ».

CHAPITRE 15

Ce travail de fourmi permit au commissaire principal de s'assurer une collaboration de première importance à la direction de la Gauche prolétarienne. Chaque fois que se réunissait ce parti de l'action directe, chaque fois que ses membres jetaient les bases d'une nouvelle conspiration, chaque fois qu'on délibérait sur les mesures à prendre pour en finir avec l'exploitation de l'homme par l'homme, chaque fois qu'ils se communiquaient les recettes que la science met au service de la Révolution, chaque fois Clément Duprest était là, sous le masque d'un camarade ouvrier auquel il avait pris soin d'écrire son rôle pour ne pas que l'irréparable fût commis. La trahison n'avait pas coûté bien cher à l'État : un simple passe-droit pour l'obtention d'une licence IV nécessaire à la reconversion dans la limonade de l'insoupçonnable prolétaire.

À quelque temps de là, pareillement informé, Duprest convainquit le ministre Raymond Marcellin que le 22 juin 1973 était le jour adéquat pour effectuer une perquisition au siège de la Ligue communiste tentée, pour répondre aux défis de l'extrême droite, de recourir à l'affrontement armé. La police n'eut aucun mal à mettre la main sur un stock de cocktails Molotov, de matraques, des talkies-walkies, deux machines à écrire provenant d'« emprunts » dans des facultés, et surtout deux fusils de guerre dont l'un était équipé d'une lunette de visée. La prise, montée en épingle par la presse amie, fut à l'origine du décret de dissolution de l'organisation trotskiste et de l'inculpation de son principal dirigeant, Alain Krivine, dissimulé sous le pseudonyme de Delphin dans les documents internes saisis à la même occasion.

Le commissaire fut également en première ligne lorsque les tensions dans le camp du pouvoir se soldèrent par la mort de personnages de premier plan. Le service avait pu se maintenir à distance respectable des éclaboussures de l'affaire Markovic, ce garde du corps d'Alain Delon assassiné quelques mois après la révolte étudiante. Duprest gardait bien au chaud un document explosif qui, pensait-il, lui assurerait une maîtrise absolue de son destin. Cette pièce prouvait que les photos pornographiques impliquant la femme de Georges Pompidou, secrètement diffusées à la presse en marge de l'enquête sur ce meurtre, avaient été fabriquées de toutes pièces par le clan corse d'un service concurrent, le SDECE, que le même Pompidou avait été tenté de dissoudre l'année suivante, comme une vulgaire Ligue communiste, quand il était devenu président de la République. Les Renseignements généraux s'étaient par contre trouvés entraînés dans le tourbillon des disparitions violentes de ministres, de députés. Le prince de Broglie tout d'abord, exécuté le soir de Noël 1976, à Paris, alors que le projet d'assassinat était connu depuis trois mois grâce aux confidences d'un indicateur. Le commissaire s'en était mieux sorti trois ans plus tard quand un promeneur avait trouvé le cadavre du ministre du Travail, Robert Boulin, noyé dans une mare profonde de trente centimètres, en forêt de Rambouillet. La thèse du suicide s'était heurtée au scepticisme de l'opinion, plus sensible à la rumeur d'une liquidation politique de celui qui était pressenti pour le poste de Premier ministre. Deux jours après le drame, Lapides avait immobilisé sa 505 de fonction devant l'entrée du Marché aux Fleurs, quai de la Corse. Il s'était penché pour interpeller le commissaire qui, accoudé au muret, regardait passer un train de péniches en fumant une cigarette.

— Duprest... Vous pouvez monter une minute, j'ai à vous parler...

Son mégot rapidement jeté vers la surface du fleuve, Clément s'était installé sur le siège-baquet recouvert d'une housse noire. Lapides enclencha une vitesse pour s'engager sur le pont au Change.

— Ça ne pouvait pas arriver au plus mauvais moment... Le monde politique est devenu un champ clos où l'on s'affronte pour régler des problèmes personnels.... Nous en sommes revenus à l'époque des duels, sauf qu'aujourd'hui on peut également tirer dans le dos... Il y a quinze jours, *Le Canard Enchaîné* lançait le feuilleton des diamants offerts par Bokassa 1er à Giscard d'Estaing, relayé par *Le Monde*, et dans la foulée l'un de nos principaux ministres se fait assassiner ! Vous avez lu la presse ?

— Oui, c'est la curée...

— Exactement... Le régime traverse un temps de grande difficulté. La gauche socialo-communiste est affolée par l'odeur du sang... Ils piaffent d'impatience ! On ne peut rien exclure... Je ne veux pas vous cacher qu'on nous demande d'intervenir. Le problème tient dans la multiplicité des causes du malaise...

La Peugeot dépassa l'immeuble à clocheton des établissements Félix Potin pour tourner sur la gauche, vers les Halles. Clément laissa traîner son regard sur les vieilles radeuses matinales de la rue Saint-Denis.

— À mon avis, il faut résister à la tentation de répondre aux attaques. C'est sur ce terrain qu'ils nous attendent...

— Qu'est-ce que vous proposez ?

Il sortit un paquet de Kool de sa poche.

— Je peux fumer ?

Lapides se contenta de dégager le cendrier central.

— Nous devons les prendre à contre-pied. Pour les diamants comme pour Boulin, on est momentanément battus ; les choses sont installées. La polémique nourrit le point de vue de ceux qui l'ont mise en route. La seule solution, c'est d'imposer une nouvelle grille de réflexion en provoquant un choc salutaire. En mai et juin 1968, le coup de génie du général de Gaulle, c'est son absence, son départ vers l'Allemagne. Il n'a jamais été aussi présent que quand il avait disparu ! Il faudrait trouver une astuce équivalente...

— Vous avez une idée ?

— J'y réfléchissais justement quand vous êtes arrivé sur le quai... On a une carte à jouer avec ce Jacques Mesrine, l'Ennemi public numéro 1. Tout le monde sait où il se cache, où il fait son footing hebdomadaire, avec qui il mange et dans quels restaurants... Le problème, c'est qu'il faut convaincre l'Office central de la répression du banditisme.

— Vous croyez que l'annonce de son arrestation sera suffisante pour détourner l'attention du public du feuilleton Boulin ?

Duprest n'était pas dupe. Il savait que son supérieur avait parfaitement compris le sens du message et qu'il voulait se couvrir en s'épargnant de prononcer les paroles définitives.

— Non, une simple arrestation ne fera pas le poids. Je pense que le moment est venu de solder les comptes...

Le lendemain, peu après quinze heures, une grosse BMW 528 quittait le parking d'un immeuble de dix étages dont la façade donnait sur les voies abandonnées de la ligne de petite ceinture. Elle s'engagea sur la place de Clignancourt, pour aller rejoindre le boulevard périphérique et faillit percuter l'arrière d'une camionnette bleue, bâchée, qui venait de piler en plein milieu du carrefour. La main du conducteur de la berline n'eut pas le temps d'appuyer sur son klaxon pour protester contre cet arrêt intempestif. La bâche du camion s'était soulevée, puis quatre hommes de la brigade anti-gang, debout sur la plate-forme, ouvrirent le feu à l'aide de leurs carabines Ruger à balles perforantes et de leur pistolet mitrailleur Uzi, après que l'un d'eux eut lancé :

— Bouge pas, t'es fait !

Le pare-brise éclata sous l'impact des vingt et une balles tirées en quelques secondes. Les deux passagers s'affaissèrent sur les sièges déchiquetés, retenus par leurs ceintures de sécurité. Les dix-neuf blessures infligées à l'Ennemi public numéro 1 étaient toutes mortelles, sa compagne, elle, semblait devoir survivre aux projectiles qui lacéraient son corps. Il y eut de la liesse autour du cadavre, des embrassades. Un policier s'était juché sur le toit d'une voiture pour filmer la scène de l'exploit auquel il venait de participer. À ce moment précis, le commissaire Duprest était confortablement installé dans un fauteuil du Gaumont des Champs-Élysées qui programmait une série de vieux westerns en hommage à John Wayne, disparu quatre mois plus tôt. Liliane qui avait rechigné pour revoir *L'homme qui tua Liberty Valence* s'était peu à peu laissé gagner par l'intrigue. Elle se pencha vers son mari pour prononcer la réplique en même temps que l'acteur qui jouait le rôle du directeur du Shinborne Star : « Quand la légende dépasse la réalité, j'imprime la légende ! »

Quelques semaines plus tard, l'assassinat de l'ancien ministre Joseph Fontanet par un rôdeur en moto ne provoqua pas autant de vagues que celui de ses deux prédécesseurs, de Broglie et Boulin. Pour Duprest, le pays s'habituait à cette nouvelle forme d'accidents du travail. La mort l'indifférait, à moins qu'il ne s'agisse d'une des trois mille personnalités qui méritaient assez d'attention pour figurer dans son fichier personnel. Il prenait alors un certain plaisir à sortir le dossier, à le relire in extenso, puis à le clore en traçant les trois lettres « DCD » près du nom minutieusement calligraphié. Cette année-là, il avait ainsi mis un terme au véritable roman que constituait la surveillance trentenaire de Jean-Paul Sartre. Il ressentit une sorte de joie mauvaise, au début du mois d'octobre, en inscrivant les consonnes fatidiques sur la notice consacrée à sa belle-mère, Florencie. Elle avait demandé à être enterrée à Boulogne-Billancourt, auprès de son mari et de son beau-père, Guy Génin, dont l'invention les avait mis à l'abri du besoin. En attendant l'arrivée du corbillard, les proches rassemblés à deux pas de la Seine se penchaient au-dessus de la plaque de marbre posée en équilibre instable sur la terre jaune, près de la fosse, pour deviner la gravure de la cocotte-minute à demi gommée par le temps. Guy consolait sa mère. Le commissaire s'était mis à l'écart pour fumer une cigarette, laissant errer son regard sur les inscriptions en cyrillique du carré russe. Un nom déchiffré, Ivan Soliakov, 1912-1943, le ramena soudain aux traques du temps d'avant, en compagnie de Bricourt et de Traverse. Il se revit pendant une fraction de seconde dans cet immeuble du bas Belleville, la nuit de la grande rafle, il entendit les pas résonner dans les escaliers, les coursives, il sentit l'odeur du gaz, le souffle de l'explosion... Une main se posa sur son épaule au moment où il fermait les yeux.

— Je vous présente mes sincères condoléances, commissaire... Tout va bien ?

Il se retourna, serra la main qui se tendait.

— Oui... Je vous remercie...

Lapides l'entraîna dans l'allée centrale d'où l'on apercevait la pointe de l'île Saint-Germain qui se couvrait des teintes dorées de l'automne.

— Vous partez en retraite d'ici peu, d'après

ce que je me suis laissé dire... C'est pour quand ?

— Je raccroche en avril prochain... Il me reste un peu plus de six mois de service actif... Ça fera pratiquement quarante ans que je travaillais à la Préfecture.

— J'ai jeté un œil sur votre déroulé de carrière. Exemplaire. Hier encore, je dînais à la table du ministre, et je lui expliquais que nous manquions d'hommes de votre trempe. Je ne crois pas m'être avancé en lui suggérant que vous étiez la personne la plus qualifiée pour la mission qu'il me décrivait.

Le commissaire tira longuement sur son mégot. La chaleur irradia ses doigts qui pinçaient la cigarette mentholée.

— Quelle genre de mission ?

Son supérieur s'arrêta devant le caveau de la famille Malberge dont la porte, dégondée, pendait sur le côté.

— Faire taire Coluche...

Duprest écarquilla les yeux en réprimant un sourire.

— Coluche ? Le comique ? Je ne comprends pas... Vous plaisantez ?

Lapides tourna la tête vers le convoi funèbre qui passait l'entrée du cimetière. Ils marchèrent en direction de la fosse.

— Pas le moins du monde... Je n'avais personnellement pas pris au sérieux l'annonce de sa candidature, mais il semble que cette déclaration d'intention soit très mal vécue dans l'entourage du président de la République. Les conseillers estiment que ce n'est pas une simple opération publicitaire, qu'il ira jusqu'au bout. Ils pensent que le développement d'une campagne de contestation basée sur la dérision, le dénigrement, atteindra nos institutions de plein fouet, qu'elle jettera le discrédit sur tous les autres prétendants, et que celui à qui elle causera le plus de dommages est le Président en titre... J'ai rassemblé quelques documents sur ce clown, il faudrait creuser un peu plus, voir s'il y a matière à prendre barre sur lui. On peut mettre les effectifs nécessaires, le tout, c'est d'aller vite. Vous voulez bien vous en charger ?

Ils arrivèrent au moment où les employés faisaient glisser le cercueil.

— Oui, vous pouvez compter sur moi...

Lapides le retint alors qu'il allait rejoindre Liliane et Guy.

— J'oubliais de vous dire le plus important : j'ai signé ce matin votre promotion à l'échelon maximum de votre grade. Cela fait une sacrée différence pour le calcul de la retraite.

Il y avait eu un repas dans l'appartement des beaux-parents, à Rueil, après les obsèques. Gigot accompagné de chevriers d'Arpajon. Duprest avait sacrifié au rituel, hochant la tête à l'évocation des mérites de la disparue, y allant de son anecdote, tandis que Liliane passait les plats drapée dans son uniforme noir de vieille orpheline. Chacun lisait sur le visage des autres les ravages du temps. Il s'était éclipsé avant le dessert, une génoise pralinée, prétextant une permanence à la Préfecture alors qu'en fait il filait place Cambronne. Il fit une halte au drugstore des Champs-Élysées pour acheter l'essentiel de ce que les rayons recelaient sur sa nouvelle cible, revues, disques, puis effectua un crochet par Pellucidar, une boutique caverne qui stockait depuis des décennies tout l'éphémère qui s'imprimait dans le pays. Arrivé dans son bureau, il se versa un cognac et rédigea un rapide compte rendu de la cérémonie, listant les personnes présentes, avant de s'immerger dans son amorce de documentation. Comme tout le monde, il connaissait *Le Schmilblick*, les personnages de Papy Moujot, de Moulinot, de Jean-François Van Krout ou de Ben Salim, l'histoire du CRS algérien, celle du mec, du Portugais venu manger le pain de nos Arabes, il avait entendu les improvisations du comédien sur Europe 1, il l'avait vu aux côtés de Danièle Gilbert ou de Guy Lux dans de nombreuses émissions de télévision, mais il ne s'était jamais intéressé à l'homme en salopette blanche rayée de bleu qui se cachait derrière un nez rouge. Duprest ouvrit le tiroir où il rangeait les fournitures, prit un dossier à soufflet sur lequel il inscrivit, au stylo plume, le numéro 817.706 qu'il fit suivre de l'identité réelle du comique : « Colucci, Michel. » Il lut rapidement l'interview réalisée par Richard Cannavo dans *Le Matin magazine* de la fin septembre, soulignant quelques informations qu'il se promettait de vérifier, et s'arrêta sur les propos de celui qui se définissait comme le candidat nul :

« Normalement, j'suis en tête au premier tour ! Mais j'me présente pas au second, par contre. Au second tour, c'est le bras d'honneur. » « Mon programme, c'est drogue, sexe et rock'n'roll. » « Ah, si j'pouvais passer entre Giscard et Chirac, avec le nez rouge, dans le quart d'heure ! Seulement, le mec qui serait élu, il l'aurait été contre un clown, c'est ça qui est embêtant. On pourrait toujours lui dire, historiquement, c'est ce jour-là que vous avez gagné contre cet imbécile au nez qui clignotait... » « Je vais les clouer par terre, les mecs ! Ils peuvent pas tenir, parce que ce qu'ils ont, eux, c'est sérieux. Alors ils peuvent pas tenir en face d'un mec qui s'en fout... Tu peux toujours dire exactement le contraire de ce qu'ils diraient. Et d'abord, tu peux les traiter de menteurs, ce qu'ils se font pas entre eux : “Non, vous êtes un menteur, c'est pas vrai ça ! Vous mentez !...” Là, ça va pas, ça va plus du tout !... »

CHAPITRE 16

Coluche avait dès le lendemain bénéficié de la sollicitude d'une douzaine d'inspecteurs, soit la moitié des effectifs lancés sur les traces de Jean-Paul Sartre au plus fort de son aventure maoïste. Le ministre de l'Intérieur, couvert par le Premier ministre, s'était empressé de signer les autorisations d'écoutes administratives. Les conversations émises et reçues par le comédien sur l'ensemble de ses lignes seraient maintenant analysées, retranscrites tout comme celles de ses deux plus proches conseillers politiques, un journaliste de *Libération* et un proche collaborateur d'Alain Krivine. Le commissaire principal Duprest avait réquisitionné la salle principale, fait disposer les tables en fer à cheval afin de pouvoir étaler la masse de documents déjà collationnés par le service. La moisson était bonne et permettait de présenter le prétendant à la magistrature suprême sous un jour bien différent de celui auquel s'était habitué le public. Duprest se saisit de la chemise renfermant le détail des ennuis initiaux de Michel Colucci avec les autorités judiciaires. Un procès-verbal relatait les circonstances du cambriolage effectué la nuit du 9 au 10 août 1963, à Dinard, dans une boutique de souvenirs. Le butin se composait de rasoirs mécaniques, de blaireaux, de couteaux de poche, de porte-clefs, de quelques cuillères souvenirs de Bretagne et de deux décapsuleurs. Les deux auteurs du larcin avaient rapidement été identifiés puis appréhendés dans un camping des environs où ils partageaient une tente avec Michel Colucci lequel, lors de son interrogatoire, reconnut avoir reçu un rasoir en cadeau, objet aussitôt restitué. Une autre procédure, établie quinze années plus tard, concernait un différend commercial portant sur une cuvette de W-C électriques défectueuse qui s'était terminé par du bris de matériel. Duprest savait comment procéder pour donner du relief à tout ce fatras. Un premier état de la biographie fut frappé sur la nouvelle machine électrique à marguerite par la secrétaire de Lapides en début d'après-midi avant d'être photocopié en une dizaine d'exemplaires destinés au directeur général de la police nationale, au ministre de l'Intérieur, au Premier ministre, au directeur de cabinet du président de la République...

« Michel, Gérard, Joseph, Colucci, dit Coluche. Né le 28 octobre 1944 à Paris (XIVe). Père italien (Honorio), ouvrier du bâtiment, décédé en 1947, mère française née Simone Rouyer. Une sœur aînée, Danièle. Fait partie de la bande de blousons noirs de “Solo” (cité Solidarité à Montrouge). Inscrit aux Jeunesses communistes. Rate le certificat d’études. Serveur, vendeur au Marché aux Fleurs de l’île de la Cité (voir le propriétaire, Michel Morin), télégraphiste, graveur de plaques funéraires, chanteur de rues, figurant au cinéma (*Le Pistonné* de Claude Berri, 1969). Prépare un film inspiré de l’affaire Mesrine (*Inspecteur la Bavure*). Service militaire : 2e classe au 60e régiment d’infanterie (Lons-le-Saunier). Élément perturbateur, indiscipliné. Cent vingt-cinq jours de cellule pour seize mois passés sous les drapeaux. Notice d’identification RG en date du 12 juin 1968 pour participation à manifestation. Inscrit au fichier central de la police nationale en août 1963 (cambriolage Dinard). Affaire criminelle 2088579 du 20 mars 1978 : dégradations au préjudice de la société Actana (plomberie, avenue des Gobelins, Paris). Inscrit aux archives de la police judiciaire pour l’affaire susmentionnée de dégradations. Outrage à agents de la force publique (Orly, 18 septembre 1979). Injures à policiers dans l’exercice de leurs fonctions (rue Monge, Paris, 2 janvier 1979). »

Les correspondants travaillant dans les ateliers de composition, de montage, sur les presses, avaient de leur côté fait remonter le matériel électoral de Coluche en cours de fabrication dans les imprimeries de la région parisienne. Clément disposait ainsi d'une vision du réseau de soutien au candidat. Il joignit à l'envoi ce qu'il jugeait être le pire de ces documents, une affiche imitant l'Appel du 18 juin lancé depuis Londres par le général de Gaulle :

« J'appelle les fainéants, les crasseux, les drogués, les alcooliques, les pédés, les femmes, les parasites, les jeunes, les vieux, les artistes, les taulards, les gouines, les apprentis, les Noirs, les piétons, les Arabes, les Français, les chevelus, les fous, les travestis, les anciens communistes, les abstentionnistes convaincus, tous ceux qui ne comptent pas pour les hommes politiques à voter pour moi, à s'inscrire dans leur mairie et à colporter la nouvelle : tous ensemble pour leur foutre au cul avec Coluche. »

L'état des écoutes ressemblait un peu plus chaque jour au sommaire des journaux à la mode : on y lisait les noms de Michel Berger, Miou-Miou, Serge Gainsbourg, Josiane Balasko, Eddy Mitchell, Cavanna ou Gérard Depardieu. Celui de France Gall aussi qui proposait à son correspondant une rencontre amicale avec plusieurs responsables socialistes du calibre de Jacques Attali et Jean Glavany, intimes d'un autre candidat déclaré, François Mitterrand. C'est sur la base de cette information que Duprest rédigea une synthèse expliquant la campagne de Coluche comme une manœuvre du principal parti d'opposition, « même si leur porte-voix, M. Jean Daniel du *Nouvel Observa-*

teur donne le change en écrivant dans son journal : “Nous ne souhaitons nullement à Coluche de recueillir les signatures nécessaires pour valider sa candidature. S'il s'avisait de se prendre au sérieux, ce contestataire deviendrait à la fois affligeant et dangereux.” »

Duprest n'en concluait pas moins :

« Mise en orbite à la manière d'un canular, la candidature Coluche a trouvé, contre toute attente, une certaine vitesse de croisière et bénéficie aujourd'hui d'un seuil de crédibilité significatif qui peut avoir des conséquences sur l'issue du scrutin. »

La surveillance téléphonique lui permit aussi de suivre pas à pas les efforts du comédien pour donner un contenu à son combat. Il ressentait un certain sentiment de supériorité en se repassant les bandes magnétiques sur lesquelles figuraient les voix du psychiatre Félix Guattari, du philosophe Gilles Deleuze, du sociologue Pierre Bourdieu... Il en gardait certaines, pour sa collection personnelle :

« — Salut Michel, c'est Félix... On a réfléchi avec Paul et Jean-Pierre... Il faut arracher ta candidature au pseudo-poujadisme dans lequel ceux que tu déranges veulent t'enfermer...

— T'as raison, ma poule... Les autres, ce qu'ils disent c'est : « Demandez-nous de quoi vous avez besoin, et on vous expliquera comment vous en passer... » L'autre, celui qui est à l'Élysée, tu sais, Émail Diamant, l'inventeur du chômage central...

— Oui, eh bien...

— Je ne lui ferai pas de cadeau... J'attaque sur le flanc gauche ! On peut pas faire confiance à un type qui perd toutes ses affaires, qui perd tous ses ministres...

— Tu as vraiment le chic pour trouver une langue qui fait éclater ce que le réel a d'insupportable...

— Langue et réel mon cul ! Un de ces quatre, il va être assez démago pour venir nous expliquer que tous les mystères sont résolus, que c'est Fontanet qui a tué de Broglie qui lui-même s'est chargé de liquider Mesrine après que celui-ci ait dessoudé Boulin ! Comme les frères Ripolin... Circulez, y' a plus rien à voir ! »

L'opération la plus délicate consistait à introduire un observateur dans l'entourage immédiat du comique. Son mode de vie facilita grandement l'entreprise. Le gros pavillon flanqué d'un jardin qu'il occupait rue Gazan, face au parc Montsouris, servait de quartier général au PC de campagne ainsi que de point de ralliement nocturne pour toute une armée d'amis et de vagues connaissances. Tous les soirs, une trentaine de personnes s'entassaient dans la salle du rez-de-chaussée, décorée à la manière d'un bistrot parisien, s'égaillaient dans la salle de jeu du sous-sol, piquaient un plongeon dans la piscine couverte. Duprest n'avait reçu Petit-Louis qu'une seule fois. Il lui avait interdit tout contact direct avec les fonctionnaires de police le temps que durerait son immersion. Ses rapports devaient parvenir par la poste.

— Rue Gazan, ils consomment plus d'herbe que nous ici de café dans la machine automatique... C'est l'entourage de Coluche qui se charge de l'approvisionnement hebdomadaire, et on a pu identifier le dealer qui, maintenant, nous mange dans la main... Vous allez vous mettre en relation avec lui pour qu'il vous présente comme leur nouveau contact. Après, dès que vous serez dans la place, à vous de jouer. On vous fournira, à tout hasard, un peu de poudre en complément. S'il y en a qui accrochent, cela nous fera des arguments supplémentaires.

Dans le même temps, le commissaire fit parvenir aux préfets, département par département, les noms d'une cinquantaine de maires, évoqués par un dessinateur de *Charlie-Hebdo* dans des conversations téléphoniques piratées, et qui semblaient disposés à offrir leur parrainage à Coluche. De son côté, le ministère de la Communication avait convaincu la première chaîne et *France-Inter* de surseoir à toute invitation du « candidat nul » jusqu'après l'élection présidentielle. Tout cet investissement aurait pu se révéler inutile sans la divine surprise du 26 novembre 1980. Le commissaire dormait profondément, dans l'appartement de la place

Cambronne, quand le téléphone s'était mis à sonner, tôt le matin. Liliane avait tiré sur la rallonge pour amener le récepteur depuis le salon jusqu'au lit.

— Clément... Réveille-toi... C'est Lapides, il veut te parler. Il dit que c'est très urgent...

Duprest s'était redressé pour se caler le dos sur l'oreiller. Il respira profondément pour contenir une quinte de toux.

— Oui, je vous écoute...

— Je crois qu'il y a du nouveau dans l'affaire Coluche...

— Quel genre de nouveau ? Il se retire...

Le directeur eut un petit rire à l'autre bout du fil.

— Si on s'y prend bien, ça ne devrait pas tarder. La Brigade criminelle vient d'identifier formellement un cadavre découvert hier matin dans une décharge, à Gournay-sur-Marne, pas loin du canal. Exécuté de deux balles dans la nuque... La cerise sur le gâteau, c'est que c'est un des meilleurs amis de notre comique !

— On sait qui l'a tué ?

— Non, pas encore. Cela nous ouvre des perspectives...

— Qui est-ce qui s'occupe de l'enquête ?

— C'est la seule mauvaise nouvelle de la matinée... Le chef de la Crim' s'en est directement saisi...

Duprest avala une gorgée du café que Liliane venait de lui apporter.

— Olivier Foll ?

— En personne. Difficile de tomber plus mal. On va essayer de voir si on peut tirer les vers du nez d'un des gars de son équipe, mais ce n'est pas la peine de l'attaquer en direct, la porte restera fermée ; il ne nous a jamais appréciés.

La générosité du service à l'égard d'une secrétaire du 36 quai des Orfèvres traversant une passe financière difficile permit d'apprendre rapidement que le type assassiné s'appelait René Gorlin, trente-neuf ans, et qu'il avait eu affaire à la justice, vingt ans plus tôt, pour un cambriolage. Apparemment rangé des voitures depuis sa sortie de prison, il avait assuré la régie des spectacles de Coluche, donnait un coup de main pour régler les éclairages, organisait les tournées, faisait le tri parmi les fans qui se pressaient devant la loge pour rencontrer leur idole. Duprest obtint la certitude que les limiers de la Crim' ne disposaient d'aucune piste sérieuse. Celui ou ceux qui avaient fait le coup s'étaient comportés en professionnels. Sauf événement imprévu, l'enquête demanderait plusieurs semaines d'investigation, voire plusieurs mois. C'était plus qu'il n'en fallait pour refermer sur Coluche le piège qui lui avait été tendu, et le faire chuter par là où il avait péché : les médias.

Quelques jours plus tard, Duprest grimpait les marches d'un restaurant suédois situé au premier étage d'un immeuble des Champs-Élysées. Un maître d'hôtel vint le conduire vers une table discrète d'où l'on découvrait le tracé clignotant formé, jusqu'à l'Arc de triomphe, par les milliers d'ampoules des guirlandes de Noël posées dans les arbres des contre-allées. Son invité, arrivé depuis une dizaine de minutes, se leva avec déférence pour le saluer.

— Restez assis, Grandolphe... Désolé d'être en retard, mais j'ai eu du mal à trouver une place de parking... C'est de pire en pire. Qu'est-ce que vous avez pris comme apéritif ? La couleur est superbe...

— Le cocktail du jour... Un Viking...

— Menthe verte et aquavit, c'est ça ?

Le maître d'hôtel se pencha légèrement.

— Kirsch et vodka dans la même proportion... Vous voulez essayer ?

Duprest acquiesça.

— Oui, et dans la foulée vous nous servirez le menu au nom imprononçable, vous savez, les entrées chaudes et froides...

— Un Viking et deux smörgasbord... C'est noté... On s'occupe de tout.

Le commissaire alluma une cigarette en contemplant la perspective.

— Normalement, vous ne devriez pas avoir de problèmes. Ce que je vous apporte est aussi balisé que cette avenue. Avant de voir tous ces documents en détail, je voudrais vous signaler que Coluche va être entendu, demain, dans les locaux de la Brigade criminelle, pour répondre à des questions sur la disparition de son garde du corps... Ce serait bien de prévenir un ou deux photographes de vos amis...

— Rassurez-vous, on ne va pas manquer ça...

L'homme préleva à l'aide d'une pique un cube de saumon à l'aneth dans la coupelle posée sur un napperon, puis il s'inclina en mâchonnant pour consulter le contenu du dossier que Duprest venait de lui tendre. L'examen dura près d'une dizaine de minutes pendant lesquelles la table se couvrit de petites assiettes de *matjes*, de harengs frits, d'anguilles fumées, de rondelles de concombre, de fenouil haché, de tomates à la vinaigrette, de gravlax... Il referma la chemise.

— Vous souhaitez que ça sorte où ? Un quotidien, un hebdo ?

Duprest prit un blanc d'œuf farci aux œufs de poisson.

— Je crois que pour être le plus efficace possible, il faut viser les hebdos. Le quotidien, c'est un fusil à un coup, tandis que si ça paraît en fin de semaine dans *Le Nouvel Observateur* ou *Le Point*, il y aura des reprises dès le lundi dans *Le Figaro, Le Monde,* et surtout *France-Soir...*

Grandolphe hocha la tête.

— Je suis parfaitement d'accord avec vous, commissaire. La rédaction du *Nouvel Observateur* est assez divisée sur le cas Coluche, et on risque de s'y embourber. Je pense que la bonne cible, aujourd'hui, c'est *L'Express*. Je peux m'arranger pour faire fuiter les infos afin qu'elles arrivent anonymement sur le bureau du rédacteur en chef... Sa première réaction sera de vous contacter, pour les authentifier, et il ne vous restera qu'à piquer une colère, au téléphone, pour donner le change...

— Vous pensez qu'ils passeront aussi la photo anthropométrique de 1963 ?

— Non, il ne faut pas trop leur en demander. Celle-là, j'ai le moyen de la fourguer à *Minute* par un chemin trop compliqué à expliquer. Des teigneux... Ils ne vont pas résister au plaisir de se le payer de face et de profil !

Ils se quittèrent après avoir goûté au *mjuk pepparkaka*, un gâteau moelleux au gingembre. Duprest dut patienter jusqu'au matin du 27 décembre pour avoir sous les yeux la confirmation des engagements pris par son correspondant. Il acheta une pile de journaux au kiosque du Marché aux Fleurs et grimpa dans son bureau. Le candidat nul faisait la une de *L'Express*, une photo accompagnée d'un titre aussi accrocheur que prometteur : « La vraie nature de Coluche ». L'hebdomadaire consacrait un dossier de sept pages au démontage de la statue. Il le lut plusieurs fois de suite en ayant l'étrange sentiment qu'à leur insu, son encre coulait de la plume des journalistes. Le rapport d'écoutes qui lui parvint le soir même consacrait le bien-fondé de sa stratégie. La violence des attaques alliée à la précision des révélations sur son passé avaient fini de déstabiliser le comédien déjà affaibli par les rumeurs autour de l'assassinat de son ancien employé. Au cours d'une conversation avec l'un de ses conseillers, il déclarait avoir « reçu cinq sur cinq l'avertissement des flics ». Et comme un bonheur n'arrive jamais seul, il reçut un message de Petit-Louis, l'agent infiltré dans l'entourage immédiat de la vedette : la poudre commençait à circuler rue Gazan. Duprest prit une paire de ciseaux dans le tiroir. Il découpa soigneusement une série de lettres dans les titres du *Figaro*, du *Matin de Paris*, de *L'Humanité*. Quand il eut terminé, il les aligna avec la pointe de l'instrument, pour former une courte phrase : « Inspecteur la Bavure : dernier avertissement », avant de les coller une à une sur une feuille de papier blanc.

Le commissaire n'eut pas besoin de prendre connaissance des rapports secrets pour connaître les effets de sa lettre anonyme, puisque c'est par voie de presse que son destinataire annonça qu'il demandait la protection de la police pour sa famille, ignorant encore que le mobile du meurtre de René Gorlin était d'ordre strictement passionnel. Le fruit était mûr. Il chuta de l'arbre à trois mois des élections par la diffusion d'un communiqué intitulé : « J'arrête, je ne suis plus candidat. »

Duprest le lut en se délectant de son café, à la terrasse des Deux Palais.

« J'ai voulu remuer la merde politique dans

laquelle on est, je n'en supporte plus l'odeur. J'ai voulu m'amuser et amuser les autres dans une période d'une très grande tristesse et d'un grand sérieux. C'est le sérieux qui vient de gagner. Eh bien, tant pis. Des gens seront déçus, je le suis aussi. Je suis déçu de mes droits civiques. J'arrête parce que je ne peux pas aller plus loin. (...) Déjà la police fait un dossier sur moi dans le but d'interdire ma candidature au dernier moment ; tout ça est trop "sérieux" pour moi. Je ne parle pas des menaces de mort et autres marques d'affection que l'on m'a fait l'honneur de m'adresser. Messieurs les hommes politiques de métier, j'avais mis le nez dans le trou de votre cul, je ne vois pas l'intérêt de l'y laisser. Amusez-vous bien, mais sans moi. »

ÉPILOGUE

Duprest descendit pour la dernière fois l'escalier desservant les bureaux des Renseignements généraux. Il cligna des yeux en quittant l'abri du bâtiment, s'habitua au soleil en se dirigeant vers la statue de Théophraste Renaudot. Lapides avait fait les choses en grand pour son départ en retraite, un buffet de chez Mauduit, du champagne à foison. Les collègues s'étaient cotisés pour lui offrir un magnétoscope avec toute une série de cassettes de ses films préférés qu'un chauffeur de la Préfecture viendrait lui livrer dans l'appartement de Rueil où ils avaient fini par emménager, avec Liliane. Il leva la tête vers les lourdes grappes mauves qui alourdissaient les branches des paulownias comme lors de son arrivée, près de quarante années plus tôt. Il prit un taxi, quai de la Corse, se fit déposer place de la Concorde, au coin de l'avenue Gabriel. Il montra sa carte tricolore, son carton d'invitation à l'officier de police qui filtrait les abords du palais de l'Élysée. Il longea les murs de l'ambassade américaine en se demandant encore s'il faisait bien de répondre à l'invitation pour la garden-party du nouveau Président. Il ne savait pas si son travail, dans l'ombre, avait fait battre Giscard d'Estaing ou élire François Mitterrand. La foule se pressait devant les grilles. Il identifia Gaston Defferre flanqué de Pierre Bérégovoy, et plus loin François de Grossouvre en discussion avec un homme de forte stature coiffé d'un indémodable chapeau noir. Le visage ne lui était pas inconnu, mais c'est au prix d'un intense effort qu'il parvint à faire remonter en lui les images de ce mois de juillet 1942. Il revit, comme s'il s'était agi de la veille, le secrétaire général de la préfecture de police donner ses ordres, avant la grande rafle. René Bousquet sentit qu'on l'observait. Leurs regards se croisèrent, puis le groupe disparut vers les jardins. L'ex-commissaire principal demeura immobile un moment avant de revenir sur ses pas. Dans le taxi qui l'emportait vers l'inactivité, il se dit que s'il avait servi l'État puis la République, l'âge le mettait à l'abri d'avoir à servir la gauche.

Aubervilliers, août 2005 - janvier 2006

Pour composer les trajectoires des personnages fictifs de cette histoire, l'auteur s'est appuyé sur la lecture de nombreux ouvrages dont :

Leurs dossiers R.G., Julien Caumer, Flammarion, 2000
Chants kabyles de la guerre d'Indépendance, Mehenna Mahfoufi, Seguier, 2002
À travers la république, Louis Andrieux, Payot, 1926
L'importune vérité, Raymond Marcellin, Plon, 1978
En mai fais ce qu'il te plaît, Maurice Grimaud, Stock, 1977
Les pénétrations policières dans le milieu ouvrier, *La Rue* n° 25, 1978
Les policiers français sous l'Occupation, Jean-Marc Berlière et Laurent Chabrun, Perrin, 2001
Les R.G. sous l'Occupation, Frédéric Couderc, Olivier Orban, 1992
Ce n'est qu'un début, Philippe Labro, Éditions Premières, 1968
Partisans n° 42, François Maspero, 1968
La révolte étudiante, Le Seuil, 1968
Les porteurs de valises, Hervé Hamon et Patrick Rotman, Albin Michel, 1979
Cette mystérieuse section coloniale, Pierre Durand, Messidor, 1986
Octobre 1961, Jean-Luc Einaudi, Fayard, 2001

La littérature de la défaite et de la Collaboration, Gérard Loiseaux, Fayard, 1995
La grande rafle du Vel d'Hiv, Claude Lévy et Paul Tillard, Robert Laffont, 1967
L'affiche rouge, 21 février 1944, Benoît Rayski, Le Félin, 2004
Viêt-Nam 1920-1945, Ngo Van, L'Insomniaque, 1995
Refus et violences, Jeannine Verdès-Leroux, Gallimard, 1996
Journal 1939-1945, Pierre Drieu la Rochelle, Gallimard, 1992
1934-1984, Voyage d'un communiste, Léon-Raymond Dallidet, La Pensée Universelle, 1984
Les R.G. à l'écoute de la France, Francis Zamponi, La Découverte, 1998
La France à l'heure allemande, Philippe Burrin, Le Seuil, 1995
Les documenteurs des années noires, Jean-Pierre Bertin-Maghit, Nouveau Monde, 2004
L'argent nazi à la conquête de la presse française 1940-1944, Pierre-Marie Dioudonnat, Jean Picollec, 1981
Guy de Maupassant sur les chemins d'Algérie, Magellan et Cie, 2003
Les Collaborateurs 1940-1945, Pascal Ory, Le Seuil, 1976
Ni droite, ni gauche, Zeev Sternhell, Complexe, 2000
Le cinéma français sous l'Occupation, René Château, La mémoire du cinéma français, 1995
Les années radio 1949-1989, Jean-François Remonté et Simone Depoux, L'Arpenteur, 1989
La guerre d'Algérie en France 1954-1962, Raymond Muelle, Presses de la Cité, 1994
1000 jours à Matignon, Constantin Melnik, Grasset, 1988
La mort était leur mission, Constantin Melnik, Plon, 1996
Massacres coloniaux 1944-1950, Yves Benot, La Découverte, 1994

Les anarchistes français face aux guerres coloniales, Sylvain Boulouque, ACL, 2003
Violence et colonisation, Claude Liauzu, Syllepse, 2003
Les camarades des frères (Trotskistes et libertaires dans la guerre d'Algérie), Sylvain Pattieu, Syllepse, 2002
Paris Ouvrier, Alain Rustenholz, Parigramme, 2003
Le Paris Arabe, Pascal Blanchard, Éric Deroo, Driss El Yazami, Pierre Fournié et Gilles Manceron, La Découverte, 2003
Le Paris Asie, Pascal Blanchard, Éric Deroo, La Découverte, 2004
Le Paris Noir, Pascal Blanchard, Éric Deroo, Gilles Manceron, Hazan, 2001
Le film pornographique le moins cher du monde, Fred Romano, Pauvert, 2000
Coluche victime de la politique, André Halimi, Éditions n° 1, 1993
Le roman de Coluche, Frank Tenaille, Seghers, 1986
Coluche de A à Z, Gilles Lhote, Albin Michel, 1996

DU MÊME AUTEUR

Aux Éditions Gallimard

RACONTEUR D'HISTOIRES, *nouvelles* (Folio n° 4112).

CEINTURE ROUGE précédé de CORVÉE DE BOIS. Textes extraits de *Raconteur d'histoires* (Folio 2 € n° 4146).

MAIN COURANTE ET AUTRES LIEUX (Folio n° 4222).

ITINÉRAIRE D'UN SALAUD ORDINAIRE (Folio n° 4603).

TROIS NOUVELLES NOIRES, *avec Jean-Bernard Pouy et Chantal Pelletier*, lecture accompagnée par Françoise Spiess (La Bibliothèque Gallimard n° 194).

Dans la Série Noire

MEURTRES POUR MÉMOIRE, *n° 1945* (Folio policier n° 15). Grand prix de la Littérature Policière 1984 — Prix Paul Vaillant-Couturier 1984.

LE GÉANT INACHEVÉ, *n° 1956* (Folio policier n° 71). Prix 813 du Roman Noir 1983.

LE DER DES DERS, *n° 1986* (Folio policier n° 59).

MÉTROPOLICE, *n° 2009* (Folio policie n° 86).

LE BOURREAU ET SON DOUBLE, *n° 2061* (Folio policier n° 42).

LUMIÈRE NOIRE, *n° 2109* (Folio policier n° 65).

12, RUE MECKERT, *n° 2621* (Folio policier n° 299).

JE TUE IL..., *n° 2694* (Folio policier n° 403).

Dans « Page Blanche » et « Frontières »

À LOUER SANS COMMISSION (épuisé).

LA COULEUR DU NOIR (épuisé).

Dans « La Bibliothèque Gallimard »

MEURTRES POUR MÉMOIRE. *Dossier pédagogique par Marianne Genzling, n° 35.*

Dans la collection « Écoutez-lire »

MEURTRES POUR MÉMOIRE (4 CD).

Dans la collection « Futuropolis »

MEURTRES POUR MÉMOIRE, *Illustrations de Jeanne Puchol.*

Aux Éditions Denoël

LA MORT N'OUBLIE PERSONNE (Folio policier n° 60).
LE FACTEUR FATAL (Folio policier n° 85). Prix Populiste 1992.
ZAPPING (Folio n ° 2558). Prix Louis-Guilloux 1993.
EN MARGE (Folio n° 2765).
UN CHÂTEAU EN BOHÊME (Folio policier n° 84).
MORT AU PREMIER TOUR (Folio policier n° 34).
PASSAGES D'ENFER (Folio n° 3350).

Aux Éditions Manya

PLAY-BACK. Prix Mystère de la Critique 1986 (Folio n° 2635).

Aux Éditions Verdier

AUTRES LIEUX (repris avec *Main courante* dans Folio » n° 4222).
MAIN COURANTE (repris avec *Autres lieux* dans Folio n° 4222).
LES FIGURANTS.
LE GOÛT DE LA VÉRITÉ.
CANNIBALE (Folio n° 3290).
LA REPENTIE (Folio policier n° 203).
LE DERNIER GUERILLERO (Folio n° 4287).
LA MORT EN DÉDICACE.
LE RETOUR D'ATAÏ (Folio n° 4329).
CITÉS PERDUES.
HISTOIRE ET FAUX-SEMBLANTS.
COULEUR : NOIR (à paraître).

Aux Éditions Julliard

HORS LIMITES (Folio n° 3205).

Aux Éditions Baleine

NAZIS DANS LE MÉTRO (Folio policier n° 446).

ÉTHIQUE EN TOC.

LA ROUTE DU ROM (Folio policier n° 375).

Aux Éditions Hoebecke

À NOUS LA VIE ! *Photographies de Willy Ronis.*

BELLEVILLE-MÉNILMONTANT. *Photographies de Willy Ronis.*

Aux Éditions Parole d'Aube

ÉCRIRE EN CONTRE, *entretiens.*

Aux Éditions Eden

LES CORPS RÂLENT.

Aux Éditions Syros

LA FÊTE DES MÈRES.

LE CHAT DE TIGALI.

Aux Éditions Flammarion

LA PAPILLONNE DE TOUTES LES COULEURS.

Aux Éditions Rue du Monde

IL FAUT DÉSOBÉIR. *Dessins de PEF.*

UN VIOLON DANS LA NUIT. *Dessins de PEF.*

VIVA LA LIBERTÉ. *Dessins de PEF.*

L'ENFANT DU ZOO. *Dessins de Laurent Corvaisier.*

NOS ANCÊTRES LES PYGMÉES. *Dessins de Jacques Ferrandez.*

LE PASSAGER CLANDESTIN. *Dessins de Jacques Ferrandez.*

Aux Éditions Casterman

LE DER DES DERS. *Dessins de Tardi.*

Aux Éditions l'Association

VARLOT SOLDAT. *Dessins de Tardi.*

Aux Éditions Bérénice

LA PAGE CORNÉE. *Dessins de Mako.*

Aux Éditions Hors Collection

HORS LIMITES. *Dessins d'Assaf Hanuka.*

Aux Éditions EP

CARTON JAUNE. *Dessins d'Assaf Hanuka.*

LE TRAIN DES OUBLIÉS. *Dessins de Mako.*

L'ORIGINE DU NOUVEAU MONDE. *Dessins de Mako.*

Aux Éditions Liber Niger

CORVÉE DE BOIS. *Dessins de Tignous.*

Aux Éditions Terre de Brume

LE CRIME DE SAINTE-ADRESSE. *Photos de Cyrille Derouineau.*

BARAQUES DU GLOBE. *Dessins de Didier Collobert.*

Aux Éditions Nuit Myrtide

AIR CONDITIONNÉ. *Dessins de Mako.*

Aux Éditions Imbroglio

LEVÉE D'ÉCROU. *Dessins de Mako.*

Aux Éditions Nocturne

CLAUDE DEBUSSY. *Dessins de Joe Pinelli.*

Composition Graphic Hainaut
Impression Maury
à Malesherbes, le 10 septembre 2007
Dépôt légal : septembre 2007
N° d'imprimeur : 131462

ISBN 978-2-07-034709-4./Imprimé en France.